KARSTEN DUSSE

ACHTSAM MORDEN

EIN ENTSCHLEUNIGTER KRIMINALROMAN

WILHELM HEYNE VERLAG
MÜNCHEN

Für Lina

Penguin Random House Verlagsgruppe FSC® N001967

36. Auflage
Copyright © 2019 by Karsten Dusse
Copyright © 2019 by Wilhelm Heyne Verlag, München,
in der Penguin Random House Verlagsgruppe GmbH,
Neumarkter Straße 28, 81673 München
Printed in Germany
Redaktion: Heiko Arntz
Umschlaggestaltung: Cornelia Niere, München,
unter Verwendung von Motiven von Shutterstock.com
(Evgeny Haritonov, Big Foot Productions, Julia Lemba, MILKXT2)
Satz: Leingärtner, Nabburg
Druck und Bindung: GGP Media GmbH, Pößneck

ISBN: 978-3-453-43968-9

www.heyne.de

INHALT

1 ACHTSAMKEIT

»Wenn Sie vor einer Tür stehen und warten, stehen Sie vor einer Tür und warten.
Wenn Sie sich mit Ihrer Frau streiten, streiten Sie sich mit Ihrer Frau. Das ist Achtsamkeit.
Wenn Sie vor einer Tür stehen und warten und die Wartezeit dazu nutzen, sich in Gedanken zusätzlich noch mit Ihrer Frau zu streiten — dann ist das nicht Achtsamkeit.
Dann ist das einfach nur blöde.«

JOSCHKA BREITNER,
»ENTSCHLEUNIGT AUF DER ÜBERHOLSPUR —
ACHTSAMKEIT FÜR FÜHRUNGSKRÄFTE«

EINS VORWEG: Ich bin kein gewalttätiger Mensch. Ganz im Gegenteil. Ich habe mich zum Beispiel in meinem ganzen Leben noch nie geprügelt. Und den ersten Menschen habe ich auch erst mit zweiundvierzig Jahren umgebracht. Was, wenn ich mich so in meinem heutigen beruflichen Umfeld umsehe, eher spät ist. Gut, in der Woche darauf hatte ich dann schon fast das halbe Dutzend voll.

Das klingt jetzt vielleicht erst einmal unschön. Aber alles, was ich getan habe, habe ich in bester Absicht getan. Es war das logische Ergebnis einer achtsamen Lebensumstellung. Um meinen Beruf und mein Familienleben in Einklang zu bringen.

Meine erste Begegnung mit der Achtsamkeit war purer Stress. Meine Frau, Katharina, wollte mich zur Entspannung zwingen. Um an meiner geringen Belastbarkeit, meiner fehlenden Verlässlichkeit, meiner verdrehten Wertewelt zu arbeiten. Um unserer Ehe noch eine Chance zu geben.

Sie wollte den ausgeglichenen, aufstrebenden jungen Mann voller Ideale zurückhaben, in den sie sich vor zehn Jahren verliebt hatte. Hätte ich meiner Frau zu irgendeinem Zeitpunkt gesagt, ich hätte auch gerne ihren Körper zurück, in den ich mich vor zehn Jahren verliebt hatte, dann wäre unsere Ehe bereits an dieser Stelle beendet gewesen. Völlig zu Recht. Am Körper einer Frau darf die Zeit selbstverständlich Spuren hinterlassen.

Aber an der Seele eines Mannes offensichtlich nicht. Und deshalb ging nicht meine Frau mit ihrem Körper zum Schönheitschirurgen, sondern ich mit meiner Seele zum Achtsamkeitstraining.

Zu dem Zeitpunkt war Achtsamkeit für mich nur ein weiterer Aufguss des immer gleichen Esoterik-Tees, der den Leuten in jedem Jahrzehnt wieder aufgewärmt und unter einem anderen Begriff als neu verkauft wird. Achtsamkeit war autogenes Training ohne Hinlegen. Yoga ohne Verbiegen. Meditation ohne Schneidersitz. Oder, wie es in dem Artikel des *Manager*-Magazins hieß, den mir meine Frau eines Tages demonstrativ auf den Frühstückstisch legte: »Achtsamkeit ist die wertungsfreie und liebevolle Wahrnehmung des Augenblicks.« Eine Definition, die auf mich genauso konturlos wirkte wie die Kieselsteine, die bis zur völligen Belanglosigkeit entspannte Menschen gerne am Strand sinnfrei zu Türmen stapeln.

Ob ich bei dieser Achtsamkeitssache überhaupt mitgemacht hätte, wenn es nur um uns beide, meine Frau und mich, gegangen wäre? Ich weiß es nicht. Aber wir haben eine kleine Tochter, Emily, und für die hätte ich mich auch von Sodom nach Gomorrha schicken lassen, wenn es in einer dieser Städte eine Chance für uns als Familie gegeben hätte.

Deshalb war ich an einem Donnerstagabend im Januar mit meinem neuen Achtsamkeitscoach verabredet. Als ich an der schweren Holztür seiner »Praxis« klingelte, um unter anderem über mein Zeitmanagement zu reden, war ich bereits fünfundzwanzig Minuten zu spät.

Der Coach hatte seine Räumlichkeiten im Erdgeschoss eines aufwendig renovierten Altbaus in einer nobleren Gegend unserer Stadt. Seinen Flyer hatte ich im Wellnessbereich eines Fünf-Sterne-Hotels gesehen. Seine Preisliste kannte ich aus dem Internet.

Jemand, der anderen Menschen einen Batzen Kohle aus der Tasche zieht, um ihnen beizubringen, gelassener zu sein, würde wohl dazu in der Lage sein, bezahlte Verspätungen locker wegzumeditieren. Dachte ich. Doch auf mein Klingeln hin geschah erst einmal gar nichts.

Bis zu dem Zeitpunkt, wo sich der Entspannungsguru weigerte, die Tür aufzumachen, war ich eigentlich ganz gelassen gewesen, denn meine Verspätung war völlig verzeihlich. Ich war Rechtsanwalt – Strafrecht – und hatte noch am späten Nachmittag einen Haftprüfungstermin reinbekommen. Ein Mitarbeiter meines Hauptmandanten Dragan Sergowicz war nachmittags in einem Juweliergeschäft angetroffen worden, als er sich gerade einen Verlobungsring aussuchen wollte. Statt Geld hatte er allerdings nur eine geladene Pistole dabei. Als ihm die vorgelegten Ringe nicht gefielen, schlug er dem Juwelier die Waffe gegen die Schläfe. Da der Juwelier zu diesem Zeitpunkt bereits den stillen Alarm ausgelöst hatte, fand die Polizei bei ihrem Eintreffen einen am Boden liegenden Juwelier und einen Mann vor, der beim Anblick zweier auf ihn gerichteter Maschinenpistolen keinerlei Widerstand leistete. Sie nahmen ihn mit aufs Präsidium und verständigten sowohl mich als auch den Haftrichter.

Mit meinen früheren Idealen als Jurastudent hätte ich es als völlig gerecht empfunden, wenn ein solcher Vollassi bis zur Gerichtsverhandlung in Untersuchungshaft geblieben und anschließend für mehrere Jahre im Bau verschwunden wäre.

Mit meiner jahrelangen Erfahrung als Strafverteidiger für Vollassis hatte ich den Idioten nach zwei Stunden wieder auf freiem Fuß.

Ich war also nicht einfach zu spät zum Coaching gekommen. Ich war *erfolgreich* zu spät gekommen. Und wenn dieser Entspannungsfuzzi den Rest der Stunde nicht mit Bockigsein verplempern wollte, könnte ich ihm auch erzählen, warum ich so erfolgreich war.

Der junge Mann mit dem Hang zu bewaffneten Einkäufen war fünfundzwanzig Jahre alt und wohnte noch bei seinen Eltern. Er war bislang nicht wegen Gewaltdelikten vorbestraft – nur wegen Drogendelikten. Es bestand weder Flucht- noch Wiederholungs- noch Verdunklungsgefahr. Und er teilte die gesellschaftlichen Wertvorstellungen von Ehe und Familie. Denn deshalb war er ja im Juweliergeschäft gewesen: Durch das Entwenden eines Ringes wollte er seiner Bereitschaft Ausdruck verleihen, eine familiäre Bindung einzugehen.

Okay, für den Juwelier im Krankenhaus und die Polizisten auf Streife war es sicherlich schwer zu verstehen, dass ein Mensch, der ohne jeden Zweifel ein Gewalttäter war, heute Abend schon wieder im Kreise seiner Freunde den Dicken geben und den Staat verhöhnen konnte. Selbst meine Frau fand meine Arbeit diesbe- züglich gelegentlich recht fragwürdig. Aber es war nicht meine Aufgabe, anderen Menschen unser Rechtssystem zu erklären. Es war mein Job, dieses System nach allen Regeln der Kunst auszu- nutzen. Ich verdiente mein Geld, indem ich schlechten Men- schen Gutes tat. Punkt. Und das beherrschte ich perfekt. Ich war ein hervorragender Strafverteidiger. Angestellt in einer der re- nommiertesten Wirtschaftskanzleien der Stadt. Rund um die Uhr einsatzbereit.

Das war Stress, klar. Und das war nicht immer mit dem Fami- lienleben in Einklang zu bringen. Deshalb stand ich ja jetzt auch vor der Tür dieses Achtsamkeits-Typen. Der mich nicht rein- ließ ... Mein Nacken fing an, sich zu verspannen.

Aber für den Stress bekam ich ja auch jede Menge: Dienstwa- gen. Maßanzüge. Teure Uhren. Ich hatte vorher nie viel auf Sta- tussymbole gegeben. Aber wenn Sie als Anwalt das organisierte

Verbrechen vertreten, müssen Sie sich Statussymbole zulegen. Allein schon, weil Sie als Anwalt selbst das Statussymbol Ihres Mandanten sind.

Ich bekam ein großes Büro, einen Designerschreibtisch und ein fünfstelliges Monatsgehalt für meine Familie: meine traumhafte Tochter, meine tolle Frau und mich.

Gut – ein hoher vierstelliger Betrag davon ging schon mal für die Raten für das Haus drauf. Ein Haus, in dem ein traumhaftes Kind wohnte, das ich aufgrund meiner Arbeitszeiten nie sah. Bei einer liebenden Mutter, mit der ich mich, wenn ich sie sah, nur noch stritt. Ich, weil ich gereizt war vom Job, von dem ich meiner Frau nichts erzählen konnte, weil sie ihn hasste – und sie, weil sie den ganzen Tag allein auf unsere Kleine aufpassen musste und dafür ihren seriösen Job als Abteilungsleiterin bei einer Versicherung aufgegeben hatte. Wenn die Liebe zwischen uns beiden eine zarte Pflanze war, so hatten wir sie beim Umtopfen in den großen Familientopf offensichtlich zu wenig gepflegt. Kurz: Es ging uns wie so vielen erfolgreichen Jungfamilien – scheiße.

Um Job und Familie unter einen Hut zu bringen, und weil ich von uns beiden der Einzige war, der über beides verfügte, hatte meine Frau mich dazu auserwählt, an mir zu arbeiten. Sie schickte mich zum Achtsamkeitscoach. Der nicht aufmachte. Idiot. Meine Nackenverspannungen begannen, sich bei jeder Kopfdrehung in leisen Knack-Geräuschen bemerkbar zu machen.

Ich klingelte erneut an der schweren Holztür. Sie schien frisch lasiert zu sein. Jedenfalls roch sie so.

Endlich wurde sie geöffnet. Ein Mann stand da, als hätte er die ganze Zeit lang hinter der Tür gelauert und auf das zweite Klingeln gewartet. Er war ein paar Jahre älter als ich, so Anfang fünfzig.

»Wir waren um zwanzig Uhr verabredet«, sagte er schlicht, bevor er sich umwandte und ohne ein weiteres Wort durch den kahlen Flur davonging. Ich folgte ihm in ein indirekt beleuchtetes, spärlich möbliertes Büro.

Der Mann wirkte asketisch. Kein Gramm Fett am sehnigen Körper. Der Typ von Mensch, bei dem eine Sahnetorte selbst dann keine Wesensveränderung bewirken könnte, wenn man sie ihm subkutan spritzen würde. Sein Äußeres wirkte gepflegt. Er trug eine ausgewaschene Jeans, eine grobgestrickte Wolljacke über einem schlichten, weißen Baumwollhemd und Pantoffeln an seinen ansonsten nackten Füßen. Keine Uhr. Kein Schmuck.

Der Kontrast hätte nicht größer sein können. Ich trug meinen dunkelblauen Maßanzug, weißes Hemd mit Manschettenknöpfen, blau-silberne Krawatte mit diamantbesetzter Krawattennadel, Breitling-Uhr, Ehering, schwarze Socken, Budapester Schuhe. Die Anzahl der Kleidungsstücke, die ich mehr anhatte als der Typ, überstieg die Anzahl der Möbelstücke in seinem Besprechungsraum. Zwei Sessel, ein Tisch. Ein Regal mit Büchern und ein Beistelltisch mit Getränken.

»Ja, sorry. War viel Verkehr.« Schon aufgrund seiner Nicht-Begrüßung hätte ich nicht übel Lust gehabt, sofort wieder zu gehen. Beruflich bedingte Verspätungen vorgeworfen zu bekommen konnte ich auch kostenlos von meiner Frau haben. Aber für den Stress, den Katharina mir gemacht hätte, wenn sie erfahren hätte, dass ich nicht nur zu spät zum Achtsamkeitskurs erschienen, sondern auch beleidigt sofort wieder gegangen war, hätte ich im Anschluss zwei weitere Entspannungscoaches gebraucht.

»Ich hatte noch einen kurzfristigen Haftprüfungstermin. Raub mit Körperverletzung. Da konnte ich nicht so einfach …« Warum redete ich eigentlich die ganze Zeit? Er war hier doch der Hausherr. Müsste er mir nicht wenigstens einen Stuhl anbieten? Oder sonst irgendetwas sagen? Doch der Typ schaute mich einfach nur an. Ungefähr so, wie meine Tochter schaut, wenn sie im Wald einen Käfer sieht. Während beim Käfer instinktiv Schreckstarre einsetzt, wenn er von einer unbekannten Spezies beobachtet wird, setzte bei mir ein Redereflex ein.

»Wir können ja einfach schneller machen … für das gleiche Geld«, versuchte ich den verpatzten Einstieg neu zu gestalten.

»Ein Weg wird nicht kürzer, wenn man rennt«, bekam ich als Antwort.

Ich hatte schon gehaltvollere Sinnsprüche auf den Kaffeetassen meiner Sekretärinnen gelesen. Und der Spruch von dem Typen wurde ja noch nicht einmal durch einen guten Kaffee wettgemacht. Ganz schlechter Start.

»Setzen Sie sich doch. Wollen Sie einen Tee?«

Na endlich. Ich setzte mich in einen der Sessel. Er sah aus, als hätte er in den letzten Siebzigerjahren des vergangenen Jahrtausends mal einen Designpreis gewonnen und bestand im Wesentlichen aus einem einzigen Chromrohr, an dem eine Polsterbespannung aus grobem, braunem Kord aufgehängt war. Der Sessel war erstaunlich bequem.

»Haben Sie auch einen Espresso?«

»Grüner Tee ist okay?«

Der Coach ignorierte meinen Espresso-Einwand und schenkte mir bereits aus einer Glaskanne ein. Man sah ihrem milchig gewordenen Glas an, dass sie seit Jahren täglich im Einsatz war.

»Bitte sehr. Lauwarm.«

»Also, ich weiß ehrlich gesagt gar nicht, ob ich hier richtig bin …«, setzte ich an.

Ich hielt mich krampfhaft an meiner Teetasse fest. Ich hatte gehofft, unterbrochen zu werden. Wurde ich aber nicht. Mein

Stammeln blieb unvollendet im Raum stehen. Dort begegnete es dem offenen Blick meines Gegenübers. Erst nachdem klar war, dass ich nicht mehr weiterreden würde, nahm auch der Coach einen Schluck von seinem Tee.

»Ich kenne Sie seit dreißig Minuten und denke, Sie könnten hier eine Menge für sich lernen.«

»Sie können mich gar nicht seit dreißig Minuten kennen. Ich bin ja erst seit knapp drei Minuten hier«, bemerkte ich scharfsinnig.

Der Coach antwortete mit einer provozierenden Sanftheit: »Sie hätten aber seit dreißig Minuten hier sein können. Die ersten rund fünfundzwanzig Minuten haben Sie offensichtlich mit irgendetwas ganz anderem verbracht. Dann haben Sie drei Minuten vor der Tür gestanden und überlegt ob Sie ein zweites Mal klingeln. Richtig?«

»Äh ...«

»Nachdem Sie sich endlich dazu entschlossen hatten zu klingeln, habe ich in den drei Minuten, die Sie hier in meinen Räumen sind, von Ihnen erfahren, dass Sie Verabredungen, bei denen es ausnahmsweise mal nur um Sie geht, nicht als verbindlich ansehen, dass Sie Ihre Prioritäten ausschließlich durch äußere Umstände setzen lassen, dass Sie meinen, sich gegenüber einem völlig Fremden rechtfertigen zu müssen, dass Sie Schweigen nicht aushalten, dass Sie eine von den gewohnten Normen abweichende Situation nicht intuitiv erfassen können und dass Sie komplett in Ihren Gewohnheiten gefangen sind. Wie fühlen Sie sich?«

Wow. Der Typ hatte recht.

»Wenn Sie aus genau diesen Gründen jetzt auch keinen Sex mit mir haben wollen, dann fühle ich mich exakt wie zu Hause!«, platzte ich heraus.

Der Coach verschluckte sich an seinem Grünen Tee, fing an zu husten und anschließend herzhaft an zu lachen. Nachdem er mit beidem aufgehört hatte, streckte er mir seine Hand entgegen.

»Joschka Breitner, schön, dass Sie hier sind.«

»Björn Diemel, freut mich.«

Das Eis war gebrochen.

»Also, warum sind Sie hier?«, wollte Joschka Breitner wissen.

Ich überlegte. Mir fielen tausend Gründe ein. Und dann wieder kein einziger. Ich dachte mir, dass man einem Achtsamkeitstrainer gegenüber wohl ein gewisses Maß an Offenheit an den Tag legen sollte. Ich fand Herrn Breitner nach seinem Lachanfall auch durchaus sympathisch. Aber ich war noch lange nicht bereit, so mir nichts, dir nichts intime Details aus meinem Privatleben zum Besten zu geben. Herr Breitner bemerkte mein inneres Herumschwimmen.

»Nennen Sie mir einfach fünf Dinge, die damit zu tun haben, dass Sie jetzt hier sind.«

Ich holte tief Luft. Dann legte ich los.

»Der Tag hat zu wenig Stunden, ich kann nicht abschalten, ich bin dünnhäutig, ich bin gestresst, meine Frau nervt, ich sehe mein Kind nie und vermisse es. Wenn ich dann mal Zeit für mein Kind habe, bin ich in Gedanken immer woanders. Meine Frau würdigt meinen Job nicht, mein Job würdigt mich nicht …«

»Sie können nicht zählen.«

»Bitte?«

»Neun dieser fünf Dinge sind klassische Überlastungssymptome. Können Sie ein paar Situationen schildern, in denen Sie so etwas verspüren?«

Ich musste gar nicht lange überlegen, wann ich mich zuletzt überlastet gefühlt hatte, und schilderte ihm einfach die von mir als äußerst stressig empfundene Situation gerade vor der Tür. Inklusive meiner gedanklichen Achterbahnfahrt.

Er nickte. »Wie bereits gesagt, ich denke, dass Ihnen das Erlernen von Achtsamkeit helfen kann.«

»Gut, dann los.«

»Haben Sie eine Vorstellung davon, was Achtsamkeit ist?«

»Ich nehme an, das werde ich in den nächsten Stunden für gutes Geld erfahren.«

»Das haben Sie bereits umsonst erfahren, als Sie vor der Tür standen«, sagte er milde.

»Da war ich wohl nicht ganz bei der Sache.«

»Genau das ist der Punkt: Sie haben zirka drei Minuten vor der Tür gestanden und überlegt, ob Sie ein zweites Mal klingeln. Wie viele dieser hundertachtzig Sekunden waren Sie gedanklich woanders?«

»Um ehrlich zu sein, vielleicht hundertsechsundsiebzig.«

»Wo waren Sie da mit Ihren Gedanken?«

»Im Juweliergeschäft, im Polizeipräsidium, in der Kanzlei, bei meinen Mandanten, bei meiner Tochter, beim Streit mit meiner Frau.«

»Sie haben sich also in maximal drei Minuten gedanklich an sechs verschiedenen Orten aufgehalten. Verbunden mit allen durch diese Orte hervorgerufenen Emotionen. Hat Ihnen das irgendwas gebracht?«

»Nein, ich ...«

»Warum haben Sie es dann gemacht?«, fragte er mit echtem Interesse.

»Ist halt so passiert.«

Hätte ein Mandant von mir sich vor Gericht so geäußert, ich hätte ihm jedes weitere Wort verboten.

»Achtsamkeit ist schlicht und ergreifend, dass Ihnen das nicht passiert.«

»Aha. Können Sie mir das genauer erklären?«

»Es ist ganz einfach. Wenn Sie vor der Tür stehen, stehen Sie vor der Tür. Wenn Sie sich mit Ihrer Frau streiten, streiten Sie sich mit Ihrer Frau. Wenn Sie die Zeit, in der Sie vor meiner Tür stehen, lieber dazu nutzen, sich auch noch in Gedanken mit Ihrer Frau zu streiten, dann sind Sie unachtsam.«

»Und wie steht man achtsam vor der Tür?«

»Sie stehen einfach da. Sie machen drei Minuten lang nichts. Sie stellen fest, dass Sie da stehen und Ihre Welt nicht ins Chaos abdriftet, wenn Sie einfach nur da stehen. Ganz im Gegenteil. Wenn Sie den Moment einfach mal nicht bewerten, kann er auch nichts Negatives an sich haben. Sie nehmen die natürlichen Dinge wahr. Ihren Atem. Den Geruch des frisch lasierten Türholzes. Den Wind in Ihrem Haar. Sich selbst. Und wenn Sie sich selbst liebevoll wahrnehmen, sind Sie am Ende dieser drei Minuten allen Stress los.«

»Ich hätte gar nicht ein zweites Mal klingeln müssen?«

»Sie hätten gar kein erstes Mal klingeln müssen. Sich ohne Absicht vor die Tür zu stellen reicht völlig.«

Ich hatte das Gefühl, dass ich mit dem Grundprinzip was anfangen konnte. Meinem Nacken jedenfalls merkte ich die Verspannungen nicht mehr an. Dass mir Herr Breitner nur Minuten später mein Mantra für meinen ersten Mord verraten würde, wurde mir allerdings erst Wochen später bewusst.

2 FREIHEIT

»Ein Mensch, der dauernd tut, was er will, ist nicht frei.
Allein die Vorstellung dauernd etwas tun zu müssen
hält gefangen. Nur ein Mensch, der *einfach mal nicht* tut,
was er *nicht* will, ist frei.«

JOSCHKA BREITNER,
»ENTSCHLEUNIGT AUF DER ÜBERHOLSPUR –
ACHTSAMKEIT FÜR FÜHRUNGSKRÄFTE«

JOSCHKA BREITNER FÜLLTE die Teetassen nach.

»Den meisten Stress machen wir uns, weil wir eine völlig verdrehte Vorstellung von Freiheit haben.«

»Aha.«

»Es ist ein Irrglaube, dass Freiheit darin bestünde, das tun zu können, was man will.«

»Was soll daran falsch sein?«

»Die Annahme, dass man dauernd etwas tun muss. Das ist der Hauptgrund für den Stress, den Sie empfinden. Sie stehen vor der Tür und halten es für völlig normal, in Gedanken alles Mögliche zu tun. Die Gedanken sind ja frei! Ho, ho – und genau das ist das Problem: Die freien Gedanken wieder einzufangen, wenn sie davongaloppieren. Sie müssen aber gar nicht denken. Im Gegenteil. Sie dürfen auch einfach mal nicht denken, wenn Sie nicht denken wollen. Dann erst sind Ihre Gedanken wirklich frei.«

»Jetzt besteht mein Tag ja aber nicht ausschließlich nur aus denken«, wagte ich einzuwenden. »Den meisten Ärger bekomme ich für das, was ich mache.«

»Und da gilt das Gleiche. Erst wenn Sie verinnerlicht haben, dass Sie *nicht* tun müssen, was Sie *nicht* tun wollen – erst dann sind Sie frei.«

Ich muss nicht tun, was ich nicht tun will. Ich bin frei.

Keine vier Monate später würde ich mir mit aller Konsequenz

genau diese Freiheit nehmen. Ich würde mir die Freiheit nehmen, etwas nicht zu tun, was ich nicht tun wollte. Leider würde ich damit die Freiheit eines anderen einschränken müssen – indem ich ihm das Leben nahm. Aber ich machte diesen Achtsamkeitskurs ja auch nicht, um die Welt zu retten, sondern um mich zu retten.

Achtsamkeit ist nicht »Leben und leben lassen«. Achtsamkeit ist: »Lebe!« Und so ein Imperativ kann schon mal Auswirkungen auf das unachtsame Leben anderer haben.

Was mich an meinem ersten Mord bis heute so mit Freude erfüllt, ist der Umstand, dass ich dabei wertungsfrei und liebevoll den Moment genießen konnte. So, wie mein Coach es mir in der allerersten Stunde als erstrebenswert beschrieben hatte. Mein erster Mord war eine ganz spontane Befolgung meiner Bedürfnisse, aus dem Augenblick heraus. Und so gesehen eine sehr erfolgreiche Achtsamkeitsübung. Nicht für den anderen. Aber für mich.

Aber als ich bei Herrn Breitner auf dem Sessel saß und meinen zweiten Tee trank, war noch keiner tot. Erst einmal war ich ja nur hier, um meinen beruflichen Stress besser in den Griff zu bekommen.

»Erzählen Sie mir von Ihrem Job. Sie sind Anwalt?«, wollte Herr Breitner wissen.

»Ja. Für Strafrecht.«

»Sie sorgen also dafür, dass jeder Mensch in diesem Land einen fairen Prozess bekommt, egal was ihm vorgeworfen wird. Das ist sehr lohnenswert.«

»Dafür wollte ich früher in der Tat sorgen. Also im Studium, im Referendariat und auch noch zu Beginn des Berufslebens. Die Realität eines erfolgreichen Strafverteidigers sieht leider völlig anders aus.«

»Wie denn?«

»Ich sorge dafür, dass Arschlöcher nicht den Ärger bekommen, der angebracht wäre. Das ist moralisch nicht im Ansatz lohnenswert. Aber äußerst lukrativ.«

Ich erzählte ihm von meinem Einstieg bei DED – der Kanzlei von Dresen, Erkel und Dannwitz – direkt nach meiner Anwaltszulassung. DED war eine mittelgroße Kanzlei mit wirtschaftlichem Schwerpunkt. Inklusive aller strafrechtlichen Aspekte. Ein Rudel Krawattenträger, die sich seriös gaben, aber den ganzen Tag lang nichts anderes taten, als für steinreiche Mandanten immer neue Steuerschlupflöcher zu finden, und sich um diejenigen kümmerten, die trotz aller Bemühungen Strafverfahren wegen Steuerhinterziehung, Wirtschaftskriminalität, Untreue oder Betrug im großen Stil an der Backe hatten. Um in dieser Liga als Neuling mitspielen zu dürfen, wurden von jedem Einsteiger zwei Prädikats-Examina sowie mehrere unentgeltliche Praktika erwartet. Und selbst von den Bewerbern, die diese Voraussetzungen erfüllen, wird nur einer von zehn genommen. Direkt nach dem zweiten Staatsexamen hier einen Job zu bekommen galt als der Sechser im Bewerbungslotto. Ich hatte Glück gehabt. Dachte ich damals.

»Das sehen Sie heute nicht mehr so?«, fragte Joschka Breitner.

»Nun, die Dinge haben sich im Laufe der Jahre einfach anders entwickelt, als ich es bei meiner Einstellung erwartet hatte.«

»Das nennt sich Leben. Was ist in Ihrem passiert?«

Ich umriss in groben Zügen meine Karriere. Ich erzählte von dem horrenden Einstiegsgehalt und von den horrenden Arbeitsbedingungen. Sechseinhalb Tage die Woche. Vierzehn Stunden am Tag. Jede Minute von eiskalten Karrieristen-Eseln umgeben, die im Hamsterrad der Möhre hinterherliefen, hier eines Tages Partner werden zu können.

Ich weiß, wovon ich spreche. Ich war einer von ihnen.

Mein erster Mandant war ein Typ, der vorher noch nie von der Kanzlei vertreten worden war. Der Anwalts-Neuling bekam den Mandanten-Neuling zugeteilt. Der Mandant war Dragan Sergowicz, aber das erwähnte ich nicht. Ich erwähnte nur, dass der Mandant »zwielichtig« war. Dabei war der Begriff »zwielichtig« für die Art von Dragans Geschäften stark untertrieben. Das Rotlicht, in dem er tätig war, blendete stärker als der Blitz einer Radarfalle, die einen mit hundertdreißig Sachen in einer Dreißiger-Zone erwischte.

Aber Dragan war wirtschaftlich erfolgreich, und einige der »seriösen« DED-Mandanten, die ihm einen Gefallen schuldeten, hatten eine Empfehlung für ihn ausgesprochen.

Bei unserem ersten Treffen sagte Dragan, es gehe um Steuerhinterziehung. Das war nicht komplett gelogen. Es entsprach aber auch nicht dem Vorwurf der Staatsanwaltschaft. Dragan hatte den für ihn zuständigen Sachbearbeiter des Finanzamtes wegen einiger kritischer Nachfragen krankenhausreif geschlagen. Nachdem der Sachbearbeiter wieder so weit genesen war, dass er feste Nahrung zu sich nehmen und Aussagen zu Protokoll geben konnte, wollte er sich sonderbarerweise weder an den Verdacht der Steuerhinterziehung noch an den Besuch von Dragan erinnern. Er sagte aus, er sei einfach unglücklich gestürzt.

Dragans beide Fäuste sollten sich in den Jahren darauf noch öfter als wesentlich effektiver erweisen als meine beiden Staatsexamina.

Dragan war nicht nur ein brutaler Zuhälter, sondern auch Großdealer und Waffenhändler. Als ich ihn kennenlernte, tarnte er seine Geschäfte mehr schlecht als recht hinter einer Reihe halb legaler Import-Export-Firmen. Kurz: Dragan war selbst für den sehr weit ausgelegten Seriositäts-Begriff meines Arbeitgebers ein sogenanntes »Bäh«-Mandat – eines, das viel Geld in die

Kanzlei spülte, mit dem man sich nach außen aber nicht gerade schmückte.

Das hinderte die Partner der Kanzlei natürlich nicht daran, mich in jeden bekannten Finanztrick einzuweihen, um ihn kostenpflichtig bei Dragan anzuwenden.

Dragan wurde zu meiner ersten beruflichen Herausforderung. Ich legte meinen ganzen Ehrgeiz daran, sein Unternehmensportfolio zu modernisieren und seine Aktivitäten damit unter dem Radar der Staatsanwaltschaft zu halten. Seine Haupteinnahmequelle blieben nach wie vor Drogen, Waffen und Zuhälterei. Die Einkünfte schleuste ich fortan aber durch zahlreiche Speditionen, Franchise-Unternehmen oder Bar-Geschäfts-Betriebe, an denen ich für Dragan Beteiligungen erworben hatte. Zusätzlich zeigte ich ihm, wie man mit EU-Subventionsbetrug Geld für inexistente Auberginenplantagen in Bulgarien einsackte und mit Optionspapieren für Emissionshandel Erwerbsquellen anzapfte, die zwar mindestens genauso kriminell waren wie Drogenhandel, für die man aber niemandem die Knochen brechen musste. Und beides wurde staatlich unterstützt. Mit meiner Hilfe hatte Dragan sein Bild in der Öffentlichkeit innerhalb weniger Jahre vom brutalen Dealer und Zuhälter zum halbwegs respektablen Geschäftsmann gewandelt.

Ich perfektionierte all das, was ich im Studium nie gelernt hatte. Wie man Zeugen »beeinflusst«, Staatsanwälte »besänftigt«, Mitarbeiter »auf Linie bringt«. Kurz: Ich war ganz gut darin, Leute zu überzeugen.

»Und wissen Sie warum?«, fragte ich Herrn Breitner.

»Erhellen Sie mich!«

»Anfangs, weil es in meinem Arbeitsvertrag stand. Ich bin kein schlechter Mensch. Ehrlich. Ich bin eher ängstlich und langweilig. Und pflichtbewusst. Pflichtbewusstsein ist vielleicht meine negativste Eigenschaft. Ich bin mir völlig im Klaren darüber, dass das System, das ich selber mit entworfen habe, nicht gut ist. Und zwar weder für andere noch für mich selbst. Ein System, in dem Gewalt, Unrecht und Betrug belohnt werden und in dem Liebe, Gerechtigkeit und Wahrheit negative Werte sind, kann nicht gut sein. Aber *ich* konnte trotzdem gut sein. Innerhalb des Systems zumindest. Aus meinem Pflichtbewusstsein heraus habe ich jahrelang alles dafür gegeben, dass dieses System funktioniert. Und dabei habe ich gar nicht gemerkt, wie ich vom streberhaften Prädikats-Juristen langsam, aber sicher zum perfekten Anwalt für das organisierte Verbrechen mutierte.«

Irgendwann machte es mir einfach Spaß, das Handwerk perfekt zu beherrschen. Aber Perfektionismus ist nicht alles. Jeder halbwegs gute Anwalt schaffte es, seinem Mandanten den Arsch zu retten. Aber das änderte nichts an der Situation. Dragan hatte auch im teuersten Anzug nicht den Hauch eines seriösen Geschäftsmannes. Er war und blieb ein gewalttätiger Irrer.

Im Rahmen der anwaltlichen Schweigepflicht durfte ich mir von ihm mehr geisteskranke Grausamkeiten anhören als der Beichtvater von Charles Manson. Gleichzeitig überschüttete ich Konkurrenten und mögliche Zeugen seiner Verbrechen geradezu kübelweise mit Scheiße und wunderte mich auch noch, dass ich irgendwann einen üblen Geruch annahm. Das heißt, ich selbst merkte es nicht einmal, sondern ich musste es mir von meiner geruchsempfindlichen Frau erst sagen lassen. Sie stellte schließlich fest, dass ich dieses Leben so nicht weiter führen konnte.

3 ATMEN

»Der Atem verbindet unseren Körper mit unserer Seele.
Solange wir leben, atmen wir. Solange wir atmen, leben wir.
Im Atem können wir Zuflucht nehmen. Wenn wir uns auf den Atem
konzentrieren, konzentrieren wir uns auf die Verbindung von Körper
und Geist. Mit dem Atem können wir den Einfluss negativer
Emotionen auf beide beruhigen.«

JOSCHKA BREITNER,
«ENTSCHLEUNIGT AUF DER ÜBERHOLSPUR –
ACHTSAMKEIT FÜR FÜHRUNGSKRÄFTE«

ICH ERZÄHLTE JOSCHKA BREITNER von meiner Befürchtung, die schon fast Gewissheit war – dass ich gerade wegen meines durchaus erfolgreichen Betreuens eines sogenannten »Bäh«-Mandats nie Partner in der Kanzlei werden würde. Ich war ein »Bäh«-Anwalt geworden. Ein erfolgreicher »Bäh«-Anwalt. Aber: »Bäh«-Anwälte wurden nicht Partner.

Ich merkte, wie sich schon beim Erzählen Schnappatmung, Magenschmerzen und Nackenverspannungen einstellten.

»Wann haben Sie denn das erste Mal bewusst festgestellt, dass sich Ihre Werte verschoben hatten?«

Ich überlegte kurz und hatte sehr schnell eine Schlüsselszene im Kopf.

»Da war dieser Moment, eines Nachts. Unsere Tochter Emily war damals noch ganz klein, vielleicht zwei Monate alt. Sie schlief natürlich noch nicht durch. Da Emily von Anfang an das Fläschchen bekam, konnten meine Frau und ich uns nachts abwechseln. Wie immer hatte ich tagsüber viel um die Ohren. Aber ich tat das gerne. Diese stillen Minuten nachts allein mit meiner kleinen Tochter im Babyzimmer waren wie eine eigene, friedliche Welt … Na ja, auf jeden Fall halte ich irgendwann nachts völlig übermüdet Emily im Arm, die gerade ihr Bäuerchen gemacht hat und vor sich hinbrabbelte, und ich versuchte sie in den Schlaf zu reden, und erzählte ihr, wie schön die Welt sei. Und mit einem Mal stellte ich mit Erschrecken fest, dass das die Welt meiner Kindheit war. Aber nicht die Welt, in der ich lebte.«

Joschka Breitner nickte eine Weile bedächtig vor sich hin, bevor er fragte: »Und warum tun Sie sich das an? Ist es das Geld?«

Ich überlegte. Nein, es wäre falsch zu behaupten, dass Geld das Einzige war, was mich an meinem Job reizte.

»Ich liebe das, was ich kann. Aber ich hasse die, für die ich es tue.«

»Wie macht sich das bemerkbar?«

»Die Liebe oder der Hass?«

»Weswegen sind Sie hier?«

»Wegen Letzterem.«

»Und? Wie wirkt sich der körperlich auf Sie aus?«

»Nackenverspannungen, Magenschmerzen, Schnappatmung…«

»Dann beenden wir die heutige Sitzung am besten mit einer Übung gegen die Schnappatmung.«

Breitner stellte seine Teetasse ab, lockerte seine Finger und stand in einer fließenden Bewegung auf. Ich erhob mich ebenfalls. Ich sah den Mann skeptisch an. Wollte er mir ernsthaft beibringen, wie ich meinen Ärger mit einem psychopathischen Schwerverbrecher und einer verständnislosen Ehefrau wegatmen konnte?

»Stellen Sie sich aufrecht hin. Rücken gerade, Brust leicht nach vorne. Beine schulterbreit auseinander. Und die Knie leicht gebeugt.«

Er machte es vor, ich tat es ihm nach.

Nichts passierte.

»Und jetzt?«

»Atmen Sie schon?«

»Seit zweiundvierzig Jahren.«

»Dann achten Sie einmal nur auf Ihren Atem«, wies mich Breitner an. »Wo spüren Sie ihn im Körper?«

»Ich spüre ihn im …«

Breitner unterbrach mich. »Das war eine rhetorische Frage. Das Schöne an dieser Übung ist, dass es völlig egal ist, wo Sie Ihren Atem spüren. Die Hauptsache ist, Sie spüren ihn überhaupt. Sie müssen die Fragen nach Ihrem Atem also nicht mir beantworten. Sondern sich selbst. Es geht einzig und allein darum, dass Sie erfahren, wie in Ihrem Körper jede Menge angenehme Sachen passieren. Ihr Atem ist der Grund und der Beweis dafür, dass Sie leben. Was ein Wunder ist. Nicht bei Ihnen speziell, sondern bei allen Lebewesen. Der Atem verbindet Körper und Seele. Also, wo spüren Sie den Atem, wenn Sie einatmen?«

Ich sagte nichts und spürte nur.

»Wo spüren Sie Ihren Atem, wenn Sie ausatmen?«

Ich sagte wieder nichts.

»Und jetzt versuchen Sie einmal, Ihren Körper als Ganzes zu spüren.«

Ich atmete und spürte weiterhin vor mich hin. Langweilige Scheiße.

»Das ist also Achtsamkeit?«, versuchte ich die Übung zu beenden.

»Wenn Sie gerade auf Ihren Atem achten, sind Sie achtsam. Richtig.«

»Und damit verändere ich die Idioten um mich rum?«, fragte ich.

»Nein. Damit verändern Sie Ihre Reaktion auf diese Idioten.«

»Die Idioten sind also nicht weg?«

»Nein, aber deren Einfluss auf Ihr Wohlbefinden. Was machen Schnappatmung, Nackenverspannung und Magenschmerzen?«

Ich fühlte noch mal in mich herein. War alles weg. Erstaunlich.

»Weg«, sagte ich.

»Also – das nächste Mal, wenn Ihre Frau Sie nervt oder Ihre Kanzlei Sie ankotzt, gehen Sie kurz mal zum Atmen aufs Klo.«

»Aufs Klo? Da ist es aber …«

»Dann atmen Sie halt durch den Mund. Jedenfalls haben Sie da einen geschützten Raum für sich. Drei Atemzüge lang in sich reinfühlen, und die Schnappatmung ist weg. Danach geht es Ihnen besser. Und Sie können jedes Problem einfacher angehen. So viel für heute?«

»Gerne. Nächste Woche um die gleiche Zeit?«

»Nein, nächste Woche pünktlich.«

Ich fand es nicht gänzlich falsch, was Joschka Breitner so von sich gegeben hatte. Und zumindest waren meine Nackenverspannungen weg. Von da an traf ich mich jede Woche Donnerstag mit Breitner. So gegen acht. Meist später.

4 ZEITINSELN

»Um in dem Meer aus Ansprüchen, denen Sie gerecht werden
sollen, nicht zu ertrinken, schaffen Sie sich Ihre eigenen Zeitinseln.
Geschützte Räume, in denen Sie ganz bewusst nur das tun,
was Ihnen guttut. Hier gibt es kein »Ich muss«. Hier gibt es nur
»Ich bin«. Eine Zeitinsel ist kein Ort, sondern ein Zeitraum.
Das kann eine Minute oder ein ganzes Wochenende sein.
In jedem Fall ist es ein Zeitraum, der nur Ihnen gehört, der von
Ihnen definiert wird und der von Ihnen geschützt wird. Wie der
nach einem Schiffbruch Gestrandete finden Sie hier Ruhe, Nahrung
und Energie. Sie bestimmen, wann Sie die Zeitinsel betreten.
Sie bestimmen, wann Sie die Zeitinsel verlassen. Sie verteidigen
Ihre Zeitinsel gegen jeden Eindringling. Und Sie wissen immer,
dass es die Zeitinsel für Sie gibt.«

JOSCHKA BREITNER,
«ENTSCHLEUNIGT AUF DER ÜBERHOLSPUR –
ACHTSAMKEIT FÜR FÜHRUNGSKRÄFTE«

DURCH MEINE ATEMÜBUNGEN war meine Welt nicht heil. Hätte ich meinem Mandanten Dragan vom Achtsamkeits-Training und der ersten Atemübung erzählt, wäre ich ab sofort nur noch seine Hechel-Schwuchtel gewesen. Und Dragan überhäufte mich in den nächsten Wochen geradezu mit Arbeit, die ich weghecheln musste. So hatte er sich zum Beispiel in den Kopf gesetzt, eine seiner legalen Immobilien in das luxuriöseste Bordell der Stadt umzubauen. Einen Edel-Lusttempel in einem klassischen Altbau. Über fünf Etagen. Das klitzekleine juristische Problem, das ich zu lösen hatte, war: Noch wohnten auf vier Etagen Mieter, und das Erdgeschoss wurde von einem Kindergarten zweckentfremdet. Die Nutzung des Gebäudes als Bordell war außerdem im jetzigen Bebauungsplan überhaupt nicht vorgesehen. Es mussten zig Ämter überzeugt werden, hier unter der Hand mitzumischen. Ich war fast jeden Abend mit Dragan oder in seinem Auftrag unterwegs, um Ansprechpartner zu überzeugen, zu bedrohen, mit ins Boot zu holen, Schmerzgrenzen auszutesten und Angebote zu eruieren.

Aber ich schaffte es immer wieder, über einen langen Arbeitstag verteilt, kleine Atem- und Achtsamkeitsübungen einzubauen. Ich atmete im Fahrstuhl des Bauamts, bevor ich im Gespräch mit dessen Leiter herausfinden durfte, wie viel »Gutes« man ihm tun konnte, ohne offen in die Bestechung oder die Bedrohung abzurutschen.

Ich atmete auf der Toilette der Mieter, bevor ich ihnen mitteilte, dass sie aus Versehen auch ganz schnell ohne Strom und Wasser dastehen könnten, wenn sie nicht freiwillig aus der Wohnung auszogen.

Ich atmete in meinem Büro in der Kanzlei, nachdem mir ein Kollege, der drei Jahre nach mir eingestellt worden war, mitteilte, dass er ab nächstem Monat Partner sei.

Und diese kleinen Atempausen verringerten in der Tat meine Anspannung, die ein Mensch mit Gewissen nun mal verspürt, wenn er andere Menschen manipuliert, bedroht oder beneidet.

Trotz meiner anhaltenden beruflichen Belastung bemerkte auch Katharina, dass ich bereit war, an mir zu arbeiten. Trotzdem, oder vielleicht gerade deswegen, fällten wir in den nächsten beiden Wochen eine folgenschwere Entscheidung für unsere Beziehung.

Wir wollten uns vorübergehend trennen – ein gemeinsamer Versuch, die Situation zu entspannen. Das Zauberwort hieß »Zeitinseln«. Es fiel in meiner nächsten Sitzung bei Herrn Breitner.

»Erzählen Sie mir vom Stress zu Hause«, forderte er mich auf, nachdem wir beide unsere Tasse Grünen Tee vor uns stehen hatten.

»Wo soll ich anfangen?«, bat ich um Hilfe.

»Irgendwann werden Sie sich ja kennengelernt haben.«

»Katharina und ich haben uns im Referendariat kennengelernt. Vor gut zehn Jahren. Sie hat das Studium gehasst und sich nur aus Vernunftgründen durchgequält, um später einen soliden Job zu finden. Sie tat sich unheimlich schwer und mir irgendwie leid, denn das war ganz anders als bei mir. Ich fand das alles spannend. Ich wollte für eine bessere Welt kämpfen. In irgendeiner Kaffeepause kamen wir darüber ins Gespräch und fanden diese Gegensätze ziemlich reizvoll.«

»Wegen unterschiedlicher Studienmotivation wird man doch kein Paar.«

»Nein, natürlich nicht. Wir fanden den jeweils anderen natürlich attraktiv, wir waren beide Singles. Wir konnten uns gut unterhalten, und im Bett hat es auch Spaß gemacht. Wir kamen also zusammen.«

»Eine VW-Golf-Beziehung.«

»Eine was?«

»Auf einen VW-Golf lässt man sich aus genau den gleichen Gründen ein. Der sieht nicht komplett hässlich aus, den holt man sich, wenn man nichts anderes hat, mit dem kann man gut von A nach B kommen und manchmal kann man damit auch rasen.«

»Was soll daran schlecht sein?«

»Gar nichts. Es sei denn, Sie träumen eigentlich von einem alten Ford-Mustang und Ihre Frau träumt von einem Fiat 500.«

»Was habe ich von einem alten Ford-Mustang, wenn ich damit auf halber Strecke liegen bleibe?«

»Ich hatte nicht den Eindruck, dass Sie hier sind, weil Sie mit dem Golf am Ziel angekommen sind.«

»Wir haben uns mit dem Golf jedenfalls sehr lange sehr wohlgefühlt.«

»Ihre Frau hat den seriösen Job gefunden, für den sie sich jahrelang gequält hat?«

»Sie fing bei einer Versicherungsgesellschaft an, weil … Ehrlich gesagt habe ich bis heute nicht verstanden, warum man bei einer Versicherungsgesellschaft anfängt. Wahrscheinlich, weil man, wenn man ohne Ideale einen Job anfängt, mit den Jahren auch keine Ideale verlieren kann. Außerdem kann ein Job ohne Kicks nicht süchtig nach Kicks machen.«

»Von flachen Moralvorstellungen runterzufallen tut dafür aber auch nicht so weh.«

Aua, dieser Kommentar tat mir dafür umso weher. Aber ich erzählte weiter.

»Als wir beide das erste Geld verdienten, fingen wir an, es auch gemeinsam mit beiden Händen auszugeben. Wenn wir die Zeit dazu hatten. Tolle Restaurants, exotische Reisen, eine teure erste Wohnung.«

»Was ist Katharina für ein Mensch?«

Mir wurde ein wenig unbequem auf dem Stuhl. Auf die Frage gab es zwei Antworten. Eine, die mir gefiel. Und eine, die mir gar nicht gefiel. Ich fing mit der angenehmen Antwort an.

»Als wir uns kennenlernten war sie offen, vorsichtig, liebevoll, humorvoll. Wir konnten viel gemeinsam über andere lachen.«

»Und jetzt?«

Das war die unangenehme Antwort.

»Verschlossen, ängstlich, zu Emily liebevoll, zu mir kalt, völlig humorlos. Es wird auch nicht mehr gemeinsam über andere gelacht. Aber Katharina kann hervorragend verbittert über alle anderen lästern.«

»Wie hat sich das entwickelt?«

»Irgendwie wurde alles, was eigentlich Spaß machen sollte, zur Verpflichtung. Aus ›Lass uns heute das Bett nicht verlassen‹ wurde ›Lass uns endlich die Wohnungen kündigen, sonst ziehen wir nie zusammen‹. Aus ›Mit dir könnte ich alt werden‹ wurde ›Meine Mutter erwartet, dass wir langsam heiraten‹. Aus ›Du sollst der Vater meiner Kinder sein‹ wurde ›Wenn ich jetzt nicht die Pille weglasse, bin ich in sechs Jahren zu alt für ein drittes Kind‹.«

»Aus dem Traumprinzen, der die Prinzessin aus dem Gefängnis des Studiums erretten sollte, wurde ein Ja-sagender Golf-Fahrer«, sagte Breitner und nickte.

»Wieso Ja-Sager? Zusammenziehen, heiraten, Familie gründen fand ich ja alles toll. Sonst hätte ich doch nicht mitgemacht. Aber ich hätte das alles gerne mit mehr Spaß gemacht. Ich hätte das alles gerne *erlebt* und nicht bloß auf einer Liste abgehakt. Je mehr unsere Beziehung in den klassischen Bahnen lief, desto belangloser wurde sie. Wir arbeiteten beide an unseren Karrieren. Wobei uns beiden nur wichtig war, *dass* der andere Karriere machte. *Was* das für eine Karriere war, interessierte uns anfangs nicht besonders und wurde mit den Jahren immer mehr zur Belastung. Katharina hasste immer mehr, was ich tat. Was *sie* tat, wusste ich schlicht nicht. Wir nahmen aber beide gerne in Kauf, dass der andere gutes Geld mit was auch immer verdiente.«

»Hört sich zumindest finanziell nach einer tragfähigen Basis an.«

»Nach fünf Jahren heirateten wir. Zwei Jahre später kam Emily.«

»Ein Wunschkind?«

»Absolut. Ich hatte mir obendrein auch noch gewünscht, dass mit einem Kind im wahrsten Sinne des Wortes neues Leben in unsere Beziehung kommt. War aber nicht so.«

»Welch Wunder. Wenn zwei Erwachsene etwas gemeinsam nicht schaffen, warum sollte ein Kind alleine dazu in der Lage sein?«

Ich dachte kurz darüber nach. Irgendwie machten diese kleinen Einwürfe alle beschämend viel Sinn.

»Katharina nahm Emily voll in Beschlag. Stillen nach Plan. Abstillen nach Plan. Prager Eltern-Kind-Programm nach Plan. Babyschwimmen nach Plan. Buggy-Fit nach Plan. Und den Plan bestimmte ausschließlich die Mutter. Aus dem Wunschkind wurde ein Plan-Kind. Nur für unsere Beziehung gab es keinen

Plan. Zu Hause war ich bloß die planlose Null mit dem Penis. War ich zu Hause, machte ich alles falsch. Kam ich zu spät nach Hause, war das auch falsch. Mir blieb eigentlich gar nichts anderes übrig, als mich noch tiefer in meinen verhassten Job zu stürzen. Da war ich wenigstens wer. Da wurde ich zwar auch nicht als Partner wahrgenommen, aber immerhin hatte ich freie Hand und das Vertrauen aller Beteiligten.«

»Und das geht seit Emilys Geburt so?«

»Mehr oder weniger. Ja. Seitdem arbeitete ich für zwei. Seitdem ist Katharina mit Emily zu Hause – wenn sie nicht in irgendwelchen Mutter-Kind-Kursen ist. Wobei Katharina andere Mütter hasst, aber um nichts falsch zu machen, macht sie alles, was die machen. Meine Tochter bekomme ich nur schlafend zu sehen. Sie mich so gut wie gar nicht. Wenn ich gereizt nach Hause komme und dort auf meine übermüdete Frau treffe, zoffen wir uns immer öfter. Katharina hat mich sogar schon gefragt, warum ich überhaupt noch nach Hause käme. Ich hatte keine Antwort darauf.«

»Haben Sie jetzt eine?«

»Nein«, antwortete ich ohne jedes Zögern.

Dieses klare Nein zerschnitt das Gespräch mit chirurgischer Präzision. Die folgende Gesprächspause war lang. Aber erholsam. Joschka Breitner wartete auf der anderen Seite der Pause mit einer Überraschung auf mich.

»Kennen Sie Zeitinseln?«

»Bitte?«

»Zeitinseln. Abgegrenzte Zeiträume, in denen Sie nur das tun, was Ihnen guttut. Und nichts anderes.«

»Sie meinen wohl das, was die Generation meiner Eltern unter den Begriffen ›Wochenende‹ und ›Feierabend‹ kannte.«

»Richtig. Und Ihre Generation hat das dann gegen ein Smartphone eingetauscht. Statt Wochenende und Feierabend haben Sie jetzt permanente Erreichbarkeit und Achtsamkeitsberater.«

»Bescheuerter Tausch.«

»Ich für meinen Teil lebe ganz gut davon.«

»Und wie sollen mir diese Zeitinseln in meiner Situation helfen?«, wollte ich wissen.

»Nun, interessanterweise haben Sie einen Teil des Zeitinsel-Konzepts schon umgesetzt. Weil Sie sich zu Hause nicht wohl-fühlen, haben Sie sich noch mehr in die Arbeit geflüchtet. Da werden Sie wenigstens nicht von Ihrer Ehefrau gestört. Aber wie es scheint – o Wunder –, tut Ihnen ein psychopathischer Man-dant genauso wenig gut wie eine frustrierte Ehefrau.«

»Und die Alternative wäre?«

»Tun Sie einmal etwas für sich. Schaffen Sie sich einen Frei-raum ohne Frau und ohne Psychopath.«

»Das bisschen Zeit, was mir die Arbeit lässt, würde ich aber gerne mit meiner Familie verbringen.«

»Mit Ihrem Wunschbild von Familie, das aber in Wirklichkeit nicht existiert. Es hilft ja offensichtlich weder Ihnen noch Ihrer Frau und schon gar nicht Ihrer Tochter, wenn Sie zu Hause le-diglich körperlich anwesend sind und geistig mit Ihrem Job und Ihrer Ehe hadern. Sowohl Sie als auch Ihre Frau wollen, dass Sie geistig am Familienleben teilnehmen. Schaffen Sie sich also eine feste Zeitinsel nur für Ihre Familie. In dieser Zeit geht es dann um nichts anderes. Und diese Zeit genießen Sie gefälligst.«

»Und auf dieser Zeitinsel hat dann wieder meine Frau das Sagen, oder was?«

»Natürlich nicht. Es ist Ihre Zeitinsel. Von mir aus schaffen Sie sich eine Zeitinsel nur für sich und Ihre Tochter. Wenn Sie da sind, sind Sie ganz für Ihre Tochter da. Wenn Sie nicht für Ihre Tochter da sein können, können Sie auch gleich ganz weg sein.

Vielleicht wäre sogar eine räumliche Trennung für Sie und Ihre Frau etwas Entspannendes. So lernen Sie – und vielleicht ja auch Ihre Frau – sich auf exakt das einzulassen, was an dem Ort, wo Sie gerade sind, wichtig ist.«

Ich erzählte Katharina noch am selben Abend von dem Vorschlag. Von der Trennung, um sich wiederzufinden. Von den Zeitinseln. Von meiner eigenen Unzufriedenheit. Zu meiner Überraschung sah Katharina in diesem Vorschlag nicht das Ende unserer Ehe, sondern einen Silberstreifen am Horizont. Anstatt mir Vorwürfe zu machen – jetzt wolle ich auch noch unsere Ehe beenden! –, fiel sie mir um den Hals. Zum ersten Mal seit Monaten. Weinend.

»Ich bin dir so dankbar, dass du diesen Vorschlag machst. Ich halte es so, wie es zwischen uns ist, nicht mehr aus.«

»Aber warum hast du denn nie vorgeschlagen, dass ich vorübergehend ausziehe?«

»Weil ich nicht den Vater meiner Tochter rauswerfen will. Ich will doch nur den Mann wiederhaben, den ich geheiratet habe.«

Sie würde diesen Mann nie wiederbekommen. Weil es den Mann, den sie glaubte geheiratet zu haben, nie gegeben hatte. Sie hatte eine weiße Leinwand geheiratet, auf die sie ihre Wunschvorstellung von Ehemann projiziert hatte. Ich war aber nach wie vor bereit dazu, so zu tun, als sei ich die Projektion – sobald ich wieder die Kraft dazu hatte.

»Dann lassen wir also den Mann, mit dem du dich dauernd streitest, ausziehen, und der Mann, den du geheiratet hast, kommt zu Besuch?«, fragte ich vorsichtig nach. »Mir würde schon reichen, wenn der Vater meiner Tochter zu Besuch kommt. Hauptsache der Typ, mit dem ich dauernd streite, ist weg. Den Mann, den ich geheiratet habe, werde ich solange vermissen.«

Wir hielten uns schluchzend in den Armen.

Dieser warme Moment währte allerdings nur so lange, bis die kalte Katharina aus diesem Lösungsvorschlag eine Bedingung machte. Sie löste sich von mir und schaute mir drohend in die Augen.

»Wenn du das mit den Zeitinseln nicht einhältst, dann ist es endgültig aus. Wenn dir dein Job auch nur einmal wichtiger ist als Emily, dann war es das. Dann siehst du Emily nie mehr wieder. Schließlich bin ich die Mutter.«

Oder um im Bild zu bleiben: Wenn der Silberstreifen am Horizont ohne neues Morgenlicht verschwände, würde es für mich zappenduster werden. Das war keine leere Drohung. Als Anwalt war mir klar, dass auch die modernste Frau die alleinige Macht über die Kinder hat, wenn sie sich auf das vor Gericht noch immer gültige Familienbild des 19. Jahrhunderts beruft. Wenn die Mutter nicht will, sieht der Vater das Kind nicht. Punkt. Und die kalte Katharina wäre in der Lage gewesen, die Tour auch durchzuziehen.

Verbunden mit dieser Drohung fiel mir der Auszug wesentlich leichter. Ich war froh, den eiskalten Teich zu verlassen, bevor er über mir zufror.

Ich fand ein möbliertes Apartment im selben Stadtteil. Wir fanden Zeitinseln, in denen ich mich ausschließlich um Emily kümmerte. Das waren anfangs ein paar Stunden vormittags, die ich abends ohne schlechtes Gewissen nacharbeitete.

Aus den wenigen Stunden an einzelnen Tagen wurde dann nach einigen Wochen der Sonntagnachmittag. Dann der ganze Sonntag. Alle vierzehn Tage das ganze Wochenende.

Mehr Zeitinseln ließ mein Job aber nicht zu. Glaubte ich zunächst.

Die Zeitinseln mit Emily ließen mich aufblühen. Es war ein

unglaubliches Gefühl der Freiheit, mit diesem kleinen Menschen ganz allein Zeit zu verbringen. Intuitiv mit seinem Kind zu spielen, ohne die Mutter im Nacken zu haben, die alles bewertete. Nicht mit den Gedanken in der Kanzlei zu sein, sondern auf meiner Insel. Und auf dieser Insel war ich König, Magier, Papa.

Emily und ich konnten uns über die watschelnden Enten am Teich totlachen, ohne von Katharina Lästerkommentare über die Mütter am anderen Ufer hören zu müssen. Wir konnten auf dem Spielplatz schaukeln, wenn die Schaukel frei und nicht erst wenn das Kind eingecremt war.

Es machte so viel mehr Spaß in einer Eisdiele das zu bestellen, was schmeckte. Und nicht das, was in der *Öko-Test* für gesund befunden wurde.

Für mich und Emily gab es kein Richtig und kein Falsch mehr. Es gab nur noch schön und sehr schön. Eine Stunde zu zweit mit erhobenem Haupt auf der Zeitinsel mit meiner Tochter war tausendmal intensiver als ein ganzer Tag zu dritt mit eingezogenem Kopf.

Und ich schaffte es tatsächlich, dass die Zeit mit meiner Tochter unantastbar war. Das kommunizierte ich meiner Kanzlei. Und das wusste auch Dragan.

Die Druckmittel eines Mafioso sind nichts im Vergleich zu den Druckmitteln einer Mutter. Katharina hatte diese Drohung zwar erst ein einziges Mal ausgesprochen, aber sie war in der Welt. Wenn ich das Konzept mit den Zeitinseln vergeigte, wäre unsere Beziehung zu Ende. Und meine Zeit mit Emily auch.

Katharina und ich schafften es auf dieser Basis unsere Streitereien quasi auf null runterzufahren. Wir fassten uns gegenseitig mit Samthandschuhen an und freuten uns, dass auch Emily die Zeit mit beiden Eltern – wenn auch getrennt – offensichtlich guttat.

Dragan hielt sich, wie viele Schwerverbrecher in der organisierten Kriminalität, für einen kinderlieben Menschen. Es sei denn, sie standen im Weg. Er zögerte nicht, jemanden mit zehn Euro Schulden die Radmuttern vom Auto lösen zu lassen, auch wenn der gerade mit seiner vierköpfigen Familie in Urlaub fahren wollte. Aber anschließend schenkte er den schwer verletzten Töchtern des Unfallopfers Dauerkarten für den Zoo.

Emily war zweieinhalb, als Dragan mit aller Gewalt in meine Zeitinsel einfallen wollte.

5 DIGITALES FASTEN

»Achtsamkeit ist die Erreichbarkeit Ihrer Bedürfnisse. Die Zeit, die Sie für andere erreichbar sind, steht dieser Achtsamkeit entgegen. Ihr Handy und Ihren Computer bewusst auszuschalten ist ein schöner Zwischenschritt. Ihr Ziel sollte aber sein, Ihr Handy und Ihren Computer nur noch bewusst einzuschalten.«

JOSCHKA BREITNER,
»ENTSCHLEUNIGT AUF DER ÜBERHOLSPUR –
ACHTSAMKEIT FÜR FÜHRUNGSKRÄFTE«

ÜBER DIE NÄCHSTEN WOCHEN und Monate begann sich meine neue Achtsamkeit positiv auf mein Leben auszuwirken. Katharina und ich entwickelten eine Beziehung als Partner, die tragfähiger zu sein schien, als die zerbrechliche Beziehung als Paar. Die Eisdecke, auf der wir uns bewegten, wurde immer dicker. Wir hatten uns vorgenommen, zunächst einmal die drei Monate meines Achtsamkeitskurses ohne Bewertung ins Land gehen zu lassen und uns frühestens einen Monat danach konkrete Gedanken über die weitere Zukunft zu machen.

Ich ließ die Arbeit nicht mehr ganz so nah an mich herankommen und lebte durch Emily auf. Ich lernte durch Joschka Breitner nicht nur die Bedeutung des Atems und von Zeitinseln kennen. Er brachte mir alle möglichen Übungen bei, die ich sicherlich auch in der Zukunft für mich würde nutzen können. Das Prinzip der »Wahrnehmung ohne Bewertung« eröffnete ich mir ebenso wie das der »absichtsvollen Zentrierung«. Übungen zum Überwinden innerer Widerstände wurden mir ebenso geläufig wie das achtsame Atmen.

Nach zwölf Wochen war der Achtsamkeitskurs dann beendet, und ich erhielt als Abschiedsgeschenk Joschka Breitners Standardwerk *Entschleunigt auf der Überholspur – Achtsamkeit für Führungskräfte* (das ich bei der Höhe der Kursgebühr eigentlich in Leder gebunden erwartet hätte). Ich beschloss, es immer mit mir zu führen, um es im Bedarfsfall zurate ziehen zu können.

Zur Feier meines neuen, achtsamen Lebens hatte ich mir vorgenommen, die Zeitinsel des ersten Wochenendes nach Kursende für einen Kurzurlaub mit Emily zu nutzen.

Katharina war damit einverstanden.

Auch sie wollte gern ein Zeichen für sich selbst setzen und die Freiheit, die sie durch mich gewann, genießen. Sie hatte sich für das Wochenende in ein Wellness-Hotel eingebucht. Etwas, was sie seit Emilys Geburt nicht mehr getan hatte.

Als Dragans Anwalt hatte ich Zugang zu zahlreichen seiner Immobilien. Fast alle davon hatte ich für ihn erworben und seinen diversen Firmen zugeordnet. Eine dieser Immobilien ist ein traumhaftes Wochenendhaus, zirka achtzig Kilometer vor der Stadt an einem wunderschönen See gelegen. Mit Bootsanleger, Sandstrand und Grillplatz. Emily liebte Wasser, und wir wollten das Haus am See zum Schloss auf unserer Zeitinsel machen.

Das Haus hatte ich für Dragan von den EU-Agrar-Subventionen für die bulgarische Auberginen-Plantage gekauft. Wenn man einmal verstanden hat, dass öffentliche Fördermittel sich nicht an der Bedürftigkeit, sondern an der Schamlosigkeit der Antragsteller orientieren, dann kann es geradezu süchtig machen, diese einzufordern. In der Tat reichte es, in der Gästetoilette eine rollstuhltaugliche Tür einbauen zu lassen, um mit einem fünfseitigen Konzept für das gesamte Haus Zuschüsse vom Bundesbildungsministerium als »barrierefreies Fortbildungszentrum für Inklusionsforschung« zu bekommen. Diese Zuschüsse wiederum finanzierten den luxuriösen Ausbau des Wellnessbereichs.

Ich wusste, dass Dragan an diesem Wochenende mit einem Haufen Bargeld nach Bratislava wollte, um dort ein paar geschäftliche Dinge zu regeln. Dragan wusste, dass ich in dieser Zeit mit meiner Tochter das Haus am See nutzen wollte. Auf dem Steg sitzen. Nüsse essen. Fische füttern.

Keiner von uns wusste, dass das Wochenende ganz anders verlaufen würde.

Die Woche war bis spät in die Freitagnacht hinein stressig. Ich hockte noch bis halb zwölf an einem Schriftsatz in Sachen Edelbordell. Im Gegensatz zu allen anderen Mietern, die sich relativ leicht überzeugen, kaufen oder einschüchtern ließen, weigerte sich ausgerechnet der Kindergarten im Erdgeschoss hartnäckig, das Haus zu räumen. Ich musste also bei dem Betreiber – einer renitenten Elterninitiative irgendwelcher Gutmenschen – die Daumenschrauben ein wenig anziehen. Mit juristischen Mitteln, versteht sich.

Die Betreiber des Kindergartens kannte ich zufällig sogar persönlich. Emily würde im Sommer im Kindergartenalter sein. Die Vergabekriterien für die Erteilung von Kindergartenplätzen sind wesentlich unübersichtlicher als die Kriterien für die Erteilung von Schanklizenzen für Bordelle. Schanklizenzen werden zentral vergeben. Kindergartenplätze nicht. Katharina und ich hatten uns deshalb gemeinsam alle einunddreißig Kindergärten in einem infrage kommenden Umkreis von zehn Autominuten angesehen und uns bei jedem einzelnen um einen Platz beworben. Die Elterninitiative stand auf unserer Wunschliste auf Platz neunundzwanzig. Wir hielten die Betreiber, nicht ganz ohne Grund, für weltverbessernde Fatzkes. Ich ging davon aus, dass Emily einen Platz im Wunschlistenbereich zwischen eins und fünf bekäme. Ich meine, ich wäre wirklich neugierig gewesen, mit welcher wundersamen Begründung wir bei den Plätzen eins bis vier hätten abgelehnt werden sollen. Ich hatte also keine Probleme damit, dass aus Platz neunundzwanzig ein Tittentempel werden sollte. Ich hatte der Elterninitiative bereits eine sehr geringe Abfindungszahlung angeboten und ansonsten mit einer sehr dreckigen Räumungsklage gedroht. Da die Frist zur Annahme der Zahlung abgelaufen war, bereitete ich jetzt die Räumungsklage vor.

Ich war irgendwann nach Mitternacht in meinem Apartment und schlief voller Vorfreude auf das Wochenende sofort ein.

Am Samstagvormittag holte ich Emily bei Katharina ab. Es war noch immer ein komisches Gefühl, als Besucher vor meiner eigenen Haustür zu stehen, um meine Tochter abzuholen. Aber es war ein positiv komisches Gefühl. Noch vor drei Monaten, vor meinem Auszug, hatte ich hier fast jeden Abend voller Anspannung gestanden, weil ich wusste, dass ich gleich mit Vorwürfen begrüßt oder – schlimmer noch – mit totaler Nichtbeachtung bestraft werden würde.

Jetzt klingelte ich und wurde von Katharina mit einem Lächeln und »Hallo Björn, schön, dass du da bist« empfangen.

Was für eine Veränderung in so kurzer Zeit.

»Papaaaaa!« Emily stürmte aus dem Kinderzimmer auf mich zu. Nachdem sie mir alle Neuerungen in ihrem Kinderzimmer gezeigt hatte – eine Puppe musste keine Windel mehr tragen –, packte sie alle ihre Kuscheltiere zusammen. Ihre Mutter und ich tranken in der Zeit einen Kaffee.

»Emily freut sich wahnsinnig auf euren Ausflug«, erzählte mir Katharina.

»Und ich mich erst ...«

»Aber tu mir bitte den Gefallen und halte sie in dem Haus von allem fern, was mit deinem Mafia-Idioten zu tun hat.«

Allein die Tatsache, dass Katharina dies als Bitte formulierte, war ein Quantensprung in unserer Kommunikation. Katharinas Befürchtungen waren jedoch völlig unbegründet. In einem ungenutzten Wochenendhaus gab es schlicht nichts, was nach Mafia auch nur riechen würde.

»Mach dir keine Sorgen. Sobald ich die kleinste mafiöse Infiltration bemerke, breche ich das Wochenende sofort ab.«

»Um mir damit auch das Wellness-Wochenende zu versauen?« Schlagartig änderte sich Katharinas Tonfall.

»Nein, ich …«, stammelte ich.

»Björn, ich gehe einfach davon aus, dass du mir ohne Wenn und Aber garantieren kannst, dass alles klappt. Ihr seid zum ersten Mal gemeinsam übers Wochenende weg. Wenn ich mich nicht darauf verlassen kann, dass das reibungslos funktioniert, dann solltest du besser gar nicht erst losfahren. Du weißt, was auf dem Spiel steht.«

Da waren sie wieder. Die Risse im Eis. Und alles, was darunter lag. Ich atmete einmal kurz für mich selber und antwortete dann liebevoll und gelassen.

»Katharina, ich garantiere dir, dass dieses Wochenende völlig störungsfrei verlaufen wird. Für Emily, für mich und auch für dich.«

»Ich danke dir«, sagte sie wieder wärmer.

Katharina verabschiedete Emily mit einer heftigen Umarmung und mich mit einem freundschaftlichen Kuss auf die Wange.

Kurz darauf verließ ich mit einer vor Freude hüpfenden Emily an der Hand das viel zu große Haus. Dass es Katharina immer noch schaffte, mir mit einem einzigen Satz den Boden unter den Füßen wegzuziehen, ließ mich innerlich erschaudern. Aber ich hatte gelernt: Wenn ich vor der Tür stehe, stehe ich vor der Tür. Wenn ich mit Katharina streite, streite ich mit Katharina. Ich stand also vor der Tür und ließ Katharina Katharina sein. Ab jetzt war Zeitinsel-Zeit angesagt.

Es war der perfekte Tag für einen Vater-Tochter-Ausflug an den See. Blauer Himmel, und obwohl es erst Ende April war, hatten wir schon morgens um neun sommerliche siebenundzwanzig Grad.

Ein großes Problem unserer Zeit ist die permanente Erreichbarkeit. Smartphone sei Dank. Es ist eine unglaubliche Realitätsverhöhnung, ein Gerät »smart« zu nennen, das uns die Hölle des Arbeitslebens per Telefon, Mail, WhatsApp oder was auch immer zu jeder Zeit und an jedem Ort in die eigene Hosentasche schicken kann. »Ruthlessphone« wäre die passendere Bezeichnung. Aber Telefone sind wie Waffen: Nicht vom Gegenstand selbst geht die Gefahr aus, sondern von demjenigen, der ihn benutzt. Im Gegensatz zu einem Revolver schadet das Smartphone ausschließlich dem Eigentümer. Okay, einen Revolver *kann* man sich selber an den Kopf halten. Aber man tut es, um einem versauten Leben ein Ende zu bereiten, nicht um es sich zu versauen.

In Joschka Breitners Buch fand ich dazu Folgendes:

»Achtsamkeit ist die Erreichbarkeit Ihrer Bedürfnisse. Die Zeit, die Sie für andere erreichbar sind, steht dieser Achtsamkeit entgegen. Ihr Handy bewusst auszuschalten ist insofern ein bewusster Zwischenschritt, als er Ihnen erschreckend verdeutlicht, dass die permanente Erreichbarkeit durch andere bereits Normalzustand ist. Ihr Handy nur noch bewusst einzuschalten sollte das Ziel sein. Bis dahin sollten Sie zumindest auf Ihrer Zeitinsel das Handy und den Computer ausgeschaltet lassen.«

Sätze, die Leben retten können, wenn man sie denn beachtet. In den letzten Wochen war das Handy auf der Zeitinsel auch stets ausgeblieben, und kein einziges Mal war etwas vorgefallen, was mir meine Mailbox nicht ein paar Stunden später immer noch mitteilen konnte. Doch ausgerechnet an diesem Wochenende vergaß ich das digitale Fasten. Vermutlich aus lauter Vorfreude, mit Emily zu verreisen, war ich unachtsam geworden. Das rächte sich sofort.

Ich hatte Emily gerade im Kindersitz festgeschnallt und die

Auffahrt vor der Garage verlassen, als das Telefon klingelte. Mir war schlagartig klar, was ich für ein Achtsamkeitsversager war.

Das Display zeigte eine mir unbekannte Nummer. Was nichts heißen sollte. Dragan wechselte seine Mobilnummern wie andere Menschen ihre Anwälte. Ich hätte den Anruf einfach wegdrücken können. Aber wenn der Mann anruft, zu dessen Wochenendhaus man gerade fährt, wäre es unhöflich, ihn zu ignorieren. Es hätte sich ja auch um einen »Ich wünsche dir viel Spaß«-Anruf handeln können. Was allerdings eher unwahrscheinlich war. Auch nicht ganz unwichtig wäre ein »Du, der Mustafa ist am Wochenende mit zwölf Nutten ebenfalls am See, stört dich doch nicht, oder?«-Anruf. Katharina hatte ich gerade hoch und heilig versprochen, dass es solche Überraschungen nicht geben würde. Ich ging dran.

»Yep«, sagte ich.

»Alter, wo bist du?«

»Dragan, dir auch einen guten Morgen. Ich bin grad mit Emily unterwegs zum Haus am See, du weißt doch …«

»Ich brauch dich hier. Jetzt.«

»Dragan, heute ist mein Emily-Wochenende.«

»Wir gehen Eis essen.« Dragan legte auf.

Weil uns klar war, dass Dragans Telefone seit Jahren abgehört wurden, fanden wichtige Besprechungen zwischen uns nie am Telefon statt. Stattdessen hatte ich mit ihm ein paar Anwalt-Klienten-Codewörter vereinbart. Mit einem psychopathischen Gewalttäter Codewörter zu vereinbaren ist eine heikle Sache. Wer sich schon nicht merken kann, wem er vorgestern die Beine hat brechen lassen, der ist in der Regel auch nicht dazu in der Lage, ein halbes Dutzend Umschreibungen für irgendwelche Gefahrensituationen zu behalten.

Deshalb hatten wir exakt zwei Codewörter und nicht mehr. Das eine war »*Titanic* gucken«, das andere »Eis essen«.

»*Titanic* gucken« hieß so viel wie: Das Schiff geht unter. Belastendes Material über Bord schmeißen und dann alle Mann in die Rettungsboote. Dragan hatte es noch nie benutzen müssen.

»Eis essen« hieß: »Es wird heiß. Wir müssen uns sofort treffen.« Im Erdgeschoss des Kanzleigebäudes war eine Eisdiele. Ich hatte sie über eine Tochterfirma von Dragan für Dragan angemietet. Zum einen, weil man hier problemlos ein paar Bar-Einnahmen waschen konnte. Zum anderen wegen des räumlichen Zuschnitts und der Nähe zur Kanzlei. Die Personalräume der Eisdiele befanden sich in der Etage über den Verkaufsräumen und waren sowohl von der Tiefgarage als auch von der Kanzlei aus über den Hausfahrstuhl – und nur über den Hausfahrstuhl – zu erreichen. Die Zimmer waren fensterlos, und es gab keinen Zugang außer der Fahrstuhltür. Für die Personalräume existierten exakt zwei Schlüssel. Einer für Dragan, einer für mich. Sich dort unbemerkt von allen Kanzleimitarbeitern, Beschattern oder überhaupt irgendwelchen Menschen zu treffen hieß »Eis essen«.

Dragan hatte das Codewort bislang zweimal benutzt.

Beide Male war es darum gegangen, dass Dragan polizeilich gesucht wurde und sich kurzfristig mit mir treffen musste, um mir persönliche Anweisungen zu geben, bevor er untertauchte. Welche Zeugen beeinflusst werden mussten und wie ich seine Mitarbeiter zu instruieren hätte, bis sich die Wogen wieder geglättet hatten. Ich hatte einen ganzen Stapel an Vollmachten und sogar blanko unterschriebene Briefbögen von Dragan. In seiner Abwesenheit konnte ich seine Geschäfte problemlos in seinem Namen weiterführen. Das hatte sich die beiden Male bewährt.

Wenn Dragan unbemerkt ins Haus kommen wollte, ließ er sich auf dem Boden eines seiner Eis-Verkaufswagen in die Tiefgarage fahren und verschwand dann im Aufzug. Ich kam von der Kanzlei aus. Niemand sah uns.

»Eis essen« war nicht nur ein Codewort, sondern auch ein Totschlagargument. Damit sollten nicht nur Polizei und Staatanwaltschaft außen vor gelassen werden, sondern auch zwischen uns beiden jede Diskussion über die Notwendigkeit eines Treffens unterbunden werden. Ich musste Dragan also treffen. Ich war ans Handy gegangen, ich hatte das Codewort gehört. Zeitinsel hin oder her. Aber nur weil mein Idioten-Mandant mal wieder irgendwelche Knochen hatte brechen lassen, irgendwelche Schleuser in eine Polizeikontrolle gedonnert waren oder irgendein Drogentransport aufgeflogen war, sollte ich jetzt auf meine neu erworbenen Prinzipien verzichten? Ein einziger Anruf sollte dazu in der Lage sein, mein hart erkämpftes Vater-Tochter-Wochenende zu zerstören? Vielen Dank. Scheißjob. Aber ich hatte keine Wahl. Einen Anruf zu ignorieren wäre verzeihlich gewesen. Einen Notfall-Code zu ignorieren nicht. Das hätte bei Dragan von arbeitsrechtlichen bis körperlichen Konsequenzen alles Mögliche zur Folge haben können.

Verärgert warf ich das Handy in den Fußraum des Beifahrersitzes und trat aufs Gas. Ich beschleunigte in der Dreißiger-Zone auf Siebzig, nahm einem Kleinwagen – versehentlich – die Vorfahrt und bog mit absichtlich quietschenden Reifen auf die Hauptstraße in Richtung Innenstadt ab anstatt in Richtung Autobahn zu fahren. Dieser kleine Wutausbruch tat gut. Und Emily war auch sehr angetan. Ihr gefielen die quietschenden Reifen, und sie schrie vor Freude auf: »Papa, was machst du da?«

»Ich … ich …«

Ja, was machte ich da? Ich atmete dreimal tief durch und schloss mit mir selber einen Kompromiss: Ich würde kurz ins Büro fahren, dieses überflüssige Treffen über die Bühne bringen und erst anschließend würde meine Zeitinsel beginnen. Ich fuhr zu einem Notfall-Meeting. Mehr nicht. Damit würde ich das

Prinzip der Zeitinseln nicht verraten. Katharina hätte keinen Grund, mir irgendwelche Vorhaltungen zu machen. Es sprach überhaupt nichts dagegen, wenn ein Vater an einem Samstagvormittag mit seiner Tochter mal kurz im Büro vorbeischaute. Wenn man davon absah, dass es völlig gegen seinen Willen geschah.

»Papa fährt nur kurz in die Kanzlei«, sagte ich, als sei es das Normalste der Welt. Ich wählte in der Musikanlage die Rolf-Zuckowski-Datei, und wir donnerten zu »Januar, Februar, März, April, die Jahresuhr steht niemals still« in Richtung Innenstadt.

6 DIE INNERE WELT DES GEGENÜBERS

»Richten Sie Ihre Aufmerksamkeit nicht auf das, was Ihr Gegenüber sagt, sondern auf das, was Ihr Gegenüber sagen will. Das, was Sie hören, ist nur das Echo der inneren Welt Ihres Gegenübers. Wenn Sie nicht hören, sondern fühlen, entpuppt sich so manche Beleidigung als Hilfeschrei.«

JOSCHKA BREITNER,
»ENTSCHLEUNIGT AUF DER ÜBERHOLSPUR –
ACHTSAMKEIT FÜR FÜHRUNGSKRÄFTE«

GROSSKANZLEIEN KENNEN KEIN WOCHENENDE. Großkanzleien kennen nur gelockerte Krawatten. Auch am Samstag würden in den Kanzleiräumen also zahllose Anwälte, Referendare und andere Arschkriecher in legerer Kleidung herumwuseln und teure Stunden auf aufgeblasene Mandantenrechnungen buchen. Mein Plan sah folgendermaßen aus: Ich würde eine der anwesenden Streberreferendarinnen abpassen und dazu verdonnern, eine halbe Stunde mit Emily zu spielen, während ich »Eis essen« ging.

Die Kanzleiräume nahmen die oberen drei Etagen eines fünfstöckigen Siebzigerjahre-Bürogebäudes in der Innenstadt ein. Im Erdgeschoss befanden sich neben der Eisdiele noch ein Modegeschäft und ein McDonald's.

»Ich nehme ein Softeis, Chicken McNuggets und einen Kakao«, sagte Emily, während sie im Vorüberfahren auf das ihr offensichtlich bekannte goldene M zeigte. Katharina schien es mit der gesunden Kinderernährung nicht mehr ganz so eng zu sehen. Ich war dankbar, dass mich Emily an die menschlichen Grundbedürfnisse erinnerte.

»Gerne, mein Schatz. Wir fahren kurz ins Büro und dann zu McDonald's.«

»Und dann an den See.«

»Und dann an den See.«

»So machen wir das.«

Als ich mich der Einfahrt zur Tiefgarage näherte, parkte gegenüber der Kanzlei gerade ein 5er-BMW mit zwei schlecht gekleideten Zivilpolizisten rückwärts in die Feuerwehrzufahrt ein. Einer der beiden hatte unübersehbar unauffällig eine Kamera in der Hand und richtete sie jetzt auf den Hauseingang der Kanzlei. Ich fuhr in die Tiefgarage, parkte und nahm dann, mit Emily auf dem Arm, den Fahrstuhl in die Kanzlei.

Mein Büro war in der vierten Etage, aber ich stieg bereits im dritten Stock, dem Empfangsbereich, aus. Hinter dem Tresen von von Dresen, Erkel und Dannwitz saß seit zwanzig Jahren derselbe Empfangsdrachen. Frau Bregenz hatte ihre besten Lebensjahre als Sekretärin dieser Kanzlei verplempert. Und deswegen immer öfter den Wochenenddienst an der Backe. Sie muss früher einmal eine attraktive Frau gewesen sein. Voller Überzeugung, aus ihrem Aussehen auch einmal Kapital schlagen zu können. Nicht ahnend allerdings, dass Aussehen nicht alles ist. Zumal wenn jeglicher Charme fehlt. Über die Jahre hatte sich bei ihr dann die Attraktivität dem Charme angepasst. Was blieb war eine missmutige Frau. Die einem durch ihre über die Jahre angestaute Boshaftigkeit jede Möglichkeit nahm, sie zu mögen. Sie war einfach nur der Empfangsdrachen.

Sie sah mich an, dann Emily. Emily sah Frau Bregenz an. Und Emily zeigte mit dem nackten Finger auf Frau Bregenz.

»Papa, wohnt die alte Frau hier?«

Kindermund tut Wahrheit kund und lag auch in diesem Fall nicht so verkehrt.

»Das ist die Frau Bregenz. Die Frau Bregenz sorgt dafür, dass hier alles seine Ordnung hat«, versuchte ich es neutral zu formulieren.

Frau Bregenz musterte verächtlich meine Kombination aus

Jeans und Windjacke, die ich anstatt der sonst üblichen Maßanzüge trug.

»Ich gehe mal davon aus, dass Sie heute keine Mandantenkontakte haben?«, fragte sie.

Ich atmete einmal tief ein, spürte meinen Atem und ignorierte Frau Bregenz' überflüssige Bemerkung.

»Guten Morgen, Frau Bregenz. Haben Sie Frau Kerner gesehen?«

»Die Referendare sind den Partner-Anwälten zugeteilt, nicht den angestellten Anwälten. Und ich glaube auch nicht, dass *Ihre* Mandanten der richtige Umgang für eine junge Frau sind.«

Was fiel der Frau eigentlich ein? War sie ernsthaft beleidigt, weil meine Tochter wahrheitsgemäß erwähnt hatte, dass sie alt war? Musste ich mir deswegen von diesem Drachen aufs Brot schmieren lassen, dass ich kein Kanzleipartner war? Eine Tatsache, die ich noch dazu genau dem Mandanten zu verdanken hatte, dessentwegen ich hier in der Kanzlei am Wochenende anzutanzen gezwungen war. Selbst wenn ich gute Laune gehabt hätte, wäre mir diese Unverschämtheit zu viel gewesen. Ich hatte aber keine gute Laune.

»Heben Sie sich bitte Ihre Ratschläge für die Kaffeepause auf und sagen Sie mir jetzt endlich, wo Frau Kerner ist«, blaffte ich sie an.

Sie riss erschrocken die Augen auf. Schließlich murrte sie: »Frau Kerner ist im Referendarszimmer.«

Ich sah zu Emily und sagte mit betont ruhiger Stimme: »Weißt du was, mein Schatz, hier drinnen kannst du gleich ein bisschen spielen, okay?«

Noch bevor meine Tochter antworten konnte, hatte sich Frau Bregenz wieder gefangen. »Sie wissen schon, dass eine Kanzlei kein Kinderspielplatz ist?!«

Achtsame Menschen wissen nach zweimal ein- und zweimal ausatmen, dass aus dieser armen Frau eine verletzte Seele sprach, deren Bedürfnisse berücksichtigt werden wollten. Mein Achtsamkeitsratgeber sagte ganz klar:

»Richten Sie Ihre Aufmerksamkeit nicht auf das, was Ihr Gegenüber sagt, sondern auf das, was Ihr Gegenüber sagen will. Das, was Sie hören, ist nur das Echo der inneren Welt Ihres Gegenübers. Wenn Sie nicht hören, sondern fühlen, entpuppt sich so manche Beleidigung als Hilfeschrei.«

In der inneren Welt von Frau Bregenz wohnte schlicht eine Frau, die keine Kinder hatte, mit denen sie in die Kanzlei gehen konnte. Eine Frau, die in der Kanzlei nur ein Bruchteil dessen verdiente, was die Anwälte bekamen, für die sie mangels Familie am Wochenende arbeiten musste. Eine Frau die das kleine bisschen Macht, das man ihr gegeben hatte, gnadenlos zum Einsatz brachte, um ihren Lebensfrust loszuwerden.

Nach zwölf Wochen Achtsamkeitskurs und einem bewussten Ein-und Ausatmer war mir das alles klar. Das beruhigte in dem Moment zwar meinen Puls, wog aber trotzdem nicht ganz die zehn Jahre auf, die mir diese Frau bereits mit ihrer schikanösen Art auf den Sack gegangen war.

»Na ja«, konnte ich mir daher nicht verkneifen anzumerken, »studieren Sie doch Jura und zeugen Sie ein Kind, so jung wie Sie sind. Dann können Sie sich die Frage anschließend vielleicht selber beantworten.«

Damit ging ich mit Emily an ihr vorbei ins Referendarzimmer, wo ich wie erwartet Clara Kerner antraf, die seit drei Wochen als Referendarin ihre Wahlstage bei dem Partner machte, zu dessen Referat auch ich und mein Bäh-Mandant gehörten. Clara war das strunzblöde Kind irgendeines strunzblöden Mandanten. Deshalb durfte sie als Referendarin bei uns arbeiten, um ihren

Ich-muss-nix-können-ich-bin-die-Tochter-von-so-und-so-Lebenslauf zu pushen. Wie alle Referendare, die keinen mentalen Zugang zur Prosa der Rechtsprechung haben, malte sie irgendwelche Urteile des Bundesgerichtshofes farbig aus. Sprich: Sie hatte sich Fotokopien von irgendwelchen Entscheidungen gemacht und markierte die in ihren Augen wichtigen Stellen mit Textmarkern. Da sie allerdings von der Auswahl überfordert war, welche Dinge wichtig und welche unwichtig waren, markierte sie einfach *alles*. Das hatte genauso wenig Nutzen wie ihre Anwesenheit in der Kanzlei. Es gab schlicht keinen Grund für sie, am Samstag in der Kanzlei zu sein – außer um dort gesehen zu werden. Dass ich hereinkam, war also ein Erfolg für sie. Ich bat sie, für eine halbe Stunde mit dem Urteile-Ausmalen aufzuhören und stattdessen lieber mit Emily richtig zu malen. Eine solche Tätigkeit war sicherlich für die Gehirnsynapsen beider Mädchen förderlich.

Auf meine Frage hin, sah sie mich erst ratlos an. Dann war der Groschen gefallen. »Ich … ja, klar, ich …«

»Das ist nett, danke«, sagte ich kurz angebunden. »Emily, der Papa muss kurz noch was arbeiten. Ich bin gleich wieder da. Gut?«

Emily guckte sich Clara kritisch an. Ich folge ihrem Blick: Zu enge Bluse, zu enge Hose, zu enges Halstuch. Ein Tsunami von Channel No. 5 schwappte herüber. Wie viele Referendarinnen sah sie aus wie Edelbratwurst und roch nach alter Tante.

»Und wo sind die Buntstifte?«, fragte Emily kritisch.

»Clara hat ganz tolle Stifte, die malen noch viel schöner als normale Buntstifte, guck mal hier, was die Clara schon alles angemalt hat.«

Ich zeigte auf die bunten BGH-Urteile. Clara war sichtlich stolz auf die in Pink, Grün und Gelb getätigten Markierungen.

»Pink ist meine Lieblingsfarbe«, sagte Emily.

»Na siehst du.« Ich wandte mich an die frisch gekürte Babysitterin. »Clara, gehen Sie ruhig mit Emily ins große Besprechungszimmer.«

»Hier ist aber doch auch genug Platz ...«

»Ja, Clara, das ist richtig. Im Referendarszimmer gibt es aber keine Chef-Stühle, mit denen man lustig wippen und schaukeln kann. Man kann gar nicht früh genug damit anfangen, das zu üben. Das sind die Dinge, die man nicht an der Uni lernt.«

Wenn meine Tochter schon Zeit in der Kanzlei verplempern musste, dann bitte mit allem Drum und Dran.

»Das wird Frau Bregenz aber gar nicht gerne sehen.«

»Umso besser.« Ich lächelte die junge Frau enthusiastisch an. »Und wenn irgendetwas mit Emily ist, dann rufen Sie mich bitte an.«

Während Clara und Emily ins Besprechungszimmer schlenderten, eilte ich zum Fahrstuhl. Ich tat so, als führe ich in mein Büro eine Etage darüber. Tatsächlich fuhr ich aber hinunter zum »Eis-Essen« – zu dem erzwungenen Treffen mit Dragan, das ich mir als »Meeting« schönzureden versuchte. Ich sollte damit scheitern.

7 WAHRNEHMUNG OHNE BEWERTUNG

»Nicht das, was geschehen ist, beunruhigt uns. Erst wenn wir Geschehenes einordnen, macht es uns Angst. Kein Vorfall ist für sich gut oder schlecht.«

JOSCHKA BREITNER,
»ENTSCHLEUNIGT AUF DER ÜBERHOLSPUR –
ACHTSAMKEIT FÜR FÜHRUNGSKRÄFTE«

DIE PERSONALRÄUME DER EISDIELE glichen wahren Rumpelkammern. Ein paar rostige Bistrotische mit defekten Kunststoff-Korbstühlen standen herum, Kartons mit Eisbechern, mit Plastiklöffeln und auch mit Arbeitskleidung stapelten sich an den Wänden. Dragan war schon da. Von seinen muskulösen eins fünfundneunzig ging eine arrogante, brutale Kraft aus. In diesem schäbigen Ambiente wirkte er in seinem Designer-Anzug aber ein wenig verloren. Wie ein Tiger, der sich in einem Erdmännchen-Gehege versteckte. Er rauchte nervös.

»Da bist du ja endlich«, war seine Begrüßung.

»Sorry. Viel Verkehr. Ich war gerade mit Emily auf dem Weg zum See.« Professionell wie ich war, hatte ich meinen Puls auf fast Normalwert runtergefahren. Das hier war nur eine überflüssige Besprechung. Mehr nicht.

»Wer ist Emily?«

Mein Puls beschleunigte sich. »Emily! Meine Tochter!« In mir machte sich eine gewisse Empörung breit. Dragan war sich offenbar nicht im Ansatz darüber im Klaren, wie sehr er meiner Tochter und mir gerade die Zeitinsel streitig machte.

»Richtig. Du weißt, ich liebe Kinder. Aber Familie und Arbeit sollte man trennen.«

Es war sinnlos, sich mit jemandem wie Dragan über das Thema Work-Life-Balance zu unterhalten. Aber ich war ja auch

71

nicht sein Psychologe, ich war nur sein Anwalt. Und wollte schnell wieder zu meiner Tochter.

»Dann lass uns über die Arbeit reden. Was ist passiert?«

»Ich werde gesucht.«

»Weswegen?«

»An einem Autobahnparkplatz hat sich ein Drogenkurier ein paar Schrammen geholt.«

Ich wusste seit meinem ersten Mandat von Dragan, dass seine Sachverhaltszusammenfassungen immer kreativ optimistisch waren und in der Regel nicht einmal die Spitze des Eisbergs erkennen ließen, den er in voller Fahrt gerammt hatte. Schrammen waren offensichtlich nur ein Teilaspekt des Problems.

»Und warum wirst du dann gesucht?«

»Weil ich dem Idioten irgendwie … ein paar Laschen verpasst habe.«

»Wegen ein paar Laschen sitzen wir jetzt hier?«

»Ja gut … und weil der Penner jetzt tot ist.«

Wenn der Kassierer einer Bank überfallen wird, verfällt er in den meisten Fällen in einen bewundernswerten Profimodus. Er behandelt den Gangster wie einen überdrehten Kunden und spult sein Service-Programm ab. Bis der Gangster mit dem Geld verschwindet. Danach kommt dann das große Fracksausen. Ich hegte noch die vage Hoffnung, dass Dragan nach einem Profi-Anwaltsgespräch auch einfach wieder verschwinden würde. Und ich dann achtsam und im Stehen den Stress wegatmen könnte. Ich schaltete also auf Profimodus, atmete einmal im Sitzen tief durch und bemerkte wie mein Puls auf etwa hundert zurückfuhr.

»Was genau ist geschehen?«

»Seit ein paar Monaten wird in unserem Vertriebsgebiet unter der Hand Stoff zum halben Preis angeboten.«

Okay, das hörte sich erst mal nach einem wirtschaftlichen Pro-

blem an. Nichts Besonderes für einen Anwalt für Wirtschafts-
strafrecht. Der Handel mit klassischen Drogen wie Heroin oder
Kokain ist finanziell gesehen wie ein Staffellauf. Auf jeder Etappe
wird der Stab mit Gewinn weiterverkauft. Den meisten Gewinn
macht man kurz vor dem Ziel. Wenn der Stoff gestreckt und für
den Endverbraucher portioniert wird, entstehen Margen jenseits
des Vorstellbaren. Mit halben Preisen lässt sich da noch immer
eine Menge Geld verdienen. Wenn sich allerdings ein Konkurrent das Gebiet unter den Nagel reißt, geht jeglicher Gewinn
flöten.

Ich sah Dragan fragend an. »Und woher weißt du das?«

»Von Toni.«

Toni war Dragans Vertriebsleiter der Betäubungsmittelsparte.
Ein knallharter Großdealer, der Dragan in Sachen Brutalität in
nichts nachstand. Wie bei vielen erfolgreichen Schwerverbre-
chern lag seine Kernkompetenz nicht so sehr in der intellektuel-
len Erfassung komplexer Sachverhalte. Aber er hatte ein Gespür
dafür, was er tun musste, um einen Vorteil herauszuschlagen
oder einen Nachteil abzuwenden. Mit diesem Gespür machte er
den größten Umsatz in Dragans Firma und hielt sich selber für
die Nummer zwei im Unternehmen. Das sahen nicht alle so. Am
wenigsten Dragan.

»Okay, und warum regelt Toni das nicht?«, wollte ich wissen.

Hätte Toni seinen Job gemacht, wie in dem von mir erstellten
Organigramm vorgesehen, hätte ich jetzt nicht hier in der Rum-
pelkammer sitzen müssen.

»Toni meint, da stecken die Jungs von Boris hinter«, erwiderte
Dragan.

Boris war Dragans direkter Konkurrent. Die beiden hatten gemeinsam als Zuhälter angefangen, waren mal beste Kumpels gewesen und hatten sich irgendwann überworfen. Nach einigem

blutigen Hin und Her hatten beide ihre Reviere abgesteckt, und seit einigen Jahren herrschte ein mehr oder minder verlässlicher Frieden. Was auch damit zu tun hatte, dass ich Boris unter der Hand ebenfalls ein paar Tipps zur Legalisierung seiner Einnahmen gegeben hatte.

»Gut. Was hat das alles mit dem Toten am Parkplatz zu tun?«, fragte ich.

»Sascha und ich haben den Tipp bekommen, dass auf dem Parkplatz ein Typ seine Drogen an Igor übergibt, der sie dann in unserem Revier verteilt.«

Sascha war Dragans Fahrer und sein persönlicher Assistent. Ein Bulgare. Er hatte in seiner Heimat Umwelttechnik studiert und war am Tag nach seinem Abschluss nach Deutschland gekommen. Hier hatte er erfahren, dass sein Studium nicht anerkannt wird. Also war er nicht Ingenieur geworden, sondern hatte sich zunächst in einer Bar von Dragan als Türsteher verdingt. Igor wiederum war die rechte Hand in allen Drogengeschäften von Boris.

»Aha. Und der Tipp kam von wem?«

»Von Murat.«

Murat war Tonis Stellvertreter. Dragan drückte die Zigarette im Aschenbecher aus.

Sollte das Ganze also irgendwann einmal für einen Staatsanwalt zusammengefasst werden müssen, würde das so klingen: Dragan, Chef eines Verbrecherrings, war mit seinem Assistenten Sascha unterwegs in die Slowakei. Auf dem Weg wurde Dragan nicht vom Chef seiner Drogenabteilung, Toni, angerufen, sondern von dessen Assistenten, Murat. Murat erzählte Dragan, Dragans Feind, Boris, Chef des konkurrierenden Verbrecherrings, hätte seine rechte Hand, Igor, auf einen Autobahnparkplatz geschickt. Dort, in Dragans Revier, sollte Igor einen sowohl nach dem Strafgesetzbuch als auch nach dem Kodex der beiden Verbrechersyndikate illegalen, weil im Revier des anderen stattfindenden, Handel mit Betäubungsmitteln abwickeln.

»Und das war Grund genug für dich, den Typen mit den Drogen kaltzumachen?«

Dragan zog die nächste Zigarette aus der Schachtel. Ein denkwürdiges Schauspiel, denn der Mann hatte nicht einfach Hände, sondern Pranken. Aber während er die vergleichsweise filigrane Zigarette aus der Schachtel zog, spreizte er seinen kleinen Finger ab, als würde er etepetete einen Espresso trinken. Am Ringfinger seiner rechten Hand hatte sich ein protziger Siegelring über die Jahre in das Fleisch seiner Pranken eingeschnitten.

Zu dieser beiläufigen Aktion passte leider nicht, was er dann beiläufig sagte.

»Na ja, ich hab nicht den Typen mit den Drogen totgeschlagen. Ich hab Igor totgeschlagen.«

»Das ist eher blöd.«

Ich sah meine Zeitinsel in immer höher werdenden Wellen versinken. Wenn der Chef eines Kartells persönlich die rechte Hand des Chefs des konkurrierenden Kartells umbringt, ist das ganz schlecht für die Stimmung.

Und erforderte umgehendes Handeln.

»Sascha und ich wollten den beiden nur in Ruhe erklären, wo die Reviergrenzen verlaufen. Das ist dann irgendwie aus dem Ruder gelaufen.«

»Jemandem die Reviergrenzen erklären«, basiert auf einer altdeutschen Tradition. Früher haben Großgrundbesitzer nach Festlegung der Grenzen von Pachtland die Kinder des Pächters mit zum neuen Grenzstein aufs Feld genommen. Dort haben sie den Kindern dann links und rechts eine geschallert. Den Ort haben die Kinder im Leben nicht mehr vergessen, und so konnten sie sich immer genau daran erinnern, wo die Grenze verlief.

»Dragan! Warum machst du so was immer noch persönlich? Warum hast du das nicht Sascha überlassen? Oder Toni? Ich dachte, du wolltest längst in Bratislava sein?«

»Ich wollte mit Sascha nach Bratislava. Unterwegs bekam Sascha den Anruf mit dem Tipp. Der Autobahnparkplatz lag auf der Strecke. Den Spaß mit dem Idioten wollte ich mir persönlich gönnen. Zumal alles, was Boris angeht, persönlich ist.«

Den Spaß gönnen? Und wer dachte dabei an mich? Mein Puls schoss auf hundertsiebzig hoch. Dass mein Mandant seinen eigenen Wochenendtrip »aus Spaß« für einen Mord unterbrochen hatte, gab ihm noch lange nicht das Recht, von mir das Gleiche zu verlangen.

Ich fand in der Enge des kleinen, fensterlosen Zimmers schlicht keinen Raum, um meine Wut im Stehen wegzuatmen. Die nächste Toilette als Rückzugsort wäre bei Frau Bregenz gewesen. Aber ich konnte jetzt unmöglich einfach gehen. Ein spontaner Herzanfall von Dragan wäre das Einzige gewesen, was mir in diesem Moment weitergeholfen hätte. Ich sah Dragan an. Er war weit von einem Kollaps entfernt. Im Gegenteil: Die Geschichte schien ihm gute Laune gemacht zu haben.

Ich schloss für einen Moment die Augen, tat so, als würde ich nachdenken, spürte drei Züge lang meinen Atem, mein Puls ging auf hundertfünfzig zurück, bevor ich die Augen wieder öffnete. »Gibt es Zeugen?«

»Na ja, also, eigentlich sollte es keine geben. Der Parkplatz ist um die Uhrzeit menschenleer. Aber dann ist da dieser verschissene Bus auf den Parkplatz gefahren.«

»Was für ein Bus?«

»So ein Überlandbus halt.«

»Mit kurzsichtigen Rentnern?«

»Eher so mit altklugen Schulkindern.«

»Wie viele Kinder?«

»Keine Ahnung. Wie viele scheiß Zwölfjährige passen in so einen Bus rein? Vielleicht fünfzig?«

»Scheiß Zwölfjährige? Ich dachte, du liebst Kinder?«

»Kinder sind das Glück dieser Erde. Aber nicht morgens um vier auf einem Autobahnparkplatz.«

»Wie viele der Kinder haben die Prügelei gesehen?«

»Alle. Denke ich mal.«

»Wie viele hatten Handys, mit denen sie die Prügelei gefilmt haben?«

»Pffff. Wie Kinder halt so sind … Wahrscheinlich auch alle.«

»Wir haben also jetzt fünfzig Videoaufnahmen, die zeigen, wie du vor den Augen von fünfzig Schulkindern einen Menschen totgeschlagen hast?«

»Nein, maximal neunundvierzig.«

»Wie das?«

»Ich bin vor den Bus gesprungen, hab die Tür eingetreten und bin kurz rein. Ich habe dem ersten Jungen das Smartphone aus den Fingern geschlagen und zertreten und den anderen gesagt, sie sollen das Gleiche mit ihren Handys machen.«

»Und das haben wie viele der Zwölfjährigen gefilmt?«

»Die anderen neunundvierzig. Aber der Ton ist garantiert grottenschlecht, weil die auf einmal alle so hysterisch geschrien haben.«

Hatte der Wahnsinnige vielleicht auch noch alle Kinder verprügelt?

»Und dann?«

»Dann kam die Polizei, und wir sind los.«

»Sind die Bilder schon ins Netz gestellt worden?«

»Ja.«

»Fernsehen?«

»Ja. Auch.«

»Bist du zu erkennen?«

»Na ja, ist schon sehr verwackelt. Bei einem Bußgeldfoto würdest du bestimmt Widerspruch einlegen.«

Dragan reichte mir sein Handy, tippte aufs Display, um ein YouTube-Video abzuspielen, das ganz offensichtlich aus einer N24-Nachrichtensendung herausgeschnitten worden war. Zu sehen war eine sensationell hochwertige Aufnahme von Dragan, der mit einer Eisenstange in der Hand aus einem Lieferwagen sprang und auf einen am Boden liegenden Mann einschlug. Die Qualität der Aufnahme war nicht allein den hohen technischen Standards der Smartphones der Zwölfjährigen zu verdanken, sondern auch der Tatsache, dass der Mann am Boden lichterloh brannte – wie auch der Lieferwagen, aus dem der Mann sich wohl hatte retten wollen. Und dann war Dragan mit der Eisenstange gekommen, und am Ende rührte sich der Mann auf dem Boden nicht mehr, er brannte nur noch.

Ich hielt das Video an.

Mir war speiübel. Der Anblick eines brennenden Mannes, der von dem Mann, der mir gerade gegenübersaß, totgeschlagen wurde, hätte sich wohl selbst dann nicht wegatmen lassen, wenn ich die Möglichkeit dazu gehabt hätte. Denn ich konnte mich doch schlecht vor diesen Mann hinstellen, die Füße schulterbreit auseinander, die Knie leicht gebeugt, den Brustkorb rausgestreckt, um meinen Atem zu beobachten.

Was mich nur noch wütender machte. Es konnte ja wohl nicht angehen, dass mir Dragan hier innerhalb eines Vormittages zwölf Wochen Achtsamkeitstraining torpedierte. Ich musste wohl etwas tiefer in der Werkzeugkiste der Achtsamkeit rumwühlen, um das entsprechende Instrument gegen meinen Ekel, meine Wut, meine Angst, mein Verlorensein und meine Abscheu zu finden. Ich atmete im Sitzen und durchforschte meine Erinnerungen an die letzten zwölf Wochen. Joschka Breitner hatte mir offenbart, dass uns nicht Ereignisse beunruhigten, sondern unsere eigene Sichtweise von den Ereignissen. Frei nach Epiktet war Herr Breitner der Ansicht:

»Nicht das, was geschehen ist, beunruhigt uns. Erst wenn wir Geschehenes einordnen, macht es uns Angst. Kein Vorfall ist an sich gut oder schlecht.«

Ich versuchte also das Video zunächst unter diesem Gesichtspunkt zu sehen. Da war also ein Mann, der brannte. Okay. Und da war ein anderer Mann, der schlug den brennenden Mann tot. Auch okay. Dass der schlagende Mann ein Psychopath sein musste, war bloß eine Bewertung. Nicht gut. Hätte der brennende Mann zuvor versucht, meine Tochter zu entführen, wäre ich dem Typen, der ihn angesteckt hatte, um ihn anschließend totzuschlagen, wesentlich verständnisvoller begegnet. Nicht das Brennen und das Totschlagen waren abscheulich. Sondern die Bewertung war es. So weit die Theorie.

De facto hatte der gerade totgeschlagene Mann aber nicht einmal ansatzweise versucht, meine Tochter zu entführen. Der kannte meine Tochter gar nicht. Ganz anders Dragan. Der kannte Emily, vergaß aber ihren Namen. Der kannte meine familiäre Situation. Die war ihm aber egal. Der wusste von meinem Wochenende. Schiss aber drauf. Der hatte in dem Video einen lebenden Menschen vor sich. Schlug ihn aber tot …

In diesem Moment klingelte mein Handy, sodass ich kurz aus der Situation ausbrechen konnte. Es war die Nummer des Besprechungsraumes der Kanzlei. Der nächste Gefühlsschock. War was mit Emily?

»Ja, was gibt's?«

Clara war am Apparat. »Herr Diemel, also Emily hat gerade einen Stuhl im Besprechungsraum angemalt.«

»Geht es Emily gut?«

»Na ja, es macht ihr Spaß, aber der Stuhl …«

»Und warum rufen Sie mich dann an?«

»Weil ich nicht weiß, was ich jetzt machen soll. Wenn Frau Bregenz das sieht …«

Zur Hölle mit Frau Bregenz.

»Wie viele Bürostühle hat der Besprechungsraum?«

»Zwei, vier, sechs … zwölf … fünfzehn.«

»Dann sagen Sie Emily bitte, dass sie das ganz toll macht, und rufen Sie mich erst wieder an, wenn Emily mit Stuhl Nummer fünfzehn fertig ist.«

Ich beendete das Gespräch.

Dragan starrte mich an.

»Sag mal, tickst du noch ganz sauber? Ich stecke in der Klemme, und du redest über Bürostühle?«, fauchte er mich an.

»Hör mal, Emily ist da oben. Und für die bin ich jederzeit erreichbar.«

»Mir ist völlig egal, wer alles da oben ist. Hier unten spielt die Musik. Und wenn das da oben irgendjemandem nicht passt, gehe ich persönlich hoch und kläre das.«

Das hätte mir noch gefehlt. Ich versuchte, Dragan wieder auf den Teppich zu kriegen.

Ich zeigte auf das Standbild des brennenden Mannes.

»Ist das Igor?«

Dragan war einen Moment irritiert. Er guckte sich das Video noch mal genauer an – als hätte es auf dem Parkplatz vor brennenden Menschen nur so gewimmelt.

»Ja. Das da ist Igor. Der da am Boden.«

»Wieso brennt er?«

»Na ja, wir haben ihm ein bisschen Feuer unterm Hintern gemacht.«

Jemandem »Feuer unterm Hintern machen« war in Dragans Welt keine Metapher, sondern in der Regel wörtlich gemeint. Dieser Jemand bekam Feuerzeugbenzin auf den Hintern gespritzt und merkte das meist erst, wenn ihn das brennende Zippo traf. In der Regel wurde das Feuer dann aber nach den ersten Brandblasen auf der Arschbacke ausgeschlagen.

»Ich hab ja gesagt, dass die Sache ein bisschen aus dem Ruder gelaufen ist. Die Schwuchtel konnte einfach nicht still im Wagen warten, bis wir ihm den Arsch löschen. Musste ja unbedingt rausrennen.«

»Und der Typ mit den Drogen?«

»Das ist auch so ein Ding. Wie sich herausgestellt hat, hatte der gar keine Drogen. Der wollte Igor eine Kiste mit Handgranaten verticken. Aber da brannte Igors Arsch schon.«

»Na, wenn es weiter nichts ist. Wo ist der Typ hin?«

»Den hat Sascha im Van k. o. geschlagen. Stellt aber kein Problem mehr dar.«

Kein Problem. War also auch tot. Ich schüttelte den Kopf, versuchte einen klaren Gedanken zu fassen: »Kann es sein, dass der Anruf mit dem Drogen-Tipp in jeder Hinsicht eine völlige Verarsche war, derentwegen du jetzt mächtig in der Scheiße sitzt? Und ich ganz nebenbei auch? Ein nicht verifizierter Telefonanruf von irgendeinem Assistenten von Toni reicht aus, damit du Amok läufst?«

So hatte ich noch nie mit Dragan gesprochen. Tat aber gut. Dragan schien meinen Tonfall gar nicht bemerkt zu haben. Er war mit anderen Dingen beschäftigt.

»Woher bitte sollte ich wissen, dass da ein Bus hält, hä?«, fuhr er mich an. »Mit Schulkindern drin! Welcher normale Fahrer hält nachts mit Schulkindern auf einem unbeleuchteten Autobahnparkplatz? Kannst du mir das mal erklären? Das macht man doch nicht mit Kindern. Ich liebe Kinder!«

Ich wandte mich wieder dem Smartphone zu und ließ den Film weiterlaufen. Was Dragan unter Liebe zu Kindern verstand, wurde in der nächsten Einstellung deutlich, in der aus dem Bus heraus zu sehen war, wie Dragan mit der Eisenstange zunächst die Frontscheibe des Busses zertrümmerte und dann die Tür eintrat, um kurz drauf einem maximal Zehnjährigen das Handy aus der Hand zu schlagen, ihm drohend seine rechte Pranke unter das kleine, zitternde Kinn zu drücken und ihn anzubrüllen: »Ihr habt nix gesehen, oder ich schlage euch alle tot.«

Das Filmmaterial der neunundvierzig Kinder-Handys reichte offensichtlich für eine kleine Dramaturgie in der Nachrichten-Maz. Es folgte ein Schnitt. Der Film endete mit einer Großaufnahme von Dragans Porsche Cayenne, bei dem offensichtlich die Nummernschilder fehlten. Man sah, wie Dragan auf den Rücksitz sprang und dann wie der Wagen vom Parkplatz raste. Im Hintergrund machte der brennende Van einen Hüpfer, als die Kiste mit den Handgranaten explodierte und damit wohl den vermeintlichen Drogendealer, der sich bewusstlos darin befunden hatte, in tausend Stücke riss. Ein stimmig geschnittener Film, der auch auf einer Kinoleinwand für Begeisterung gesorgt hätte.

Wir hatten also nicht nur einen Typen, der sich »ein paar Schrammen geholt« hatte, sondern da waren noch eine menschliche Fackel, ein durch Handgranaten zerfetzter Zeuge, ein Totschlag sowie fünfzig traumatisierte Schulkinder. Für Dragan Nebensächlichkeiten, für mich als Strafverteidiger hingegen von essentieller Bedeutung.

»Wo ist Sascha?«

»Sascha ist unten im Eiswagen. Hat mich hergefahren.«

»Nein, ich meine: Wo ist Sascha auf den Bildern? Ist der auch irgendwo zu erkennen?«

»Nirgendwo. Der war zuerst mit im Lieferwagen, und als der Bus kam, hat er dann sofort den Cayenne geholt. So mit Pulli überm Gesicht. Also quasi maskiert.«

»Und die Nummernschilder vom Cayenne?«

»Hat Sascha abgerissen und in den Wagen geschmissen.«

Sascha war gut.

»Wo ist der Cayenne jetzt?«

»Flughafen. Langzeitparkplatz. Sascha hat den Eiswagen geholt und mich dann hierhergebracht.«

»Smartphones?«

»Liegen zersplittert auf der Autobahn. Bin ja nicht blöd.«

Das kommentierte ich nicht weiter. Ich sah Dragan an. »Und was soll ich jetzt machen?«

»Du bist der Anwalt. Also mach was, und regele die Scheiße.«

Ich spürte wieder, wie mich die Wut packte. »Richtig«, schimpfte ich. »Ich bin Anwalt. Ich bin kein Klempner. Aber wenn die Scheiße derart massig kommt, stoße auch ich an meine Grenzen.«

»Du spulst jetzt dein Anwaltsprogramm ab, oder du kannst die Scheiße fressen.«

Meine Halsschlagader hatte wie wild angefangen zu pochen. Einen Moment schwiegen wir. Dragan hatte recht. Es hatte keinen Sinn sich aufzulehnen. Er saß in jedem Fall am längeren Hebel.

»Okay«, sagte ich daher so ruhig wie möglich. »Möglichkeit eins: Du stellst dich. Wenn du dich stellst, kriege ich dich aus der Nummer allerdings nicht so einfach raus. Nicht bei der Beweislage. Selbst wenn ich allen Kindern in dem Bus einen Hundewelpen schenke und damit drohe, ihn zu töten. Die Bilder sind nun mal im Netz.«

»Sag mal, tickst du noch sauber? Ich soll mich stellen?«

»Möglichkeit zwei: Du stellst dich nicht. Wenn du dich nicht stellst, sind die Bullen nicht dein größtes Problem. Wenn Boris dich findet, wirst du dir vielleicht sogar wünschen, im Knast zu sein. Seinen Mann abzufackeln und totzuschlagen wird er nicht auf sich sitzen lassen.«

Dragan schlug mit beiden Händen flach auf den Tisch.

»Hey, Herr Anwalt! Wir arbeiten seit Jahren mit einer klaren Rollenverteilung: Ich hab ein Problem. Du hast die Lösung! Also, was machen wir?«

Er starrte mich mit weit aufgerissenen Augen an und wartete auf eine Antwort.

Auf das eigentliche Problem, dass Dragan ganz offensichtlich von irgendjemandem mit einem falschen Anruf in die Falle gelockt worden war, mochte ich ihn in diesem Gemütszustand nicht noch einmal hinweisen. Ich versuchte es in meiner Not daher mit schwarzem Humor: »Tauch unter bis sich die Wogen geglättet haben. So in dreißig bis vierzig Jahren …«

Dragans Augen verengten sich zu schmalen Schlitzen. Mir wurde kalt und heiß zugleich. Jetzt würde er mir an die Gurgel gehen. Doch dann, ganz langsam, verzog sich sein Mund zu einem breiten Grinsen. Dragan nahm die Hände hoch, griff über den Tisch und klopfte mir lächelnd auf die Schultern.

»So machen wir das.«

Der Idiot dachte tatsächlich, sich für die nächsten Jahrzehnte bedeckt zu halten, wäre die Lösung.

»Dragan, du kommst hier noch nicht einmal mehr aus dem Gebäude raus. Vor der Tiefgarage warten schon die Zivilbullen. Die nehmen deinen Eiswagen komplett auseinander.«

»Dann nehmen wir eben deinen Wagen.«

»Bitte?«

»Ich leg mich in den Kofferraum, und du bringst mich raus aus der Stadt. Danach sehen wir weiter.«

Ich sah ihn fassungslos an. Mein Herzschlag steigerte sich kurzfristig in ein Rasen. Das konnte der Typ unmöglich ernst meinen. Der wollte nicht nur kurz auf meiner Zeitinsel für ein Pläuschchen anlanden. Der wollte die ganze Insel übernehmen. Ich würde Emily entweder in der Kanzlei lassen oder zusammen mit diesem Verbrecher im Wagen mitnehmen müssen. Beides würde sich nur schwer gegenüber Katharina geheim halten lassen. Würde ich das zulassen, wäre damit tatsächlich das Versprechen gebrochen, das ich Katharina noch vor weniger als einer Stunde hoch und heilig zur Rettung unserer Beziehung gegeben hatte. Wenn ich mich um Emily kümmere, kümmere ich mich um Emily. Und um nichts sonst. Das war unsere Basis. Und diese Basis sollte nun ausgerechnet von diesem Assi zerstört werden?

»Dragan, ich bitte dich! Ich habe meine Kleine dabei. Da kann ich dich nicht im Kofferraum quer durch Europa fahren.«

»Du sollst mich auch nicht im Kofferraum durch Europa fahren, sondern nur aus der Stadt raus. Ist doch super, wenn Emma vorne drin sitzt.«

Emma? Das war zu viel. Ich schrie ihn an: »Emily! Das Kind, dem du gerade das Wochenende versaust, heißt *Emily!*«

Zum Glück waren diese Besprechungsräume ziemlich gut schallisoliert.

Dragan schrie zurück: »Scheiß auf Emilia! Hier geht es um mein Leben!«

Und dann wurde er sehr leise und sehr nachdrücklich: »Ich fahre jetzt in die Tiefgarage und lasse mich von Sascha in deinen Kofferraum sperren. Du kommst mit Emilia runter, und dann fahrt ihr mich raus aus der Stadt. Wenn die Bullen deine Göre sehen, vermuten die nie, dass da jemand im Kofferraum liegt.«

Scheiß auf Emilia? Göre? Der Typ, der das letzte Versprechen, was ich meiner Frau zur Rettung unsere Beziehung gegeben hatte, missachtete, hatte meinen Engel gerade Göre genannt?

»Sie heißt Emily, du Wichser ...«

Ich erstarrte. Was hatte ich getan? Hatte ich mich gerade mit dem brutalsten Mafioso der Stadt angelegt? Das war ... nicht besonders achtsam. Eher lebensgefährlich.

Dragan stand auf. Er packte mich mit beiden Händen am Kragen, und näherte sich meinem Gesicht bis auf wenige Zentimeter. Ich konnte seinen Nikotinatem riechen.

»Niemand. Nennt. Mich. Wichser.« Er atmete schwer. »Wenn ich dich nicht für die Flucht brauchen würde, wärst du jetzt tot. Wenn du nicht zu hundert Prozent das tust, was ich von dir verlange, dann hast du bald kein Kind mehr und wirst auch kein neues mehr zeugen. Ist das klar?«

Ich nickte. »Glasklar«, brachte ich krächzend hervor. Ich erkannte meine eigene Stimme nicht wieder.

Dragan stieß mich zurück auf meinen Stuhl und setzte sich ebenfalls.

»Dann ist ja gut, Herr Anwalt. Wenn du mich in Sicherheit bringst, bin ich bereit, diesen kleinen Vorfall zu vergessen. Wenn du das hier aber vergeigst, wenn das mit der Flucht nicht klappt, wenn ich aus irgendwelchen Gründen nicht in Sicherheit, sondern bei der Polizei lande, dann bist du ein toter Mann. Ist das klar?«

Ich nickte erneut. Meine Gedanken rasten, aber mir fiel keinerlei Option mehr ein, dieser Situation zu entkommen. Also lebend. Ich musste mich Dragan beugen, musste ihn hier rausbringen. Vielleicht gelang es mir ja sogar, dass Emily von Dragan gar nichts mitbekam. Vielleicht konnte ich später doch noch mit Emily zum Haus am See fahren. Wenn ich Glück hatte, wenn ich verdammt großes Glück hatte … dann würde Katharina auf diese Weise gar nicht mitbekommen, was geschehen war.

»Das wäre also Strafvereitelung«, röchelte ich kleinlaut.

Das zauberte Dragan ein Lächeln ins Gesicht.

»Da ist er ja wieder, mein Klugscheißer!«

»Und wo bitte soll ich dich hinfahren?«

»Fahr mich zum Haus am See! Da habe ich zumindest fürs Erste meine Ruhe.«

Ich sackte auf meinem Stuhl zusammen. Ich war am Ende. Als Ehemann, als Vater, als Anwalt. Aus und vorbei.

Doch in exakt diesem Moment, als auch noch das letzte Fünkchen Hoffnung zu erlöschen drohte, geschah etwas völlig Fantastisches. Genau in diesem Moment machte sich das zwölfwöchige Achtsamkeitstraining bezahlt. Wie ein himmlisches Strahlen aus den schwarzen Wolken über meiner Seele spürte ich in mir eine völlige Ruhe. In einem plötzlich sehr klaren Augenblick sah ich mich wieder vor der Tür von Joschka Breitner stehen, als ich zu spät war und überlegte, ob ich ein zweites Mal klingen sollte. Meine innere Stimme sagte zu mir: Wenn ich vor einer Tür stehe, stehe ich vor einer Tür.

Wenn ich mit einem Schwerverbrecher »Eis essen« bin, bin ich mit einem Schwerverbrecher »Eis essen«.

Wenn ich einen Fluchtwagen fahre, fahre ich einen Fluchtwagen.

Wenn ich am See bin, bin ich am See.

Es war so klar. Es war so einfach.

Es brachte überhaupt nichts, alles komplett zu Ende zu denken. Mit allen Konsequenzen für meine Tochter, meine Ehe, meine Freiheit. Ich steuerte vielleicht geradewegs meinem Untergang zu, aber das bedeute auch, dass ich noch nicht untergegangen war.

Ich betrachtete den Ist-Zustand: Jetzt, in diesem Moment, befand sich meine Tochter eine Etage über mir, meine quietschfidele Tochter, mit der ich – wie auch immer – das Wochenende verbringen würde. Ich war noch immer am Leben. Ich hatte eine Ehefrau, die nicht wusste, was ich gerade tat. Und ich war nicht im Knast.

Im Moment war also alles im Lot. Und was zu einem späteren Zeitpunkt sein würde, wusste ich schlicht noch nicht. Es brachte rein gar nichts, sich vor diesem späteren Zeitpunkt zu fürchten, bevor er da war.

»Gut«, sagte ich. »Hier sind die Schlüssel. Wir treffen uns in der Tiefgarage.«

Dragan nahm mir die Autoschlüssel ab – mit einem Blick, der wohl besagen sollte: warum nicht gleich! Dann stand er auf und fuhr mit dem Fahrstuhl in die Tiefgarage. Ich wartete, bis der Fahrstuhl wieder nach oben gekommen war, und fuhr in die vierte Etage.

In der untersten Schreibtischschublade in meinem Büro hatte ich immer mehrere Prepaid-Handys liegen. Die rechtlichen Hürden für das legale Abhören eines Rechtsanwalts waren zwar enorm hoch, die technischen Hürden waren es allerdings nicht.

Wenn Dragan wirklich untertauchen wollte, brauchten wir ein sicheres Kommunikationsmittel.

Wenn ich eine Flucht plante, plante ich eine Flucht.

Ich hasste meinen Job. Aber ich beherrschte ihn.

8 ENTSPANNUNGSDREIKLANG

»Wenn Sie eine Anspannung bemerken, machen Sie sich
drei Dinge klar:

1. Sie müssen nichts verändern.
2. Sie müssen nichts erklären.
3. Sie müssen nichts bewerten.

Sie müssen nichts tun, um zu entspannen. Allein, die Anspannung
zu bemerken und zu akzeptieren, wirkt manchmal schon Wunder.
Sie müssen auch nicht nach der Ursache der Anspannung suchen.
Erlauben Sie sich einfach angespannt zu sein. Und Sie müssen
nicht bewerten, wie sich die Anspannung auf Sie auswirkt.
Lassen Sie die Anspannung Anspannung sein. Und bemerken Sie,
wie die Anspannung dadurch von selbst einfach vorüberzieht.«

JOSCHKA BREITNER,
»ENTSCHLEUNIGT AUF DER ÜBERHOLSPUR –
ACHTSAMKEIT FÜR FÜHRUNGSKRÄFTE«

KAUM WAR ICH IN MEINEM BÜRO, klingelte das Telefon. Frau Bregenz teilte mir mit Eisesstimme mit, dass Peter Egmann, Leiter der Mordkommission der Kriminalpolizei, in der Leitung sei. Ich kannte Peter seit meinem Studium. Wir haben uns beide schon früh für Strafrecht interessiert. Seine kriminalistischen Leistungen waren gut genug für den Staatsdienst. Also bekam er eine Mordkommission. Meine juristischen Leistungen waren zu gut für das geringe staatliche Gehalt. Also bekam ich einen Mörder.

Peter hatte einen Sohn in Emilys Alter und eine Ehe, die funktionierte. Wir schätzten uns, auch wenn wir in der Regel auf der jeweils anderen Seite des Strafrechts standen.

Ich bemühte mich, meiner Stimme den üblichen erfreuten Schwung zu verleihen, was mir nicht ganz leichtfiel.

»Morgen, Peter, was kann ich für dich tun?«

»Hast du deinen Lieblingsmandanten heute schon gesehen?«

»Du weißt, dass ich darauf nicht antworten werde.«

»Kann ja sein, dass du ihn schon im Fernsehen gesehen hast. Oder im Internet.«

»Auch darauf antworte ich nicht.«

»Wenn du ihn in Person siehst oder sprichst, kannst du ihm bitte etwas von mir ausrichten?«

»Warum suchst du ihn nicht selbst, wenn du ihn so gerne sprechen möchtest? Wirst du dafür nicht bezahlt?«

»Ich weiß doch, wie eng euer Kontakt ist. Also, wenn du ihn siehst, dann sag ihm einfach: Danke. Es war noch nie so einfach, einen Mord aufzuklären.«

»Ich habe keine Ahnung, wovon du sprichst.«

»Warum bist du dann am Samstagmorgen im Büro?«

»Weil meine Tochter Anwalt spielen wollte.«

»Wie spielt man denn Anwalt?«

»Indem man im Besprechungszimmer BGH-Urteile bunt anmalt.«

»Das macht mein Sohn im Präsidium gerne mit Haftbefehlen. Aber der Haftbefehl für Dragan sieht auch ohne seine Verzierungen ganz gelungen aus.«

»Raus mit der Sprache, Peter. Was willst du von mir?«

»Sag ihm, er soll sich stellen. Das erspart ihm und uns allen viel Ärger.«

»Dir auch ein schönes Wochenende.«

Ich legte auf. Dann nahm ich zwei Prepaid-Handys, schaltete mein eigenes Handy nun aus und fuhr eine Etage tiefer.

Zum Glück kannte ich von Joschka Breitner den ganz simplen »Dreiklang« der Achtsamkeit. Erstens: Nimm die Dinge so, wie sie sind. Wenn du verspannt bist, bist du verspannt. Zweitens: Akzeptiere das. Versuch erst gar nicht, die Anspannung zu erklären. Erlaube dir, verspannt zu sein. Und drittens: Bewerte die Situation nicht.

Ich nahm es also hin, dass ich gerade in allen Punkten gegen meine Vereinbarung mit Katharina verstieß. Ich akzeptierte, dass ich gleich einen Psychopathen in meinem Kofferraum zu dem Ferienhaus fahren würde, in dem ich mich mit meiner Tochter entspannen wollte. Und ich bewertete diese Situation einfach nicht.

Ich versuchte zudem, das Positive im Hier und Jetzt zu sehen: Ich holte jetzt meine Tochter ab und fuhr mit ihr zum See!

Im Besprechungszimmer waren nicht nur zahlreiche Urteils-Kopien und mittlerweile fünf der fünfzehn Ledersessel, sondern auch der Kirschholztisch erfolgreich als Leinwand benutzt worden. Emily war ganz begeistert, was man in einer Kanzlei so alles machen konnte. Als sie mich sah, rannte sie freudestrahlend in meine Arme.

»Papa! Ich hab ein großes Bild gemalt.«

»Wie schön. Zeig mal … Das ist ja ein Wahnsinnsbild. Weißt du was, das ist so schön, das lassen wir hier in der Kanzlei.«

»Können wir das nicht mitnehmen?«

»Nein, wir beide wollen doch jetzt unseren Ausflug machen.«

»Zum See?«

»Zum See!«

Ich dankte Clara fürs Aufpassen und bat sie, Frau Bregenz von mir auszurichten, sie möge doch bitte den Besprechungsraum putzen.

»Wünschst du der Tante Bregenz noch ein schönes Wochenende?«, sagte ich zu Emily, als wir auf dem Weg zum Aufzug am Empfangstresen vorbeigingen. Zu meiner großen Freude sagte Emily: »Nein.«

In der Tiefgarage angekommen, sah ich schon von Weitem, dass Dragan und Sascha an meinem Audi A8 Dienstwagen lehnten und rauchten. Der Kofferraumdeckel stand offen. Meine penibel gepackten Wochenendtaschen mit Handtüchern, Sonnencreme, Nüssen, Capri-Sonnen-Tüten und so weiter standen achtlos neben dem Wagen. Auf dem Platz rechts von meinem Auto parkte der Eiswagen.

Ich überlegte mir blitzartig, wie ich Emily an Dragan vorbeischmuggeln konnte.

Ich nahm sie auf den Arm.

»Emily, wir spielen jetzt ein Spiel.«

»Was für ein Spiel?«

»Du hältst dir die Augen zu. Ich sag dann einen Zauberspruch. Und wenn ich dir sage, du kannst die Augen wieder aufmachen, dann bist du im Eis-Paradies. Okay?«

»Okay.«

Emily hielt sich die Augen zu. Ich rannte zum Eiswagen und hielt dabei meinen Finger vor die Lippen, damit Dragan und Sascha mich nicht ansprachen. Selbstverständlich sprach mich Dragan trotzdem an.

»Was ist? Hat Evelyn noch nie einen Mörder gesehen?«, rief er lachend.

Ich funkelte ihn wütend an. Ich lief mit Emily auf dem Arm weiter zum Eiswagen und legte ihr zur Sicherheit auch meine Hand vor die Augen.

»Papa, wer ist da?«

»Ach, niemand. Da sind nur ein paar Menschen bei ihrem Auto und unterhalten sich.«

»Papa, was ist ein Mörder?«

»Nicht so wichtig, mein Schatz. So, jetzt kommt die Überraschung...«

Zum Glück hatte wenigstens Sascha kapiert, was ich da veranstaltete. Geistesgegenwärtig legte er Dragan den Arm auf die Schulter und sagte: »Boss, willst du noch was zu trinken in den Kofferraum haben?«

»Für die paar Kilometer? Lass stecken. Gibt nur eine Sauerei, wenn ich in der Enge noch versuche, was zu trinken.«

Ich war Sascha unendlich dankbar für sein Ablenkungsmanöver.

In der Zwischenzeit war ich mit Emily im Innern des Eiswagens angekommen.

»Also, Augen auf!«

»Erst der Zauberspruch!«

»Bitte?«

»Du hast gesagt, du sagst erst einen Zauberspruch, dann kommt das Eis-Paradies.«

Emily hielt sich weiterhin die Augen zu.

»Ja, richtig. Also ... Abrakadabra, dreimal schwarzer Kater ... ähm ... Hokus-Pokus-Fidibus: Fertig ist der Eisgenuss!«

Emily machte große Augen. Sie war umgeben von allen nur erdenklichen Eissorten. Kühlbehälter in allen Tönen eines Wasserfarbenkastens standen um sie herum, mit deren Hilfe man selbst aus illegalen Prostitutionseinnahmen buchhalterisch harmlose Taschengeldumsätze machen konnte. Damit Emily den Mann, der sich damit die Taschen füllte, nicht sah, musste sie eine Weile im Eiswagen bleiben.

»Emily, du kannst jedes Eis probieren. Papa kommt gleich wieder, okay?«

»Ohhhh.« Das hieß okay.

Ich stieg aus, schloss die Tür und ging zu Dragan.

Er sah mich spöttisch an. »Abrakadabra? Was soll der Scheiß?«

»Scheiß? Hast du nicht gesagt, man solle Familie und Beruf trennen? Also muss Emily nicht unbedingt sehen, was wir jetzt hier machen. Oder?« Ich nahm die Papa-Tochter-Wochenendtaschen und verstaute sie auf der Rückbank. »Du bleibst bei deinem Plan?«

»Logo. Und es bleibt auch dabei, dass du besser keine Dummheiten machst, wenn deine Tochter auch in Zukunft noch Eisgenuss erleben will.« Und an Sascha gewandt, sagte er: »Danke für deine Hilfe. Du wirst mich eine Weile nicht sehen.«

Und dann äußerte er den Satz, mit dem er meine weitere Zukunft unwiderruflich in eine neue Bahn lenken sollte: »Björn wird mich jetzt verschwinden lassen und dir und den anderen in meiner Abwesenheit sagen, wie die Geschäfte weitergeführt werden. Sag das den Officern.«

Ich glaubte mich verhört zu haben. Ich sollte *was* tun?

Dragan wollte mich anscheinend zur willenlosen Handpuppe in seinem Mafia-Kasperle-Theater machen. Und er wäre der Drahtzieher hinter der Bühne. Bislang war es – zumindest in meinen Augen – genau andersherum. Ich beriet von hinter der Bühne, und keiner bekam mit, was ich tat.

Wer auf der Bühne welche Rolle spielte, war relativ klar verteilt. Die organisierte Kriminalität zeichnet sich dadurch aus, dass sie – wie der Name schon sagte – organisiert ist. Und Dragans Unternehmen machte da keine Ausnahme. Ich hatte genug Organigramme für ihn erstellt, um zu wissen, wer auf welcher Hierarchieebene agierte. Auf unterster Ebene gab es die »Groupies«, die gerne mitmachen wollten und für kleines Geld kleine Aufgaben erledigten. Drogendepots auffüllen. Läden anzünden. Menschen verprügeln. Sie interessierten sich nicht für die großen Zusammenhänge und hatten keine Ahnung von den Hintermännern. Wenn sie geschnappt wurden, konnten sie nichts verraten, außer dass ihnen jemand hundert Euro dafür gegeben hatte, ein Paket in ein Schließfach zu legen oder irgendjemanden krankenhausreif zu schlagen.

Dann gab es die »Soldaten«, die als Aufnahmeritual mindestens ein paar schwer verletzte Konkurrenten vorweisen mussten. Sie erledigten die eigentliche Drecksarbeit, transportierten Drogen und Waffen in großem Stil und übten auf persönlicher Ebene die notwendige Gewalt auf Lokalbesitzer, Prostituierte und Geschäftspartner aus. Wenn sie geschnappt wurden, schwiegen sie. Denn sie kamen so oder so in den Knast – und dort war es für redselige Überläufer gefährlich. In der Regel sagte ihnen Sascha, was Dragan von ihnen wollte.

Dann gab es die »Spezialisten«, die Waffenexperten, die Laborleiter oder jemanden wie mich – den Anwalt. Wobei meine Spezialität im Grunde darin bestand, dass ich alles wusste, was Dragan wusste. Alle Namen, alle Konten, alle Deals. Ich beriet ihn bei strategischen Entscheidungen und kümmerte mich um alle rechtlichen Probleme. Ich war aber nicht an seiner Organisation beteiligt. Nach all den Jahren war mein letzter Anker in der legalen Welt, dass ich streng nach den Stundenhonoraren meines Arbeitgebers abrechnete. Die Rechnungen überstiegen mein Monatsgehalt um ein Vielfaches – aber so konnte ich mir einreden, wenigstens finanziell von Dragan unabhängig zu sein.

Ganz oben, in der Hierarchie nur noch unter Dragan, standen die Officer. Das waren die Menschen, die über die Jahre finanziell und persönlich mit dem Kartell verwoben waren. Mitarbeiter mit einer gewissen Entscheidungsfreiheit, die zusätzlich zu ihrem Gehalt auch an den Gewinnen beteiligt wurden. Das waren die Geschäftsführer der legalen Tarnfirmen, in denen das illegale Geld gewaschen wurde. Das waren Typen wie Toni, der offiziell eine Betreibergesellschaft für Bars und Diskotheken führte, in Wahrheit aber den gesamten Drogenzweig der Organisation leitete. Einen wie ihn gab es auch für Waffen oder Prostitution. Jeder Konzernpfeiler wurde von einem Officer geleitet, der ganz offiziell Geschäftsführer einer völlig legalen Firma war.

Im Tagesgeschäft hielt ich den Kontakt zu ihnen, kümmerte mich um Pacht- und Arbeitsverträge und hielt die Fassade sauber. Ich war neben Dragan der Einzige, der die großen Zusammenhänge kannte. Wahrscheinlich sogar in den Details besser als Dragan selbst. Und in Dragans anstehender Abwesenheit sollte ich diese Officer nun also auch noch führen?

Ich dachte an Emily. Ich dachte an mein Leben. Wenn ich beide retten wollte, musste ich tun, was Dragan wollte. Und wenn ich tat, was Dragan wollte, würde nichts mehr so sein, wie es einmal war. Vielen Dank, Arschloch!

Dragan verschwand ohne weitere Worte im Kofferraum. Dafür, dass er eins fünfundneunzig groß und über hundert Kilo schwer war, glitt er relativ elegant hinein. Sascha hatte irgendwoher einen alten Daunenschlafsack aufgetrieben, auf dem Dragan es sich im Kofferraum bequem machte, oder es wenigstens versuchte. Er kauerte sich in Fötus-Haltung hin und gab uns beiden ein Daumen-hoch-Zeichen. Er erinnerte mich an eine große Missbildung, eingeklemmt in einem viel zu kleinen Einmachglas, wie es sie in anatomischen Sammlungen zu sehen gibt. Nur dass das Einmachglas leider mein Kofferraum war und die Missbildung lebte.

Sascha ließ die Klappe ins Schloss fallen.

»Danke, dass du ihn vorhin von meiner Tochter abgelenkt hast«, sagte ich.

»Gerne. Kinder sollten mit so etwas nichts zu tun haben.«

»Niemand sollte mit so etwas zu tun haben.«

»Wir können uns unser Leben nicht aussuchen. Wir können es nur leben.«

Das sollte ich vielleicht mal mit Joschka Breitner besprechen. Wenn ich ihn jemals lebend wiedersähe. Bevor ich noch irgendetwas sagen konnte, verschwand Sascha hinter der fensterlosen Rückseite des Eiswagens. Emily müsste somit auch Sascha nicht sehen, und ich müsste ihr nichts erklären.

Ich öffnete die Tür des Verkaufswagens. Drinnen stand mein kleines Mädchen und tanzte zu einer Melodie, die sie fröhlich vor sich hin summte. Sie war über und über mit verschiedenen Rottönen bekleckert. Ich musste schnell umschalten: Aus der Hölle des Berufslebens zurück in den Himmel der Vater-Tochter-Beziehung.

»Na, mein Schatz, wie hat dir die Überraschung gefallen?«

Ich wischte Emily mit ihrem Kleid den Mund ab. Mit einem Teil des Kleides, auf dem noch kein Eis war.

»Guck mal, das sind meine Lieblingsfarben. Die mag ich so gern!«, sagte sie.

»Und ich mag dich so gerne.«

Ich nahm Emily auf den Arm, küsste sie und trug sie zum Wagen, um sie in ihren Kindersitz zu setzen. Unterwegs knickten mir die Knie fast ein. Etwas in mir sträubte sich vehement, sie in dasselbe Auto zu setzen, in dem dieser Psychopath im Kofferraum lag, der uns beide bedroht hatte. Doch ich hatte keine Wahl. Ich zwang mich zu meinem Achtsamkeits-Mantra.

Wenn ich mein Kind trage, trage ich mein Kind.

Wenn ich in ein Auto steige, steige ich in ein Auto.

Ich würde jetzt mit meiner Tochter zu einem Haus am See fahren. Wie geplant. Nichts anderes spielte in diesem Moment eine Rolle. Der Rest würde sich zeigen.

Ich setzte Emily in den Kindersitz.

»Ich möchte Chicken McNuggets und einen Kakao«, sagte sie.

Es war eine Ewigkeit her, dass ich ihr das versprochen hatte. Und doch erst eine halbe Stunde.

»Du hattest doch gerade erst ein Eis.«

»Aber keine Chicken McNuggets.«

»Ich glaube, die haben bei McDonald's schon zu. Da kann man heute nichts bestellen.«

»Du musst fragen.«

»Okay. Ich frag.«

Schon wieder ein Versprechen, das ich nicht würde halten können. Ich wollte so schnell wie möglich aus der Stadt raus und keine Sekunde am Drive-in-Schalter vertrödeln, während hinten ein Mörder im Kofferraum lag.

Wir fuhren aus der Tiefgarage. Sascha würde noch warten

und irgendwann nach Geschäftsbeginn als Gast aus der Eisdiele kommen.

Meiner Tochter vorspielen zu müssen, ich hätte gute Laune und wir würden erst zu McDonald's und dann wie geplant an den See zum Fischefüttern fahren, fiel mir unendlich schwer. Aber zu meiner freudigen Überraschung konnte ich meinen Frust bald rauslassen. Der erste unplanmäßige Stopp kam nämlich ziemlich schnell. Am Ende der Tiefgaragenauffahrt stand Klaus Möller. Zivilpolizist. Einer der beiden Typen, die die Kanzlei offensichtlich seit heute Morgen beschatteten. Ein eher einfach gestrickter Mensch. Ein Mensch, dem man von oben herab immer mal eins zur Entspannung verpassen konnte.

Weil ich es schon immer mal machen wollte, weil meine Tochter es von mir erwartete und weil ich gerade bestenfalls in einer achtsamen Scheiß-egal-Stimmung war, ließ ich mein Fenster runterfahren und sprach ihn an.

»Einmal Chicken McNuggets.«

»Und ein Kakao«, ergänzte Emily.

»Wie bitte? Ich nehm doch keine Bestellungen entgegen …«

»Siehst du Emily, McDonald's hat schon zu.« Mit der Lüge war zumindest McDonald's vom Tisch.

»Doof«, grummelte Emily.

Ich wandte mich erneut an Möller. »Was kann ich dann für Sie tun?«

»Allgemeine Verkehrskontrolle. Steigen Sie bitte aus.«

Damit würde ich fertigwerden können. Ein rein rechtliches Problem, das sich als Fingerübung lösen ließ.

»Herr Möller. Eine allgemeine Verkehrskontrolle können Sie nur im allgemeinen Verkehr durchführen. Da Sie auf der Rampe meiner Tiefgaragenauffahrt stehen, befinden wir uns auf Privatgelände. Wir können uns also viel Schreiberei wegen meiner

Dienstaufsichtsbeschwerde gegen Sie sparen, wenn Sie mir einfach sagen, was Sie wollen.«

»Haben Sie Dragan gesehen?«

»Ja, liegt hinten im Kofferraum.«

Ich habe keine Ahnung, ob dies der Moment war, an dem Dragan das erste Mal den Schlafsack einnässte.

»Ach ja?«

»Klar, vorne war kein Platz mehr, da sitzt ja meine Tochter.«

»Warum sitzt Ihre Tochter denn vorne?«

»Weil ich sie hier vorne an den Kindersitz fesseln kann und sie mir im Kofferraum alles mit Eis vollschmieren würde.«

»Warum der Kindersitz nicht auf der Rückbank angebracht ist, möchte ich wissen.«

»Weil es keine Vorschrift gibt, die mich dazu zwingt, Kinder auf der Rückbank zu sichern. Der Kindersitz kann genauso gut vorne platziert werden, sofern der Beifahrer-Airbag keine Gefahr für das Kind darstellt, wie es zum Beispiel bei einer Babyschale der Fall wäre. Haben Sie Kinder, Herr Möller?«

Möller wischte die Frage mit einer vagen Handbewegung beiseite. »Ich wollte nur wissen, ob Sie Dragan ...«

»Ich habe Ihrem Chef vorhin am Telefon mitgeteilt, dass ich dazu keine Auskunft geben muss und das auch nicht tun werde. Einen schönen Tag noch.«

Ohne weitere Erklärungen ließ ich das Fenster zugleiten. Möller trat zur Seite, und ich gab Gas. Emily und ich fuhren zum See. Dragan auch.

9 SINGLETASKING

»Es gibt für jeden Menschen die gleiche Zeit. Wir unterscheiden uns nur in dem, wie wir diese Zeit nutzen wollen. Je mehr Sie in einem Zeitraum erledigen wollen, desto mehr Stress empfinden Sie. Das nennt sich Multitasking. Überlegen Sie selber, was für Sie wichtig ist. Und erledigen Sie ausschließlich das. Das nennt sich Singletasking. Sind Sie damit fertig, erledigen Sie das Nächstwichtige. Sie werden sehen: Schon bevor Sie fertig sind, haben Sie keinen Druck mehr — und danach noch jede Menge Zeit übrig.«

JOSCHKA BREITNER,
»ENTSCHLEUNIGT AUF DER ÜBERHOLSPUR —
ACHTSAMKEIT FÜR FÜHRUNGSKRÄFTE«

OB DIE FAHRT FÜR DRAGAN einigermaßen angenehm war, weiß ich nicht. Das Schöne an einem Audi A8 ist die Soundanlage. Wenn man vorne nur auf halber Lautstärke die »Jahresuhr« von »Rolf und seinen Freunden« laufen lässt, dann kann der Verbrecher im Kofferraum noch so laut herumrufen – man hört einfach nichts. Auf unserer Fahrt zum See entspannte ich mich merklich. Wenn man es achtsam betrachtete, hatte sich kaum etwas verändert. Wir waren eine gute Stunde verspätet. Und in meinem Kofferraum lag ein schlechter Mensch. Aber ansonsten lief an diesem Punkt des Wochenendes doch alles wie geplant. Emily wollte schon vor der Auffahrt auf die Autobahn Nüsse essen und Musik hören. Das ultimative Zeichen für Ausflugsentspannung. Und wenn meine Kleine die Fahrt genießen konnte, dann konnte ich das auch. Zumindest konnte ich es versuchen. Das war ich Emily schuldig. Ich versuchte also, Dragan als das zu betrachten, was er war: Arbeit, die im Kofferraum lag. Wir hatten Wochenende, die Arbeit konnte warten. Für die nächste Stunde Fahrt konnte ich vereinbarungsgemäß sowieso nichts unternehmen.

Zwei *Vogelhochzeiten* und einmal *Rolfs Jahresuhr* später fuhr unser A8 durch das elektrische Tor und kam nach weiteren siebzig Metern knirschend auf dem Kies vor dem Haus zum Stehen. Die Sonne brannte herunter. Das Haus war malerisch auf einem traumhaften Grundstück gelegen. Aber in den optischen Genuss des Anwesens kam nur, wer Zugang hatte. Das Grundstück war an drei Seiten blickdicht von einem drei Meter hohen Eisenzaun eingefasst, der komplett von immergrünen Nadelbäumen umwuchert war. Die vierte Seite bildete das Seeufer. Nur vom See aus konnten Fremde einen Teil des Ufer-Grundstücks einsehen. Von der Straße aus war der einzige Zugang zum Grundstück das elektrische Tor. Links am Haus vorbei konnte man mit dem Wagen bis vor ein Bootshaus fahren, ohne vom See aus gesehen zu werden. Rechts vom Bootshaus wehte ein wenig Schilfgras am Ufer, und daneben ragte ein Holzsteg etwa fünfzehn Meter in den See hinein. Rechter Hand vom Steg war ein kleiner Sandstrand mit einem Grillplatz angelegt. Das Haus selbst war wieder relativ gut von Büschen und Hecken abgeschirmt.

Ich hatte insgeheim gehofft, Emily würde unterwegs einschlafen, sodass ich Dragan unbemerkt ins Haus lassen konnte. Aber Emily war die ganze Fahrt über hellwach gewesen. Als ich den Motor und die Musik ausmachte, hörte man ein Klopfen aus dem Kofferraum. Ich ging um den Wagen herum und wollte Emily aus ihrem Kindersitz abschnallen, um sie schon einmal ins Haus zu bringen, als Emily das Klopfen bemerkte.

»Papa, was ist das?«, fragte sie.

»Das ist … Arbeit. Der Papa hat noch Arbeit im Kofferraum. Die muss ich gleich schnell ins Haus bringen.«

Es gibt Momente, in denen auch zweieinhalbjährige Kinder mit einem Mal sehr weise und erwachsen wirken. Dies war ein solcher Moment. Emily hob ihren Zeigefinger und guckte mich ernst an: »Papa. Arbeit ist nicht gut. Ein Ausflug ist gut. Wir machen erst den Ausflug. Dann kannst du arbeiten.«

Fremde Menschen würden es wahrscheinlich als altklug

empfinden, wenn ein dreißig Monate alter Mensch einem vierzig Jahre alten Menschen mit erhobenem Zeigefinger Lebensweisheiten diktiert. Wenn das allerdings die eigene Tochter macht, gibt es emotional kein Halten mehr. Der Spruch »Kindermund tut Wahrheit kund« gibt nicht im Ansatz wieder, welchen Stolz Eltern empfinden, wenn sie feststellen, dass in ihrem Kind der nächste Dalai-Lama schlummern könnte. Meine Tochter hatte soeben selbstständig das Konzept der Zeitinseln erfunden.

»Erst Ausflug. Dann Arbeit«, wiederholte ich. Damit waren alle Probleme gelöst.

Bei genauer Betrachtung war dieser Ansatz von Emily eine Kombination aus der »Zeitinsel-« und der sogenannten »Singletasking-Philosophie«. Die Zeitinsel besagte, sich nicht in seinem geschützten Raum stören zu lassen. Der Singletasking-Ansatz besagte, dass man störende Dinge *nach und nach* abarbeitete. Und nicht gleichzeitig.

Es bestand also nach allen Überzeugungen der Achtsamkeit überhaupt kein Anlass, Dragan jetzt aus dem Kofferraum zu lassen. Und was sollte er denn machen? Die Polizei rufen?

Mein Achtsamkeitsratgeber enthielt seitenweise Ratschläge über Zeitinseln. Da wird das Telefon ausgestellt, da spielt der Staubsauger keine Rolle und da werden keine Blumen gegossen. Da ist man einfach nur achtsam bezüglich sich selbst und seiner Bedürfnisse. Da stand jetzt zwar nicht explizit, dass während des Aufenthaltes auf einer Zeitinsel auch keine Mafiosi aus dem Kofferraum geholt werden dürfen. Aber das verstand sich aus dem Ansatz des Singletaskings wiederum von selbst.

Mein Bedürfnis war, nach Tagen des entmenschten Leute-Überzeugens endlich wieder mit meiner Tochter gemeinsam das Leben zu genießen. Für lausige sechsunddreißig Stunden. Auf dem

Steg sitzen. Nüsse essen. Fische füttern. Das sollte ich mir nicht durch mein überzogenes Pflichtbewusstsein selber zerstören. Und wenn ich mich zur verfickten Achtsamkeit zwingen müsste. Musste ich aber irgendwie gar nicht.

Ganz im Gegenteil: Würde ich den Penner jetzt aus dem Kofferraum lassen, dann wäre sofort alles aus und vorbei. Das Wochenende für Emily. Das Fischen, Schwimmen, Nüsseessen. Und Papa hätte gelogen. Schlimmer noch: Papa wäre plötzlich nur noch der Hampelmann dieses Schwerverbrechers. Und natürlich würde Emily Katharina davon erzählen. Und dann wäre es das gewesen mit unser achtsam erarbeiteten Beziehungsbasis. Und mit meinem intensiven Kontakt zu Emily.

Es gab für mich in diesem Moment wirklich kein lebenswertes Szenario, das mit dem Öffnen des Kofferraumes verbunden war. Würde ich den Kofferraum hingegen geschlossen lassen, würde alles bleiben, wie es war.

Ich hielt den Wagenschlüssel in der Hand und schaute zwischen meiner Tochter und dem Kofferraum hin und her.

In meinem Innern hörte ich die Stimmen von Joschka Breitner, Katharina und Dragan.

»Sie müssen nicht tun, was Sie nicht tun wollen.«

»Wenn du das vergeigst, dann siehst du Emily überhaupt nicht mehr.«

»Wenn ich dich nicht für die Flucht brauchen würde, wärst du jetzt tot.«

Die Lösung war so einfach. Sie bestand in dem Satz, der mich schon in der ersten Achtsamkeitsstunde von Joschka Breitner so intensiv berührt hatte: *Ich muss nicht tun, was ich nicht tun will. Ich bin frei.*

Dragan war Arbeit. Arbeit kann warten. Ich steckte den Wagenschlüssel ein und half Emily aus dem Kindersitz.

»Weißt du was? Wir setzen uns jetzt auf den Steg, essen Nüsse und füttern Fische, okay?«

»So machen wir das!«

Für den Rest des Tages spielte Dragan auch in meinen Gedanken nicht mehr die geringste Rolle. Meine Arbeit, die nur hundert Meter von mir entfernt im Kofferraum auf mich wartete, war in Wahrheit Lichtjahre entfernt.

Ich saß mit Emily auf dem Steg und aß Nüsse. Wir fütterten die Fische mit Nuss-Spucke, während weit draußen die Segelboote vor unserem Uferabschnitt schaukelten. Wir sprangen in den See, wir bauten Burgen am Sandstrand.

Und während ich Emily alle halbe Stunde mit Sonnenschutzfaktor 50 einsprühte, heizte sich Dragans Kofferraum, vor dem Haus in der prallen Sonne stehend, stetig auf 59,7 Grad auf.

Ich bin kein Mediziner. Aber Juristen können sich für gewöhnlich sehr gut in fremde Themenbereiche einlesen. Dank des Internets war ich später dazu in der Lage, Dragans Tagesablauf mit dem unsrigen zu vergleichen. Während wir auf dem Steg saßen, war der Kofferraum geschätzte dreiundzwanzig Grad wärmer als Dragans Körper, der zunächst versuchte seine Temperatur bei den gewohnten 36,7 Grad zu halten, indem er zur Kühlung seine Schweißproduktion auf Hochtouren laufen ließ. Die Blutgefäße der Haut weiteten sich, um durch verstärkte Durchblutung Wärme abzugeben. Vielleicht versuchte Dragan, sich aus dem Kofferraum zu befreien. Was schwierig ist, wenn man ein solcher Koloss ist und seine Kraft mangels Bewegungsfreiheit nicht entfalten kann. Diese Versuche hatten ganz offensichtlich zu keinem positiven Ergebnis geführt, sondern nur zu einem weiteren Temperaturanstieg. Als Emily und ich das erste Mal in den kühlenden See sprangen, muss Dragans Puls schon merklich schneller gegangen sein. Wahrscheinlich war ihm schwindelig und übel. Da Dragan nichts zu trinken im Kofferraum hatte, brach irgendwann die Schweißproduktion zusammen, vielleicht so um den Dreh rum, als Emily und ich unsere Capri-Sonnen-Strohhalme aus den aufgeblasenen Capri-Sonnen auf die Sandburg fliegen ließen. Als wir nach einem kleinen Mittagsschlaf im Schatten des Bootshauses zum zweiten Mal in den See sprangen, konnte Dragans Körper mangels Schweißproduktion die Wärme längst nicht mehr abgeben. Seine Körpertemperatur würde da wohl bereits jenseits der vierzig Grad Celsius gelegen haben. Ein klassischer Wärmestau. Irgendwann brach dann das komplette Herz-Kreislaufsystem zusammen, die Organe wurden nicht mehr ausreichend mit Sauerstoff versorgt. Das Gehirn zeigte die ersten Ausfälle, es kam zu Bewusstseinsstörungen.

Ich glaube, als wir die ersten Marshmallows am Strand grillten, war Dragan wohl schon tot. Für Emily und mich war es ein toller Tag. Für Dragan sein letzter. Die Ironie des Schicksals wollte es, dass Dragan aufgrund meines achtsamen Entspannungstages an einem Burnout verstarb.

10 GLÜCK

»Glück wird nicht verliehen. Die Quelle des Glücks ist in uns
selbst. Deswegen müssen wir uns gar nicht anstrengen,
Glück außerhalb von uns zu suchen. Wir können es nur in
uns selber finden.«

NACH DEM GRILLEN DER MARSHMALLOWS blieben wir noch ein wenig am Strand sitzen. Emily saß, an mich gekuschelt, auf meinem Schoß. Ich erzählte ihr die Geschichte von »Hans im Glück« – es war ihr Lieblingsmärchen. Und noch bevor Hans den Goldklumpen gegen ein Pferd eingetauscht hatte, war Emily in meinen Armen eingeschlafen. Ich trug sie ins Haus, legte sie im Schlafzimmer ins Bett und schaltete das Babyfon ein. Ich holte mir aus der Küche eine Flasche Wein, einen Öffner und ein Glas und setzte mich mit dem Babyfon auf den Steg.

In der Küche hatte ich zum ersten Mal darüber nachgedacht, ob ich jetzt nicht mal nach Dragan gucken sollte. Ob er wohl sauer war? Ich stutzte. Ob er überhaupt noch lebte? Mir kam die Sommerhitze in den Sinn und die Tatsache, dass Dragan kein Getränk mit in den Kofferraum genommen hatte, der Idiot. Und in dieser Sekunde erfasste mich ein Anflug von Panik. Wenn ich den Deckel des Kofferraumes öffnen würde, gab es nur zwei Möglichkeiten: Entweder ich hatte meinen Mandanten umgebracht, oder mein Mandant würde mich umbringen. Doch solange der Deckel zublieb, blieb mir dieses Problem erspart. Warum also sollte ich den Kofferraum jetzt öffnen? Aus Neugierde? Um mir den schönen Tag zu vermiesen? Wie blöd müsste man sein, um das freiwillig zu tun? Ein Haufen Arbeit wird nicht weniger, wenn man ihn sich anguckt. Und ich wollte mich in diesem

Moment schlicht nicht damit auseinandersetzen, dass die Arbeit, die mir bevorstand, in jedem Fall unangenehm werden würde. Später, ja. Aber bitte nicht jetzt.

Ich stellte mich daher hin, die Beine schulterbreit auseinander, die Knie leicht gebeugt, die Brust nach vorne. Ich atmete. Ich spürte. Ungefähr eine Minute lang. Das reichte. Ich war wesentlich ruhiger. Und ich erinnerte mich daran, dass Joschka Breitner mir mit auf den Weg gegeben hatte, dass Glück durch Achtsamkeit Disziplin erfordert. *Es ist nicht immer einfach, einfach glücklich zu sein.* Ich wiederholte lächelnd das Mantra, das mir meine Tochter heute geschenkt hatte: »Erst Ausflug, dann Arbeit.« Schaffe dir eine Zeitinsel. Halte dich ans Singletasking. Das Thema Dragan würde ich für den Rest des Urlaubs vertagen.

Ich setzte mich auf den Steg und ließ den Blick übers Wasser schweifen. Zum ersten Mal seit Langem fühlte ich mich angenehm unbeschwert, irgendwie ... leicht. Ich wusste nicht, ob das das richtige Wort war. Ich fühlte mich einfach ... glücklich. Ja, das traf es. Ich genoss es, mit einem Glas Wein auf dem warmen Holz des Steges zu sitzen und das friedliche Atmen meiner Tochter im Babyfon zu hören. Die Boote waren verschwunden. Bis auf ein einziges, das draußen auf dem See offenbar den Anker geworfen hatte. Untermalt vom Plätschern des Wassers an die Holzbohlen des Stegs dachte ich über Hans im Glück nach. Was für ein Honk, dieser Hans. Bekommt von seinem Lehrherrn einen Klumpen Gold und seine Freiheit. Mit beidem macht er sich auf den Weg nach Hause. Unterwegs tauscht er seinen Goldklumpen gegen ein Pferd, das abhauen will. Das Pferd tauscht er gegen eine Kuh, die zu alt ist zum Milchgeben. Die Kuh tauscht er gegen ein Schwein, das sich als angeblich gestohlen herausstellt. Das Schwein tauscht er gegen eine Gans, die Gans gegen einen Schleifstein, und der Stein fällt ihm in einen Brunnen. Mit leeren

Händen zu Hause angekommen freut sich Hans, endlich frei von allem zu sein.

Emily liebte es, diese Geschichte immer wieder abzuwandeln. In ihrer letzten Version tauschte Hans die Kuh gegen einen Koffer voller Kaubonbons und vier Pferde. Hans aß alles auf und kam mit vier Pferden im Bauch zu seiner Mama. Und freute sich. In erster Linie, weil vier Pferde im Bauch sich lustig anfühlen mussten. Die Moral des Märchens war aber immer die gleiche: Ein geschäftlicher Totalversager freut sich wie Bolle, mit nichts nach Hause zu kommen. Also mit nichts als seiner Freiheit.

Aus irgendeinem Grund liebte meine Tochter diesen grenzdebilen Verhandlungsversager, der sich von allen Geschäftspartnern nach Strich und Faden verarschen ließ und am Ende mit nichts dastand. Also außer seiner Freiheit.

Was war das noch mal mit dieser Freiheit? Spätestens heute hatte ich es gelernt: Freiheit bestand darin, das zu lassen, was man nicht tun will.

Im Grunde genommen war ich das totale Gegenteil von Hans im Glück. Ich hatte am Ende meiner Ausbildung nicht einen Klumpen Gold, sondern zwei Staatsexamina und meine Freiheit bekommen. Die Freiheit, nicht mehr lernen zu müssen, sondern mit meinem Leben anzufangen, was ich wollte. Und das zu lassen, was ich nicht wollte. Im Gegensatz zu Hans machte ich mich nicht auf den Weg zu einem ominösen »nach Hause«. Ich hatte damals keins. Ich machte mich auf in die Welt. Und ich tauschte dabei nicht meinen Lohn, sondern meine Freiheit ein. Und was bekam ich dafür?

Ich tauschte meine Freiheit gegen finanzielle Verpflichtungen ein, um mit einer Frau zusammenzuleben, mit der ich im Grunde kaum Gemeinsamkeiten hatte. Ich tauschte alle offenen Lebenswege dieser Welt gegen eine ziemlich schmale Karriereleiter ein, die nirgendwohin führte. Ich tauschte meine abstrakte Vorstellung von Erfolg gegen einen realen Dienstwagen. Ich tauschte mein einstiges Rechtsempfinden gegen das in Unmengen vorhandene Geld eines Schwerkriminellen. Und mit jedem Tausch verstrickte ich mich mehr und mehr in die Abhängigkeit von einem Verbrechersyndikat. All das, was ich für meine Freiheit bekommen hatte, lag jetzt im Kofferraum meines Audi A8. Und bedeutete mir nichts.

Warum hielt also ausgerechnet ich diesen Hans für einen Idioten?

Auf der anderen Seite hatte ich ohne irgendein Getausche ein Zuhause geschenkt bekommen, von dem ich nie gedacht hätte, dass es das geben könnte: Emily. Die lag jetzt dahinten im Haus, und sie bedeutete mir alles.

Es war Zeit, den Schleifstein in den Brunnen zu schmeißen. Aber nicht heute.

Erst Ausflug. Dann Arbeit.

Die Flasche Wein war leer, und ich ging zurück ins Haus. Das einsame Boot auf dem See blieb liegen. Ja: Ich war glücklich.

11 AUFWACHEN

»Achtsamkeit bedeutet, die Sichtweise zu fokussieren. Achtsamkeit bedeutet nicht, die Augen zu verschließen. Nach einer Zeit, in der Sie Kraft tanken, kommt auch die Zeit, in der Sie diese Kraft nutzen. Der Übergang zwischen diesen Phasen ist wie ein Aufwachen. Wehren Sie sich nicht dagegen. Lassen Sie den Atem frei fließen. Lassen Sie geschehen. Widmen Sie sich achtsam der auf Sie wartenden Aufgabe.«

JOSCHKA BREITNER,
»ENTSCHLEUNIGT AUF DER ÜBERHOLSPUR –
ACHTSAMKEIT FÜR FÜHRUNGSKRÄFTE«

ICH SCHLIEF TRAUMLOS, tief und glücklich. Nur einmal wurde ich wach, weil ein kleiner Mensch mit den Worten »Papa, ich will im großen Bett schlafen« mich dazu brachte, ihn ins Bett klettern und sich an mich kuscheln zu lassen. Als Dank dafür wurde ich am Sonntagmorgen durch einen Fußtritt ins Gesicht geweckt. Schuhgröße 22, barfuß. Emily wurde selber dadurch auch wach und schaute verschlafen durch das Zimmer. Als ihr Blick auf die Balkontür fiel und sie dahinter den See sah, machte sie große Augen, atmete tief ein und rief: »Papa, der See ist immer noch da!«

Es ist so fantastisch, wenn Kinder einem klarmachen, dass die schönen Dinge, die uns umgeben, keine Selbstverständlichkeit sind, sondern Grund zur Freude.

Was waren Sorgen dagegen flüchtig. Ärger im Job? Ist morgen durch einen neuen Ärger im Job abgelöst. Der See bleibt. Der See wird sogar noch da sein, wenn der Job längst weg ist. Warum also sollte ein Mensch ernsthaft morgens aufwachen und sich Gedanken über einen beschissenen Job-Ärger machen, wenn er auf einen See gucken kann? Ich atmete also ebenfalls tief ein und guckte auf den See. Wieder so eine Übung aus dem Achtsamkeitsbuch, die funktionierte. Ich verdrängte damit erfolgreich den soeben aufgekommenen Gedanken, dass irgendjemand aus meinem Arbeitsumfeld, der lebend mit an den See gefahren war, heute zum ersten Mal in seinem Leben nicht wie jeden Morgen aufwachen würde.

Aber heute war noch Ausflug. Erst Ausflug. Dann Arbeit.

Eine Elster flog auf den Balkonsims und schaute uns herausfordernd an.

»Der Vogel will, dass wir zum Frühstück rauskommen«, deutete Emily dieses Verhalten.

Wir frühstückten also auf der Terrasse. Die Elster leistete uns insofern Gesellschaft, als sie nach dem Frühstück zwei Löffel und den Salzstreuer stahl. Nach dem Frühstück holten Emily und ich das Holzmotorboot aus dem Bootshaus, um damit ein wenig auf den See hinauszufahren. Als wir zurückkamen, kochte ich uns Spaghetti, die wir auf dem Steg aßen, um gleichzeitig damit angeln zu können. Spaghetti sind in ihrer Dreifach-Angel-Funktion als Angel, Schnur und Köder einfach unschlagbar.

Unser Aufenthalt neigte sich bereits dem Ende zu. Da eine Putzfrau die Gästezimmer und die Küche in der nächsten Woche sauber machen würde, brauchte ich nur unsere Taschen in den Wagen zu stellen und mit Emily zurück zu ihrer Mutter zu fahren. Als ich unsere Sachen in der Küche zusammenräumte, fiel mein Blick auf ein modernes Infrarot-Thermometer auf der Ablage. Ich ging damit zum Hauseingang, zielte auf den Kofferraum und las eine Kofferraumtemperatur von 59,7 Grad ab.

Ich verstaute unsere Taschen – wie schon auf der Hinfahrt – auf dem Rücksitz. Als ich Emily im Kindersitz festschnallte, rümpfte sie die Nase. »Papa, das riecht so komisch.«

Ich fing ebenfalls an zu schnuppern und bemerkte den leicht süßlich-säuerlichen Gestank. Eine Mischung aus Schweiß, Urin und ... Verwesung. Aber alles nur ganz unterschwellig. So, wie wenn man sich frisch geduscht einen Pullover anzieht, der eine

Woche lang in der Sporttasche lag. Ein deutlicher Störfaktor in dem ansonsten nach Leder und hochwertigen Kunststoffen duftenden Neuwagen.

»Das ist … die Arbeit im Kofferraum.«

»Kannst du die wegmachen?«

»Die mach ich nachher weg, mein Schatz. Wir können ja solange das Fenster aufmachen, okay?«

»Hast du Gummibärchen?«

Ich gab Emily eine kleine Tüte Gummibärchen und fuhr die Seitenfenster herunter. Nach zehn Minuten war Emily eingeschlafen, glücklich und erschöpft vom Tag am Wasser und vom Essen.

Ich weiß nicht, ob es am geöffneten Fenster lag oder daran, dass meine schlafende Emily meine langsam wiederauftauchenden negativen Gedanken nicht mehr ablenken konnte – aber mich überkam ein leichtes Frösteln. In nächster Zukunft müsste ich mich dem Problem stellen, wie ich das Problem im Kofferraum lösen könnte. Die gemessene Temperatur in Verbindung mit dem Geruch ließen mich davon ausgehen, dass Dragan mir dabei keine Hilfe sein würde.

Ich hatte mir noch nie den Kopf darüber zerbrechen müssen, wie man eine Leiche entsorgte. Ich weiß, dass Toni und auch Sascha das schon des Öfteren getan haben. Also nicht ihre Köpfe zerbrochen, sondern Leichen entsorgt. Allerdings wollte ich weder Toni noch Sascha in diesen neuen Teil meiner anwaltlichen Tätigkeit mit einbeziehen. Geschweige denn das Personal der Müllverbrennungsanlage, das Toni und Sascha dafür in Anspruch nahmen.

Aber als wir heute Morgen das Motorboot aus dem Bootshaus geholt hatten, war mir aufgefallen, dass sich im vorderen Teil des Hauses eine sehr professionell eingerichtete Werkstatt befand.

Dort gab es Äxte und Motorsägen und sogar einen Profi-Häcksler – neunzehn PS, achtzehn Zentimeter Stammdurchmesser, Benzin-Viertaktmotor, mit dreihundertsechzig Grad schwenkbarem Auswurf. Es gab Planen, Spaten und Schubkarren. Irgendetwas würde sich dort schon finden lassen, womit man einen Baum von einem Mann entsorgen könnte. In der Waschküche im Haus hatte ich außerdem mehrere Flaschen Bleichmittel entdeckt.

Ich schaute auf meinen schlafenden Engel. Die tiefstehende, warme Sonne in Emilys Gesicht flackerte rhythmisch im Schatten der vorbeiziehenden Allee-Bäume, zwischen denen wir gerade hindurchfuhren. Sonne, Schatten, Sonne, Schatten. Als würde ein Farbfilm zu langsam abgespult und man würde jeden einzelnen Bildwechsel sehen – und jedes Bild zeigte meine Tochter. Ich mochte den Film, in dem ich gerade war. Und zu diesem Film gehörte nun mal auch, dass ich mich später um den Kofferraum würde kümmern müssen. Das war okay.

Wir waren an der Autobahnauffahrt angekommen, und ich fuhr zügig zurück in die Stadt. Als ich schließlich von der Autobahn wieder abfuhr, wachte Emily auf.

»Sind wir noch am See?«

»Nein, mein Schatz, wir sind gleich wieder bei Mama.«

»Das war schön, am See. Fahren wir da noch mal hin?«

»*Das war schön, am See*«, merkte ich mir ebenfalls als neues Mantra.

»Noch ganz oft, mein Schatz.«

Katharina freute sich, Emily wiederzusehen. Emily freute sich, ihrer Mama von den Fischen, dem Boot und den Marshmallows zu erzählen. Ich freute mich, dass Emily nichts von Mafiosi oder geänderten Urlaubsplänen erzählen konnte.

Auch Katharina wirkte ganz entspannt. Während sie vor drei Monaten, als ich noch zu Hause wohnte, tageweise nicht dazu in der Lage war, mit mir wenigstens Small Talk zu betreiben, berichtete sie jetzt fröhlich von ihrem Wellness-Wochenende und dem tollen Hotel. Es war lustigerweise dasselbe Hotel, in dessen Wellnessbereich ich bei einem Kurzbesuch den Flyer von Joschka Breitner gefunden hatte.

Wir drei überboten uns gegenseitig mit Aufzählungen, wer das schönere Wasser, die weicheren Betten oder die sonnigere Sonne gehabt hatte.

Irgendwann unterbrach Katharina ihr Lachen und sagte überraschend ernst: »Es ist schön, gemeinsam über Sachen zu lachen, die man getrennt erlebt hat.«

Ich konnte nicht widersprechen.

Wir tranken einen Kaffee, und Katharina fragte mich, ob ich mir in den nächsten Tagen mal eine Stunde Zeit für sie nehmen könnte. Sie würde gerne ein paar Dinge wegen der Kindergartenanmeldungen mit mir klären. Das laufe alles andere als rund. Das solle aber jetzt nicht am Ende dieses tollen Wochenendes besprochen werden.

Ich versprach mich in der nächsten Woche zu melden, verabschiedete mich von Emily und Katharina – und fuhr zurück an den See.

Das war schön, am See, sagte ich mir vor. Und ein nicht geringer Teil dieser Schönheit beruhte auf der Tatsache, dass ich Dragan im Kofferraum gelassen hatte. Wenn ich mich jetzt also auf der Rückfahrt in Gedanken erstmals voll und ganz auf meinen Mandanten konzentrieren könnte, würde ich mich auf einen Teil dieses schönen Wochenendes konzentrieren. Das nahm dem, was an Arbeit auf mich zukommen würde, schon mal einen Teil der Dramatik. Es war an der Zeit, die am Wochenende gesammelte Kraft für die neu entstandene Aufgabe einzusetzen.

Zunächst einmal: Für mich war der achtsame Wochenendmord in der Tat die Lösung aller Probleme. Ich hatte meine Zeitinsel verteidigt. Ich hatte mein Versprechen gegenüber Katharina eingehalten. Und so wie es aussah, würde zumindest Dragan kein Faktor mehr sein, der meine Zeitinsel jemals wieder stören würde.

Ganz nüchtern betrachtet war das Wochenende auch für Dragan ein voller Erfolg gewesen. Gestern noch waren wir beide davon ausgegangen, es gäbe für ihn nur die Optionen Knast oder Boris. Heute waren beide Optionen ein für alle Mal vom Tisch. Die Polizei konnte ihn nicht mehr verhaften, weil er tot war. Boris konnte ihn nicht mehr töten, weil ich das schon getan hatte.

Der Nachteil an meiner genialen Lösung war, dass ich zwar alle existenziellen Probleme vom Vortag los war, dafür aber ein paar nicht ganz unwesentliche neue an der Backe hatte.

Zunächst einmal war ich nun offensichtlich ein Mörder. Durch Unterlassen. Ich horchte in mich hinein, was mein Gewissen dazu sagte. Ich lauschte ziemlich lange. Diesbezüglich sah ich derzeit offensichtlich kein großes Problem. Um es in achtsamen Worten zu sagen: Ich hatte nichts Böses getan. Ganz im Gegenteil. Ich hatte durch Unterlassen etwas Gutes erreicht. Ich hatte etwas viel Schlimmeres für mich und meine Tochter verhindert. Moralisch war das, was ich getan hatte, einfach nur lobenswert.

Nach meinen anwaltlichen Erfahrungen mit der Polizei legte diese bei ihrer Arbeit allerdings eher keine achtsamen Maßstäbe an. Und hatte überhaupt andere Vorstellungen von lobenswertem Verhalten. Wenn die Polizei erfuhr, dass Dragan tot war, würde sie nach dessen Mörder suchen. Egal, ob Dragan ein schlechter Mensch war oder nicht. Ich hatte nicht das geringste Interesse, als sein Mörder verdächtigt zu werden, nur weil ich ihn als sein Anwalt gestern erfolgreich aus der Schusslinie gebracht hatte.

Womit sich gleich die nächsten beiden Probleme aufdrängten: Ich konnte meine anwaltliche Glanzleistung noch nicht einmal in Rechnung stellen. Sollte die Kanzlei erfahren, dass Dragan tot war, wäre ich meinen einzigen Mandanten los und die Kanzlei könnte mich als dessen »Bäh«-Anwalt mangels Arbeit auch gleich mit entsorgen. Dragans Ableben hatte also mein Leben gerettet, würde aber bei Bekanntwerden meine Karriere beenden.

Ein ganz anderes Problem würde Boris, der Chef des Konkurrenz-Clans, darstellen. Solange er davon ausging, dass Dragan lebte, würde er auf Rache aus sein. Würde er hingegen erfahren, dass Dragan tot war, würde er zwar Dragan nichts mehr tun wollen, aber er würde ihn beerben wollen. Das würde eine Menge Ärger und Revierkämpfe geben. Und im Zweifel würden im Zuge dessen eine Menge Leute, deren Leben ich in Dragans Namen auf links gedreht hatte, ihr Leben wieder auf rechts gedreht haben wollen. Dazu hätte ich mangels Mandanten dann zwar die Zeit, aber irgendwie nicht die geringste Lust.

Völlig unklar war mir, wer Dragan da unter Vorspiegelung falscher Tatsachen und warum auf diesen Parkplatz gelockt hatte. Das musste ich in jedem Fall mit Sascha besprechen. Dieser Unbekannte war auch in meiner Rechnung die größte Unbekannte.

Und vor allen Dingen: Dragans Truppe würde es mir auch nicht gerade positiv anrechnen, wenn sie erfuhr, dass ihr Chef ausgerechnet unter meinem schützenden Kofferraumdeckel die Hufe in den Himmel gestreckt hatte.

Am besten für alle Beteiligten war es daher, wenn niemand erfahren würde, dass Dragan mangels Puls nicht mehr mein Mandant war.

Es musste so aussehen, als sei Dragan nur mal wieder von der Bildfläche verschwunden. Wie er das schon öfter getan hatte. Und irgendwann war er immer wiederaufgetaucht. Und hatte er nicht explizit Sascha gegenüber geäußert, dass ich ihn während seiner Abwesenheit vertreten solle? Na bitte. Ich brauchte lediglich Sascha regelmäßig irgendwelche idiotischen Pseudo-Anweisungen zu erteilen, und niemand würde den Boss groß vermissen. Als Lebensbeweis brauchte ich auch nicht Dragans ganzen Körper. Sondern lediglich seinen Daumen.

Das hatte einen einfachen Grund. Dragan hatte mit seinen Officern ein ebenso einfaches wie effektives Kommunikationssystem aufgebaut. Er nahm irgendeine Seite irgendeiner Tageszeitung, umkringelte Worte, Buchstaben oder Zahlen und verband sie mit Linien zu Sätzen. Die Zeitungsseite stempelte er mit seinem Daumen, in den er sich ein unverwechselbar vernarbtes »D« hatte einbrennen lassen. Die Zeitungsseite ließ er einem Officer zukommen. Der Officer konnte Anhand des Datums der Zeitung und des Daumenabdrucks die Aktualität und die Authentizität der Anweisung feststellen und die Zeitung anschließend verbrennen. So hinterließ er kein vorlegbares Beweismaterial.

Alles was ich brauchte, um Dragan für unbestimmte Zeit am Leben zu erhalten, war also sein rechter Daumen. Der Rest konnte verschwinden. Überhaupt dürfte es nicht allzu schwer sein, Dragans Tod lediglich als gewolltes Verschwinden zu verkaufen. So ein Tod unterscheidet sich von einer ziemlich langen Abwesenheit ja im Grunde genommen auch nur dadurch, dass das Wiederkommen ausfällt.

Sicher – irgendwann würde es bestimmt auch Fragen geben, auch unbequeme Fragen. Aber eben nicht jetzt. Ich beschloss, weiterhin achtsam im Hier und Jetzt zu leben und mich nicht von irgendwelchen Fragen in ferner Zukunft kirre machen zu lassen. Ein Schritt nach dem anderen. Dass Dragan tot war, war ein Ergebnis meiner neuen, achtsamen Arbeitsauffassung. Und ich wollte auch die nächsten Schritte achtsam und voller Liebe zu mir selber gehen. Der allernächste Schritt war, die feiste Sau mitsamt dem offensichtlich vollgepissten Schlafsack aus dem Kofferraum rauszukriegen.

12 ABSICHTSVOLLE ZENTRIERUNG

»Auch der längste Weg beginnt mit einem kleinen Schritt.
Wenn Sie jeden Schritt achtsam gehen, sind Sie am Ende des
Weges nicht erschöpft, sondern erleichtert. Deshalb fokussieren
Sie sich bei jedem Schritt auf das, was den Schritt ausmacht:

1. Bemerken Sie die Absicht dessen, was Sie gleich tun werden.
2. Atmen Sie einmal ein und wieder aus.
3. Führen Sie die Tätigkeit dann ruhig und zentriert durch.«

JOSCHKA BREITNER,
»ENTSCHLEUNIGT AUF DER ÜBERHOLSPUR –
ACHTSAMKEIT FÜR FÜHRUNGSKRÄFTE«

ICH FUHR GEGEN ACHTZEHN UHR wieder auf das Grundstück am See, stellte sicher, dass sich das Tor hinter mir schloss, fuhr links am Haus vorbei und parkte den Wagen rückwärts vor dem Bootshaus. Ich stieg aus und vergewisserte mich, dass ich weder vom See noch von der Straße aus gesehen werden könnte.

Das Bootshaus hatte die Ausmaße einer länglichen Doppelgarage. Im vorderen Teil war ein Betonfußboden, links und rechts waren Regale mit Werkzeugen und Bootszubehör – eine mehr als üppig ausgestattete kleine Heimwerker-Werkstatt.

Im hinteren Teil war das Bassin. Dort lag das Holzmotorboot, mit dem ich erst heute Morgen mit Emily auf dem See gewesen war. Das Bassin war links und rechts von einem Holzsteg umfasst, über den man zum seeseitigen Tor des Bootshauses gehen konnte.

Ich öffnete das Tor, sprang in das Motorboot und fuhr es auf die andere Seite des Stegs, um es dort festzumachen.

Zurück beim Bootshaus, schloss ich das Tor. Der Arbeitsplatz war damit einigermaßen vorbereitet. Jetzt musste ich mich dem Arbeitsmaterial zuwenden: Dragan.

Als ich den Kofferraumdeckel erstmals nach sechsunddreißig Stunden wieder öffnete, schlug mir ein widerlicher Geruch entgegen. Der feine Herr Gangster hatte sich eingenässt, erbrochen, seinen Darm entleert, seine Klamotten und den ganzen Schlafsack durchgeschwitzt und fing biologisch bedingt an, vom

Verdauungstrakt ausstrahlend zu verwesen. Nur mit Mühe und Not konnte ich verhindern, selbst auch noch neben den Wagen zu kotzen.

Ich trat eine Weile von dem Wagen zurück und ließ die schlimmsten Ausdünstungen abziehen. Ich versuchte mich auf die angenehmen Gerüche des Gartens zu konzentrieren. Ich konnte das Harz der Pinien neben dem Bootshaus riechen. Die Luft vom See her war angenehm kühl und roch nach Moos. Vom Bootshaus her nahm ich ein Geruchsgemisch von Gummi, Öl und Benzin wahr.

Je klarer mein Kopf und meine Nase wurden, desto klarer wurde mir, dass ich diese Leiche komplett würde verschwinden lassen müssen. Ich hatte einen Menschen getötet. Das Ergebnis war widerlich. Aber daran ließ sich nichts mehr ändern. Jetzt wollte ich diesen Mord so schnell wie möglich hinter mir lassen. Deshalb durfte es kein Grab auf dem Grundstück geben. Keine Knochen, die von Spürhunden noch nach Monaten oder gar Jahren gefunden werden konnten. Dragan durfte auch als Leiche nicht mehr existieren. Dies war mein heutiges Problem, und ich würde die Kraft haben, mich heute mit diesem Problem auseinanderzusetzen. Ich musste ihn irgendwie auflösen, verbrennen ... was auch immer.

Ich ging ins Bootshaus und betrachtete die mir zur Verfügung stehenden Werkzeuge. Säge, Spaten, Äxte – das war alles schön und gut. Aber doch sehr old-fashioned. Die Maschine, mit der ich Dragan am effektivsten zerkleinern konnte, war wohl der Profi-Häcksler. Es würde eine Mordssauerei werden, ihn erst in so handliche Stücke zu bekommen, dass er überhaupt in den Häcksler passte. Aber wenn er den Häcksler einmal wieder in Richtung See verlassen hatte, würden sich die Fische um den Rest kümmern können. Vom Dach des Bootshauses herab beobachtete mich die diebische Elster. Da sie selbst eine Verbrecherin war, würde sie sich über das, was ich hier gleich tun würde, sicherlich nicht groß aufregen.

Als Nächstes schlenderte ich in den vorderen Teil des Bootshauses und suchte nach geeigneten Hilfsmitteln, um meinen Ex-Mandanten aus dem Kofferraum herauszukriegen. In den Regalen im vorderen Teil fand ich Gummihandschuhe und eine komplette Anglermontur mit Stiefeln, Hose, Jacke und Mütze. Weil es draußen immer noch gut fünfundzwanzig Grad warm war, entkleidete ich mich vollständig, bevor ich mir dieses Ensemble überzog. In einer Ecke fand ich einen Spaten, mit dem ich versuchen wollte, Dragan gegebenenfalls aus dem Kofferraum zu hebeln.

Als ich schließlich wieder vor Dragan stand, zeigte ein erster halbherziger Versuch sehr schnell, dass weder Handschuhe noch Spaten ausreichen würden, um seinen Körper aus meinem Wagen zu bewegen. Ebenso gut hätte ich versuchen können, einen zwei Zentner schweren Findling aus der Eiszeit zu transportieren.

Ich sah mich um. Das Bootshaus verfügte über einen Hebekran für kleinere Boote, der an Schienen an der Decke geführt wurde. Man konnte mit einem Bootsanhänger rückwärts ins Bootshaus fahren, das Boot mit dem Kran vom Anhänger nehmen, den Kran über das Wasser schieben und das Boot im Bassin zu Wasser lassen. Genauso gut konnte man mit dem Kran auch eine starre Leiche aus dem Kofferraum eines A8 hieven und auf den Boden des Bootshauses legen.

Ich setzte mich daher in den Wagen und fuhr rückwärts in das Bootshaus. Dort ließ ich den Kran herunter und schaffte es mit einiger Anstrengung, die Trageriemen unter Dragans Knie und unter seinen Hals zu schieben. Ich hob ihn mit dem Kran an und ließ ihn baumeln, während ich den Wagen wieder hinausfuhr.

Wieder im Bootshaus legte ich eine Bootsplane auf den Boden, darauf den durchnässten Schlafsack und auf diesen schließlich Dragan selbst.

Ich durchsuchte Dragans Kleidung. Ich nahm seine Brieftasche, seine goldene Uhr und seine Schlüssel an mich. Außerdem alles, was dem Häcksler Probleme bereiten könnte oder nicht verwesen würde: Gürtelschnalle, Schuhe, Manschettenknöpfe...

Brustbeutel oder Portemonnaie-Gürtel sind etwas für Rucksacktouristen und Pauschalreisende. Dragan trug ein Sakko mit ein paar extra eingenähten Innentaschen. Für seine Tour nach Bratislava hatte er sich gut ausstaffiert: hundertzehntausend Euro Bargeld, verteilt auf elf Päckchen mit je zwanzig Fünfhundert-Euro-Scheinen.

Dass Geld nicht glücklich macht, ist eine Lüge. Geld ist materialisierte Freiheit. Eine Menge Menschen hatten auf ihre Freiheit verzichtet und für dieses Geld hart gearbeitet: als Drogendealer, als Prostituierte, als Waffenschmuggler. Dieses Geld einfach zusammen mit Dragan durch den Schredder zu jagen hätte ich diesen Menschen gegenüber als unhöflich empfunden.

Den Rest von Dragan wollte ich dem Häcksler überantworten. Ich war handwerklich noch nie eine große Leuchte gewesen. Aber zum Glück geht es beim Beseitigen einer Leiche auch nicht darum, künstlerisch wertvoll zu arbeiten, sondern schlicht um Effektivität. Sprich: Es geht in erster Linie darum, möglichst wenig Spuren zu hinterlassen. Da ziemlich offensichtlich war, dass ich Dragan nicht komplett durch den Häcksler quetschen konnte, musste ich ihn also zunächst in Einzelteile zerlegen. Mein Blick fiel auf eine Kettensäge. Um nicht Dragans degenerierte DNA durch ein rotierendes Kettensägeblatt im ganzen Bootshaus zu verteilen, errichtete ich mithilfe des Krans ein Zelt über Dragan. Ich legte eine zweite Bootsplane über der Leiche aus, befestigte deren Mittelpunkt am Kran und hob damit die obere Plane wie ein Zelt an. Die Enden beschwerte ich mit verschiedenen Gegenständen am Boden – mit einem Kanister, einem Tau, einer Werkzeugkiste, einem Getränkekasten, einem Feuerlöscher. In diesem improvisierten Sägewerk herrschte schnell eine Atmosphäre wie in einem Campingzelt am dritten Tag eines Festivals: Das Licht war gedämpft, der Gestank war bestialisch und die anwesenden Leute nicht ansprechbar.

Ein ziemlich stressiges Arbeitsumfeld. Um alles richtig zu machen, ging ich zurück zum Auto und holte den Achtsamkeitsratgeber aus meiner Aktentasche. Ich erinnerte mich noch an einen »Dreiklang«, den ich in der Theorie für ziemlich verblödet gehalten hatte, der mir aber in der praktischen Anwendung einer Leichenzersägung vielleicht ganz gute Dienste leisten konnte. Der entsprechende Abschnitt stand unter der Überschrift »Absichtsvolle Zentrierung«:

»Auch der längste Weg beginnt mit einem kleinen Schritt. Wenn Sie jeden Schritt achtsam gehen, sind Sie am Ende des Weges nicht erschöpft, sondern erleichtert. Deshalb fokussieren Sie sich bei jedem Schritt auf das, was den Schritt ausmacht:

1. Bemerken Sie die Absicht dessen, was Sie gleich tun werden.

2. Atmen Sie einmal ein und wieder aus.

3. Führen Sie die Tätigkeit dann ruhig und zentriert durch.«

Als ich wieder im Zelt stand, bemerkte ich also ganz bewusst meine Absicht, dass ich Dragan zunächst den Kopf absägen wollte. Ich atmete tief ein … was ein Fehler war. Ich musste umgehend würgen, atmete instinktiv noch mehr von der stinkenden Luft ein und war kurz davor einen Hustenanfall zu bekommen. Tief einatmen in dem Zelt war undenkbar. Ich hob die obere Plane ein wenig an, atmete die frische, feuchte Luft des Bootshauses ein und beruhigte zunächst einmal meine Lunge und meinen Geruchssinn. Und sägte dann ruhig und zentriert Dragans Kopf ab. Es funktionierte!

Ich zerlegte Dragan in vierundzwanzig handliche Teile, die allesamt gut in den Häcksler passen würden. Wenn man sich erst einmal vorgenommen hat, einen Menschen nicht mehr als Menschen, sondern als Arbeit zu betrachten, wenn man die Absicht bemerkt, welches Körperteil man als Nächstes absägen will, einen tiefen Zug frischer Luft von außen einatmet und dann die Kettensäge ruhig ansetzt, dann gelingt die Arbeit in der Tat wie von selbst.

Aber zugegeben, es ist eine Mordssauerei. Als ich fertig war, waren beide Bootsplanen und meine Anglermontur vollständig von Blut überzogen. Ich bin ein ordnungsliebender Mensch und lege Wert auf saubere Kleidung. Ich ging daher über die Plane bis zur Anlegestelle und sprang in voller Montur ins Wasser. Das Wasser war dort höchstens anderthalb Meter tief. Ich konnte so meine Anglerkleidung und mein Gesicht schon einmal grob reinigen.

Erfrischt und sauber stieg ich über eine Trittleiter wieder heraus und begann, die obere Plane des Zeltes abzubauen. Danach stapelte ich die vierundzwanzig Dragan-Teile mittig auf der unteren Plane. Ich legte den Schlafsack in eine Schubkarre und übergoss ihn großzügig mit dem Bleichmittel aus der Waschküche. Anschließend schob ich den Häcksler an das See-Ende des umlaufenden Steges, zog die Plane hierher, und als Letztes folgte die Schubkarre mit dem Schlafsack. Ich öffnete das Tor und genoss das Panorama des ruhig vor mir liegenden Sees. Das Wochenende war vorbei, kein Boot war mehr zu sehen.

Es tat mir in der Seele weh, die malerische Stille durch das Anschmeißen des Häckslers zu zerreißen. Stück für Stück warf ich meinen nervigsten Mandanten in den Häcksler. Jedes einzelne

Teil ließ eine purpurrote Fontäne aus Mandantenschnipseln über dem blaugrünen See entstehen. Im Hintergrund färbte sich der Spätfrühlingshimmel orange. Es war ein wunderbarer Anblick. Ich hatte Dragan noch nie so farbenfroh gesehen.

Plötzlich durchfuhr mich ein heilloser Schrecken. Ich hatte gerade den ersten Unterarm inklusive Hand durch den Häcksler gejagt, als mir einfiel, dass ich Dragans rechten Daumen noch nicht abgetrennt hatte. Den, mit dem er auch in Zukunft die Zeitungsbotschaften signieren sollte.

Vor lauter Achtsamkeit hatte ich nicht aufgepasst, welche Hand da gerade durch den Schredder in den See verpulvert war.

Panisch durchsuchte ich den merklich kleiner gewordenen Leichenteileberg auf der Plane. Ein Unterarm war noch da. War es der rechte oder der linke? Das ist gar nicht so einfach festzustellen, wenn der Unterarm nicht mehr an einem Arm hängt der mit dem Rumpf verbunden ist. Wie war das noch mal ...? Wenn die Handfläche nach oben zeigt, zeigt der rechte Daumen nach rechts und der linke Daumen nach links. Also legte ich die übrig gebliebene Hand mit der Fläche nach oben auf die Plane. Der Daumen zeigte nach rechts! Und hatte obendrein ein vernarbtes »D« eingebrannt ... Aber auf die einfachsten Dinge kommt man erst, wenn der Schreckmoment vorbei ist.

Ich hatte mangels Erfahrung keinerlei Ahnung, an welcher Stelle man einen Finger abzwicken musste, um ihn nachher noch als Stempel verwenden zu können. Hinter dem ersten Glied, zweiten Glied oder dritten? Zum Glück hatte die Hand ja neben dem Daumen noch vier weitere Finger zum Üben. Ich knipste also vier Finger an den verschiedensten Stellen ab. Der kleine Finger ließ sich wie ein Hühnerknochen problemlos hinter dem Mittelgelenk abtrennen. Das Ergebnis wirkte ein wenig kurz. Den Ringfinger mit dem Siegelring schnitt ich hinter dem dritten

Gelenk ab. Das wirkte wiederum sehr lang und klapprig. Nach zwei weiteren Schnittstellen an Mittel- und Zeigefinger entschloss ich mich dazu, den Daumen hinter dem zweiten Glied abzukneifen.

Ich legte den abgetrennten Daumen zur Seite und wollte gerade die restlichen vier Finger in den Schredder werfen, als mir auffiel, dass nur noch drei Finger da waren. Es fehlte der Ringfinger. Ich schaute mich um – und sah die Elster. Mit dem Ringfinger im Schnabel. Sie musste das Funkeln des Siegelrings bemerkt haben und durch das offene Tor ins Bootshaus geflogen sein. Nun war sie im Begriff es mitsamt Ringfinger und Siegelring wieder zu verlassen.

Diesen Siegelring hatte sich Dragan vor Jahren zusammen mit einer Dublette für Boris anfertigen lassen. Er war klobig, aus massivem Silber und hatte in der Mitte einen ziemlich teuren Diamanten. Auf der Ringaußenseite waren eine stilisierte Mohnblüte, eine automatische Pistole und eine nackte Frau an einer Stange abgebildet. Dieser Doppelring sollte ihre ewige Freundschaft besiegeln. Boris trug den Ring seit Jahren nicht mehr. Der einzige Grund, warum Dragan ihn nach dem Zerwürfnis mit Boris immer noch trug, war die Tatsache, dass Dragans Finger zu fett geworden waren, um den Ring unbeschadet vom Finger zu ziehen.

Der Ring war nicht wirklich nach meinem Geschmack. Aber dem Vogel konnte ich ihn natürlich trotzdem nicht überlassen.

Das hatte mir gerade noch gefehlt, dass ein diebischer Vogel lange Finger nach Dragans Pranken machte und damit meinen sorgsam erdachten Beseitigungsplan durcheinanderbrachte. Ich nahm den nächsten Gegenstand, den ich in die Hand bekam, und warf ihn nach der Elster. Dummerweise war dieser Gegenstand Dragans Daumen. Er segelte knapp an der Elster vorbei, die sich flatternd in die Lüfte erhob. Mit dem Ringfinger samt Siegelring im Schnabel flog sie aus dem offenen Tor des Bootshauses und verschwand mit großen Flügelschwüngen in Richtung Nachbargrundstück. Das war ... doof. Mehr als doof. Ich lief ihr noch ein Stück hinterher. Aber sie zu erreichen war völlig aussichtslos. Das war genau das, was ich unbedingt vermeiden wollte: dass auch nur ein einziges Stück Dragan auf dieser Welt zurückbleiben würde.

Ich versuchte, mich zu beruhigen: Wenn ich nicht wusste, wohin die Elster mit Finger und Ring flog, dann wusste es auch niemand sonst. Im Zweifel würde die Elster den Ring in ihr Nest bringen, und der Finger würde von irgendeiner Katze gefressen werden. Wenn man bei der Achtsamkeit mal unachtsam ist, dann hilft einem zur Not immer noch das Glück.

Hoffte ich.

Ich hob den vergebens geworfenen Daumen wieder auf und fuhr fort mit meiner Arbeit.

Als das letzte bisschen Dragan verschwunden war, stopfte ich den Schlafsack durch den Häcksler. Der Stoff und die Federn würden sich im Wasser zersetzen. Das Bleichmittel würde zudem auch im Häckslerwerk die DNA Dragans vernichten.

Dann stand ich da und konzentrierte mich auf Dragans rechten Daumen.

Was für ein albernes Körperteil, wenn es nicht an einem Menschen hängt, sondern auf einer Plane liegt. Wie eine beinlose Garnele ohne Augen. Bevor mir diese Garnele vollends vergammelte, musste ich sie irgendwie präparieren, vielleicht nicht für die Ewigkeit, aber doch so ungefähr.

Ich sah mich im Bootshaus um. Auf den Regalen befand sich eine Tube Silikon, wie man es für Bootsfugen brauchte. Das brachte mich auf eine Idee. Ich suchte und fand Schmieröl. Damit rieb ich den Daumen ein. Dann schnitt ich die Silikon-Tube an der Seite auf und presste den Daumen in die zähe Masse. Wenn das Silikon trocken wäre, hätte ich eine schöne Daumen-Guss-Form. Als Negativ. Zu Hause konnte ich daraus dann ein Positiv gießen. Wieder ein Problem gelöst.

Dann ging es ans Aufräumen. Ich holte einen Gartenschlauch und spritzte die Planen, die Motorsäge und meine Kleidung auf dem Steg ab. Die Brühe floss durch die Ritzen der Planken ins Wasser. Anschließend spülte ich mit Fleckensalz nach. Danach entkleidete ich mich, legte die Klamotten in die nun leere Schubkarre und übergoss den Inhalt mit dem Rest des Bleichmittels und dem Fleckensalz und ließ den ganzen Schmodder einweichen.

Zum Schluss breitete ich wieder eine der gesäuberten und gebleichten Bootsplanen auf dem Boden aus, stellte den Häcksler, und die Schubkarre darauf, befestigte die Enden der reißfesten Plane am Kran und hob das ganze Paket an, um es im Wasser zu versenken. Das ganze Arbeitsgerät sollte noch einmal ordentlich durchgespült werden.

Ich selber ging derweil, mit meinen eigenen Kleidern unter dem Arm, nackt ins Haus. Hätte mich bislang irgendjemand sehen können, wäre meine Nacktheit der geringste Grund, mich zu schämen. Als jemand, der sich jahrelang selbst für den Gang zum eigenen Briefkasten eine Krawatte umgebunden hatte, genoss ich jetzt diese Ungezwungenheit sehr.

Ich gönnte mir eine heiße Dusche, zog mich an und ging zurück zum Bootshaus. Dort holte ich mit dem Kran die Gerätschaften wieder aus dem Wasser und verstaute Anglermontur, Bootsplanen, Schubkarre, Motorsäge und Häcksler an den dafür vorgesehenen Plätzen. Es war mir völlig egal, ob der Häcksler und die Motorsäge nach dem Bad im See noch funktionierten. Umso besser, wenn nicht. Sollte jemals irgendjemand auf den abstrusen Gedanken kommen, ich hätte Dragan zersägt und gehäckselt, dann wäre ein nicht nur DNA-freier, sondern auch defekter Häcksler nichts, was ein Gericht von dieser These überzeugen würde. Neben dem Häcksler lag eine Druckluft-Gartenpumpe, mit der man Blumen mit Pflanzenschutzmittel besprühen konnte. Ich kippte den Inhalt ins Bassin, füllte die Pumpe ebenfalls mit Bleichmittel und sprühte damit meinen Kofferraum aus. Dragan hatte zwar auf dem Schlafsack gelegen, der inzwischen vernichtet war, aber ich mag es eben gerne gründlich.

Zu guter Letzt sammelte ich die Habseligkeiten ein, die ich Dragan vorher abgenommen hatte, und legte sie in die Feuerstelle am Strand. Ich übergoss den Haufen mit Benzin und ließ alles verbrennen, während ich die goldene Uhr und die Gürtelschnalle weit in den See hinauswarf. Die Asche kippte ich ebenfalls ins Wasser.

Das war also Dragan gewesen. Nix mehr da.

Ich ging ins Haus, holte mir ein Bier aus dem Kühlschrank und setze mich auf den Steg, auf dem ich keine acht Stunden vorher mit Emily Nudeln gegessen hatte. Und auf dem ich vor vierundzwanzig Stunden das erste Mal seit Jahren dieses Gefühl von Freiheit wieder gespürt hatte. Ich öffnete das Bier, lauschte dem Schmatzen der Fische, trank einen tiefen Schluck und war glücklich.

13 WOHLWOLLEN

»Wenn wir Dinge beobachten, ohne sie zu bewerten, können wir ihnen das Negative nehmen. Wenn wir hingegen Dingen, die wir beobachten, etwas Wohlwollendes unterstellen, können wir sie sogar in etwas Positives wenden.«

JOSCHKA BREITNER,
»ENTSCHLEUNIGT AUF DER ÜBERHOLSPUR —
ACHTSAMKEIT FÜR FÜHRUNGSKRÄFTE«

MANDANTEN, DENEN EIN VERBRECHEN zur Last gelegt wurde, riet ich in der Regel, ihr normales Leben einfach fortzusetzen wie bisher. Nicht auffallen. Keine Gewohnheiten ändern. Alltagsroutine beibehalten. Ich nahm mir daher vor, am Montagmorgen wie gewohnt in die Arbeitswoche zu starten. Nach dem Aufstehen atmete ich zu Hause dreimal tief durch und stellte mir vor, vor dem Fenster meines Apartments sei ein See. Das tat gut.

Bis ich mein Handy wieder einschaltete. Meine Mailbox quoll über vor Nachrichten und Bitten um Rückruf. Herr von Dresen, mein Chef und Gründungspartner der Kanzlei, wollte mich dringend sprechen. Peter Egmann, der Leiter der Mordkommission, wollte mich dringend sprechen. Eine große Boulevardzeitung bat um Rückruf. Sogar Boris, der Boss vom Konkurrenz-Clan, hatte angerufen. Nur zwei Anrufe stachen hervor. Der Anruf von Sascha freute mich. Er hoffe, ich hätte noch ein schönes Rest-Wochenende mit meiner Tochter gehabt, und fragte, ob ich die Tage mal Zeit für ihn hätte.

Und dann war da noch ein sehr mysteriöser Anruf von Murat, Tonis rechter Hand. Dem Typen, der Sascha und Dragan den verheerenden Tipp mit dem Autobahnparkplatz gegeben hatte. Murat war Tonis Mann fürs ganz Grobe. Er konnte wahrscheinlich weder das Wort »Testosteron« noch das Wort »Legasthenie« buchstabieren, verfügte aber über beides in ungesundem

Umfang. Auf der Mailbox allerdings hörte er sich eher an wie ein Häufchen Elend: »Hallo, Herr Diemel ... also ... Murat hier. Ich muss mit Dragan ... also ... Es tut mir voll leid ... Ich wollte nicht ... Es geht um Leben und ... Können Sie morgen früh zum Wildgehege kommen? Am Futterautomaten für die Rehe?«

Der Anruf war von Sonntagnachmittag. Morgen früh war also jetzt. Ich hatte nicht vor, mich mit einem verheulten Gewalttäter zum Rehefüttern zu treffen. Ich hatte auf einmal überhaupt keine Lust, auf diese ganzen Anrufe. Alle diese Menschen wollten etwas von mir. Aus alter Gewohnheit hatte sich mein Magen schon wieder verkrampft, meine Schultern verspannten sich, und meine Zähne begannen zu knirschen.

Ich hatte doch nicht meinen nervigsten Mandanten zersägt, um mich sofort von allen möglichen Idioten wieder in Beschlag nehmen zu lassen! So konnte das nicht weitergehen. Joschka Breitner hatte mir geraten, stressige Situationen einfach kurz zu verlassen. Aus dem Raum gehen, atmen, vielleicht einen kleinen Spaziergang unternehmen ...

Nein, ich würde nicht meine alten Gewohnheiten einfach wieder aufgreifen. Zunächst einmal atmete ich einige beruhigende Züge ein und aus. Danach beschloss ich, mein Auto stehen zu lassen und zumindest einen Teil des Weges in die Kanzlei zu Fuß zurückzulegen. Dann käme ich halt zu spät. Lieber entspannt zu spät als verkrampft pünktlich. Mein Apartment lag zwar am anderen Ende der Innenstadt, aber mit der U-Bahn war die Kanzlei in drei Stationen zu erreichen. Und allein der Weg zur U-Bahn würde meinen Gedanken Raum zum Atmen geben.

Bezüglich des Weges zur U-Bahn-Station traf das zu. Aber die U-Bahn war dann gerammelt voll mit schlecht gelaunten Menschen. Die Luft war so gut wie weggeatmet, und alle Menschen schienen etwas von mir zu wollen: meine Atemluft, meinen Sitzplatz, meine Aussicht.

Ich erwischte noch einen Sitzplatz in einer Vierergruppe. Um mich nicht über die trostlosen Gesichter meiner Mitreisenden aufzuregen, nahm ich den Achtsamkeitsratgeber zur Hand und entdeckte einen Absatz über den Unterschied von Wollen und Wohlwollen:

Wenn wir Dinge beobachten, ohne sie zu bewerten, können wir ihnen das Negative nehmen. Wenn wir hingegen Dingen, die wir beobachten, etwas Wohlwollendes unterstellen, können wir sie sogar in etwas Positives wenden.

Dazu gab es ein kleines Achtsamkeitsexperiment.

Stellen Sie sich vor, alle Menschen würden es gut mit Ihnen meinen. Ihre Arbeitskollegen, Ihre Chefs, Ihre Familie. Alle Menschen um Sie herum. Auch das Schicksal selbst will Sie fördern, so gut es kann. Jetzt blicken Sie nach innen und schauen Sie, was sich verändert, wenn Sie Ihre Achtsamkeit auf das Wohlwollen Ihrer Umgebung ausrichten.

Bezogen auf die Anrufe auf meiner Mailbox stellte ich mir also vor, dass all diese Menschen nichts Böses im Schilde führten, sondern mich wohlwollend erreichen wollten. Meine Kanzlei, die Presse, Boris, die Polizei – alle wollten nur kurz fragen, ob ich etwas brauchte. Ein rührender Gedanke. Zwar völlig abwegig, aber dennoch sehr beruhigend. Ich versuchte, dieses Wohlwollen der anderen ganz konkret zu spüren, und übertrug dieses Experiment gleich auf die schlecht gelaunten Mitreisenden in der U-Bahn. Und in der Tat veränderte sich meine Wahrnehmung schlagartig. Genauso wie ich mir einreden konnte, Menschen die ich gar nicht kannte, wären ohnehin alle schlecht gelaunt, konnte ich mir auch einreden diese unbekannten Menschen wären mir wohlgesonnen. Allein durch meine neue

Haltung diesen Menschen gegenüber änderte sich meine Stimmung komplett.

Als ich nach drei Stationen entspannt aus der U-Bahn ausstieg, war ich kurz davor, meine netten Mitreisenden um ihre Adresse zu bitten, falls wir mal ein Reise-Nachtreffen veranstalten wollten. Ich fühlte mich lediglich ein ganz klein wenig schlecht, weil all diese Menschen mich anscheinend fördern wollten, während ich nur befördert werden wollte und keinerlei Interesse hatte, meinerseits jemanden zu fördern. Aber ansonsten ging es mir richtig gut. Zudem stellte ich fest, dass ich nicht zu spät kommen, sondern zehn Minuten vor meiner gewohnten Zeit in der Kanzlei sein würde. Kein Auto gleich kein Berufsverkehr gleich kein Stau.

Um mit meiner neuen Gewohnheit wenigstens nicht aufzufallen, vertrödelte ich die gewonnenen zehn Minuten in dem McDonald's-Restaurant im Kanzleigebäude. Als ich mir einen schwarzen Kaffee bestellte, fiel mein Blick auf die Titelseite der ausliegenden Boulevardzeitung. Sie zeigte das mir bereits bekannte Bild von Dragan, wie er auf den brennenden Igor eindrosch. Aus presserechtlichen Gründen war das Gesicht von Dragan gepixelt – das von Igor nicht. Wer tot ist, kann schließlich keine Persönlichkeitsrechte am eigenen Bild mehr geltend machen. Dass Dragans Gesicht gepixelt war, lag schlicht daran, dass die Zeitung nicht von einem Anwalt wie mir im Namen eines noch lebenden Arschlochs wie Dragan verklagt werden wollte. Vor lebenden Tätern haben Zeitungen Schiss. Vor toten Opfern nicht. Ich nahm wohlwollend wahr, dass Dragan nach Meinung der Zeitung also noch lebendig war. Wie schön für uns alle.

Während ich meinen Kaffee in Empfang nahm, sah ich den Hinweis auf das Happy-Meal-Spielzeug-der-Woche: Nachplapper-Vögel. Kleine Stofftiere mit einem Aufnahmegerät im Innern. Sie speichern zehn Sekunden, was man ihnen sagt, und wiederholen das dann in einer absurd hohen Stimmlage. Ich nahm einen Vogel in Pink. Der war was für Emily. Und ich nahm eine Boulevardzeitung. Die war was fürs Büro.

Oben in der Kanzlei, teilte mir das Sekretariat mit, dass ich sofort ins Büro von Herrn Dr. von Dresen kommen solle. Und wissen Sie was? Es störte mich kein bisschen. Entspannt wie ich war, hatte ich auch all die Bitten um dringenden Rückruf an mir vorbeirauschen lassen.

Alle Achtung. Wie achtsam war das denn?

Mit der Zeitung unterm Arm, dem McDonald's-Kaffee in der Hand und dem Nachplapper-Vogel in meiner Sakkotasche ging ich also ins Büro vom Chef. Die Einrichtung des Büros bestach durch die typische Angeberschlichtheit von Chefbüros: teurer Schreibtisch, tolle Aussicht. Ein teures abstraktes Gemälde an der Wand, eine teure Besprechungssitzecke darunter. Alles perfekt zum Angeben. Alles völlig ungeeignet, um sich hier wohlzufühlen. Obwohl im gesamten Gebäude Rauchverbot herrschte, roch es unangenehm nach kaltem Zigarrenrauch.

In der Sitzecke saß Herr Dr. von Dresen mit den anderen Gründungspartnern der Kanzlei, Herrn Dr. Erkel und Herrn Dr. Dannwitz, in seiner morgendlichen Besprechungsrunde. Die drei Herren waren alle Anfang siebzig. Golfplatzbräune im Gesicht und eine alkoholabhängige Gattin zu Hause. Herr Dr. von Dresen hatte es geschafft, optisch würdig zu altern. Er wirkte körperlich fit. Herr Dr. Erkel verfügte ebenfalls über eine gesunde Hautfarbe, aber das war auch das Einzige, was an ihm gesund aussah. Er litt an Übergewicht, Kurzatmigkeit und Bluthochdruck. Herr Dr. Dannwitz war von den dreien die unauffälligste Erscheinung. Ein kleines, eingefallenes Hutzelmännchen. Allerdings eins mit sehr viel Geld und Macht.

Die drei Herren waren zwar Partner, aber mitnichten Freunde.

Alles, was sie verband, war das Geld, das sie gemeinsam aus der vor Jahrzehnten gegründeten Kanzlei zogen. Und um dieses Geld zu schützen, bekämpften sie gemeinsam jeden, der ihren Burgfrieden störte. Die morgendliche Besprechungsrunde diente vor allem der strategischen Planung ihres gemeinsamen Verteidigungskampfes.

Auf dem niedrigen Tisch vor ihnen lag eine Ausgabe der Boulevardzeitung mit dem Foto von Dragan. Mein freundlicher Gruß wurde nicht erwidert. Herr von Dresen kam direkt zur Sache.

»Stimmt es, was Sie sich da am Wochenende geleistet haben?«, wollte er wissen.

Ich überlegte kurz, welchen Teil dessen, was ich mir am Wochenende geleistet hatte, er meinen könnte: Dass ich am Wochenende freigehabt hatte? Dass ich einem polizeilich gesuchten Mandanten zur Flucht verholfen hatte? Oder dass ich diesen Mandanten durch den Häcksler gejagt hatte?

»Könnten Sie das vielleicht konkretisieren? War ein langes Wochenende«, bat ich höflich.

»Sie haben Frau Bregenz angefahren, weil sie altersbedingt keine Kinder mehr bekommen kann und keine zwei juristische Staatsexamina hat«, empörte sich Herr Dr. Erkel.

Ach, du meine Güte. Ich zersäge den größten Schwerverbrecher-Mandanten in der Kanzleigeschichte und bekomme Ärger, weil ich der Sekretärin Widerworte gegeben habe? Ich konnte ein spontanes Lachen nicht unterdrücken.

»Das finden Sie auch noch komisch?«, platzte Herr Dr. Dannwitz heraus.

»Nein, das finde ich nicht komisch.«

»Frau Bregenz arbeitet seit zwanzig Jahren in dieser Kanzlei. Sie sind kein besserer Mensch, nur weil Sie studiert haben. Solchen akademischen Standesdünkel gibt es hier nicht.«

»Danke für den Hinweis, Herr Erkel.«

»Herr Dr. Erkel«, stellte Herr Dr. Erkel sofort klar.

Da mir in meiner gelösten Stimmung überhaupt nicht nach Eskalation war, versuchte ich die Situation diplomatisch zu entspannen.

»Hören Sie, es lag mir fern, Frau Bregenz zu beleidigen. Aber wenn ich an einem freien Samstag – meinem Kinder-Samstag – mit meiner Tochter in die Kanzlei komme und dafür schon am Empfang eins übergebraten bekomme, fördert das nicht gerade das allgemeine Betriebsklima. Sie hat mich angeblafft, ich hab zurückgeblafft. Von mir aus können wir uns gerne gegenseitig um Entschuldigung bitten, und die Sache ist erledigt.«

Ich kam mir sehr achtsam vor. Meine Worte waren selbstbewusst, diplomatisch und gingen auf das Gegenüber ein. Dachte ich.

»Frau Bregenz hat für nichts um Entschuldigung zu bitten«, gab Herr Dr. Erkel zurück. »Die Kanzlei ist kein Kinderspielplatz. Ihre Tochter hat den ganzen Konferenzraum beschmiert.«

Ich atmete tief ein, sah den See vor dem Bürofenster und spürte den Boden unter meinen Füßen.

»Zu Hause erledige ich das mit einem Spritzer Glasreiniger und einem Stück Küchenrolle.«

Ich erkannte mich selber nicht wieder. Gab ich meinen Chefs gerade seelenruhig Haushaltstipps anstatt vor Angst vor ihnen zu erzittern?

»Sie haben Frau Bregenz in einer Weise beleidigt, die an sexuelle Diskriminierung grenzt. So etwas können wir hier nicht dulden. Hier herrscht Gleichberechtigung«, platzte es aus Herrn Dr. Dannwitz heraus.

Ganz offensichtlich stieß hier das Achtsamkeitsexperiment mit dem unterstellten Wohlwollen an die Grenzen realer Ablehnung. Ich schaltete auf Anwaltsmodus und fing an zu argumentieren.

»Und das mit der Gleichberechtigung sehen wie viele der weiblichen Partnerinnen in der Kanzlei genauso?«, wollte ich wissen.

»Die Kanzlei hat keine weiblichen Partner«, belehrte mich Herr Dr. von Dresen.

»So viel zur diskriminierungsfreien Gleichberechtigung«, stellte ich fest.

»Was wollen Sie damit sagen?«, raunzte Dr. Erkel.

»Ich deute nur auf die Tatsache hin, dass selbst Frauen mit zwei Staatsexamina hier ganz offensichtlich keine Karriere machen können. Gerade wegen ihrer Fähigkeit, Kinder bekommen zu können. Ohne juristisches Examen und ohne Kinder reicht es nach zwanzig Jahren Kanzleizugehörigkeit offenbar gerade mal dazu, hinterm Empfangstresen zu landen und die Kinder anderer Leute anzuraunzen. Erzählen Sie mir also bitte nichts von diesem Gleichberechtigungsblödsinn.«

Irgendwie hatte ich gerade einen argumentativen Lauf. Ich war mir aber nicht ganz sicher, ob ich das dazu notwendige Selbstbewusstsein durch mein achtsames Atmen oder durch das Zerlegen von Dragan bekommen hatte. Oder weil ein angebliches Fehlverhalten meiner Tochter behauptet wurde? Vielleicht eine Mischung aus beidem.

Aber worum ging es hier in Wahrheit eigentlich? Ich wurde doch nicht ernsthaft wegen der altersbedingten Fruchtbarkeitsproblematik einer beleidigten Frau Bregenz vor alle drei Gründungspartner zitiert. Und überhaupt reichte es mir langsam. Ich hatte heute bereits bis zur Realitätsverleugnung das Wohlwollen der Welt eratmet. Lange würde es mir nicht mehr möglich sein, so zu tun, als könnte ich die realen Entgleisungen meiner Chefs mir gegenüber wertungsfrei betrachten. Jedenfalls nicht, ohne meine Liebe zu mir selbst zu verhöhnen. Achtsamkeit erfordert auch Wahrhaftigkeit. Aber zum Glück hatte Joschka Breitner in seinem Ratgeber auch Tipps zum Umgang mit schwierigen Gesprächspartnern.

»Richten Sie Ihre Achtsamkeit auch auf Ihr Gegenüber, das Ihnen gerade nicht gutzutun scheint. Lassen Sie den anderen aussprechen. Versuchen Sie in aller Ruhe seine Gefühle, seine Werte und seine Vorstellungen zu verstehen.«

Ich versuchte also, die drei mir gegenübersitzenden Lackaffen einfach mal ausreden zu lassen.

»Ich verbiete Ihnen, so über …«, hob Herr Dr. von Dresen gerade an.

»Sie verbieten hier überhaupt nichts!«

Ich fand, das reichte an Ausreden-Lassen. In dem Moment wurde mir klar, dass es gar nicht um Frau Bregenz ging. Es ging einzig und alleine um Dragan. Den lukrativen »Bäh«-Mandanten. Sie hatten keine Ahnung, was er tatsächlich angestellt hatte. Und sie hatten keine Ahnung, wo er jetzt war. Beides machte den Herren Angst. Sie fürchteten, dass da eine ganze Lawine Mafia-Scheiße auf die Kanzlei losrollte. Und um mich zu motivieren, diese Scheiße in sichere Bahnen umzulenken, sollte ich zunächst mal einen auf den Deckel bekommen. Pflichtbewusst wie ich war, würde ich aus schlechtem Gewissen heraus anschließend noch viel besser spuren und auch noch dankbar sein, auf diese Weise mein »Fehlverhalten« wieder ausbügeln zu können.

Wow. Nach nur drei Sekunden achtsamen Zuhörens wusste ich, was mein Gegenüber tatsächlich von mir wollte. Ich sollte für sie die Kohlen in Sachen Dragan aus dem Feuer holen. Bitte. Das sollten sie kriegen. Aber anders als von ihnen gedacht. Mit ungekannter Klarheit fing ich an, meinen Chefs ihre Angst vor der ihnen unbekannten Situation um die Ohren zu hauen.

»Sie haben was dagegen, wenn meine Tochter den Konferenzraum mit Textmarker beschmiert? Ich sag Ihnen mal was.« Ich zeigte auf die Titelseite der Boulevardzeitung. »Dieser Mandant Ihrer Kanzlei hat in der Nacht zu gestern einen kompletten Parkplatz mit Blut, Asche, Granatsplittern und Kindertränen beschmiert. Und das ist für Sie weniger wichtig als die emotionale Befindlichkeit einer in Unwürde gealterten Sekretärin? Mit dem Dreck von solchen Typen verdienen wir alle unser Geld. Sie wesentlich mehr als ich. Und da wollen Sie mir ernsthaft mit diesem politisch korrekten Pillepalle kommen?«

So dreht man achtsam einen Spieß um.

»Wenn Sie damit Probleme haben, können Sie jederzeit gehen.«

»Vielleicht hat ja aber Herr Sergowicz Probleme damit, wenn ich gehe.«

Und so spitzt man den Spieß an.

»Zu Ihrem Mandanten kommen wir noch.«

»Mein Mandant? Ich bin hier ja noch nicht einmal Partner. Ich betreue diesen Herrn doch ausschließlich für Sie. Ihre Namen stehen auf jedem Briefkopf und auf jeder Kostennote. Auf Ihre Konten geht jede bezahlte Rechnung. Sie verdienen Ihr Geld mit der Geldwäsche für diesen menschenverachtenden Mafioso. Auf Ihre Kanzlei gehen sämtliche fragwürdigen Steuersparmodelle für Drogen- und Prostitutionseinnahmen zurück. Und Sie wollen mir erklären, was Stil und Benehmen ist? Wenn die Zeitungen wüssten, wie viel Geld Sie mit diesem Psychopathen verdient haben, wäre die sexuelle Diskriminierung einer verstaubten Kanzleimatratze Ihr geringstes Problem.«

»Die Presse lassen Sie gefälligst aus dem Spiel. Sie sind an die Schweigepflicht gebunden«, stellte Herr Dr. Dannwitz sachlich fest.

»Ich ja, Ihr Mandant nicht.«

Herr Dr. Erkel riss empört die Augen auf. »Sie wollen uns drohen?«

»Ich nicht, aber vielleicht Ihr Mandant.«

»Wie meinen Sie das?«

»Nun, wenn Herr Sergowicz irgendwann in ferner Zukunft im Knast einmal das Gefühl haben sollte, dass sein betreuender Anwalt von Ihnen davon abgehalten wurde, seine perfekte Verteidigung zu planen, weil sich die Partner der Kanzlei lieber über frustrierte Sekretärinnen und Kinderbilder unterhalten wollten, dann könnte ich mir durchaus vorstellen, dass er Ihnen das sehr übel nehmen würde und der Presse gegenüber sehr gesprächig ist. Was noch Ihr geringstes Problem wäre.«

Jetzt verließ ich endgültig den Boden fundierter Kritik und betrat das sehr dünne Eis der ziemlich offenen Drohung. Allerdings schienen meine Gesprächspartner wesentlich mehr Angst vor dem Einbrechen zu haben als ich. Es waren alles sehr erfolgreiche Geschäftsleute. Sie kümmerte hauptsächlich, was sie in der Vergangenheit verdient hatten und ob sie dies auch in der Zukunft noch haben würden. Das Hier und Jetzt nutzten sie in der Regel nur als Basis für Bedenken.

Herr Dr. Dannwitz räusperte sich. »Und wie … würde sich das äußern?«

»Nun, ich sag mal so: Herr Sergowicz weiß, wo Ihre Frauen hinfahren, um sich den Eierlikör zu kaufen. Und es wäre doch sehr schade, wenn da auf dem Rückweg ein alkoholbedingter Unfall passierte, oder?«

Die drei Herren machten sich diesbezüglich wahrscheinlich mehr Gedanken über ihre Autos als über ihre Frauen. Ich musste also ein wenig persönlicher werden.

»Und Sie wissen, dass Dragan Kritik gerne unkonventionell ausdrückt.« Ich zeigte erneut beiläufig auf das Titelbild mit dem brennenden Igor.

Das Gespräch begann mir Spaß zu machen.

»Wenn Dragan Sergowicz untergeht, gehen Sie alle mit unter. Und damit das nicht passiert, werden Sie Feuer und Flamme für seine Verteidigung sein.«

So sticht man mit dem umgedrehten Spieß zu.

Es ist einfach, mit der Gewaltbereitschaft eines Psychopathen zu drohen, wenn man weiß, dass der längst tot ist. Die Herren Doktoren waren für einen Moment sprachlos. Herr von Dresen brach das Schweigen als Erster.

»Was schlagen Sie vor?«

Ich zögerte. Mir war eine Idee gekommen, wie ich die Situation für meine Zwecke nutzen konnte. Ich lächelte die drei an. »Sehen wir es, wie es ist. Sie wollen mich nicht. Ich will Sie nicht. Warum sollten wir uns länger aneinander klammern?« Ich hob eine Hand, als sich von Dresen zu einer Entgegnung anschickte. »Ich habe auch kein Interesse daran, Herrn Sergowicz zu betreuen«, fuhr ich fort. »Aber zu mir hat er Vertrauen, ich kann ihn händeln. Deshalb mein Vorschlag: Wir heben unseren Arbeitsvertrag zum Ende des Monats auf. Ich mache mich selbstständig und nehme Herrn Sergowicz mit.«

»Und wer garantiert uns, dass Herr Sergowicz uns nichts … übel nimmt?«

»Das kann er Ihnen gerne schriftlich mit einer strafbewehrten Verschwiegenheitserklärung geben.«

»Das würde er machen?«

»Dazu würde ich ihn bringen.«

»Einfach so?«

»Na, Sie werden sich mir gegenüber nach zehn Jahren vertrauensvoller Zusammenarbeit ja auch großzügig zeigen. Sagen wir mit einer Abfindung über zehn Monatsgehälter.«

Ich öffnete als Geste der Versöhnung meine Arme in Richtung meiner Chefs und ließ sie danach lässig gegen mein Sakko fallen. Das sah zwar bestimmt souverän aus, aktivierte aber den Ein-Schalter meines soeben gekauften Nachplapper-Vogels.

»Nun werden Sie mal nicht unverschämt!«, donnerte Herr Dr. Erkel los.

Der Sprach-Chip des Nachplapper-Vogels wiederholte fünf Stimmlagen höher, aber sehr gut verständlich: »*Nun werden Sie mal nicht unverschämt.*«

Die drei guckten mich entgeistert an. Ich nahm das pinke Stofftier aus der Tasche und schaltete den Mechanismus aus.

»Sorry, ist für meine Tochter. Wenn sie gerade nicht malt, spielt sie gerne mit Kuscheltieren. Sie können sich das Ganze ja überlegen. Ich denke mal, ich werde mit Herrn Sergowicz so in einer Stunde telefonieren.«

Ich verließ den Konferenzraum mit dem Nachplapper-Vogel in der Hand.

14 ANGST

»Angst ist ein natürlicher Schutzmechanismus. Sie kann unseren Körper zu Höchstleistungen stimulieren. Sie kann unseren Körper aber auch lähmen. Es bringt nichts, Angst zu bewerten. Auch wer Angst hat, kann seine Anspannung durch Achtsamkeit reduzieren.«

JOSCHKA BREITNER,
»ENTSCHLEUNIGT AUF DER ÜBERHOLSPUR –
ACHTSAMKEIT FÜR FÜHRUNGSKRÄFTE«

DER ANWALT IN MIR HATTE MIR GERATEN, meine alten Gewohnheiten beizubehalten und genau so weiterzumachen wie bisher. Dank meines Achtsamkeitsratgebers hatte ich bereits in der ersten Arbeitsstunde meines ersten Arbeitstages nach meinem ersten Mord eine Menge Gewohnheiten über Bord geworfen. Ich hatte auf meinen Dienstwagen verzichtet und bei McDonald's einen Kaffee getrunken. Ach ja – und ich hatte die drei Gründungspartner der Kanzlei bedroht, anstatt mich von ihnen bedrohen zu lassen. Eine befriedigende Erfahrung.

Ich hatte mir erneut die Freiheit genommen, nicht zu tun, was ich nicht tun wollte. In diesem Fall: zu duckmäusern.

Ich fühlte in mich hinein. Ich hatte – o Wunder – deshalb weder Bauchschmerzen noch ein Gefühl der Unsicherheit. Ganz im Gegenteil. Mein Magen fühlte sich gut dabei an. Vielleicht sollte ich öfter Kaffee bei McDonald's trinken gehen.

Ich hatte keinerlei Zweifel, dass meine Chefs auf meinen Vorschlag eingehen würden. Deshalb packte ich in meinem Büro selbstsicher schon einmal meine persönlichen Dinge zusammen. So viel war das gar nicht. Ein paar Fotos von Emily, eine mobile Festplatte mit Kopien von Dokumenten und E-Mails meiner Arbeit sowie diverse Schlüssel für Bankschließfächer, in denen ich zahlreiche Unterlagen für Dragan gelagert hatte. Genau genommen waren die Festplatte und die Schließfächer nicht meine persönlichen Dinge. Aber es lag ja nun im allseitigen Interesse, dass ich mit diesen Dingen nicht die Kanzlei belasten würde.

Zu guter Letzt holte ich alle Vollmachten und von Dragan blanko unterschriebenen Papiere aus meinem Büro-Safe. Zehn Jahre Arbeitsleben passten in eine Aktentasche.

Mit der Aktentasche unter dem Arm tat ich wenig später etwas, was ich seit Jahren nicht mehr getan hatte: Ich fuhr in einen Baumarkt. Ich brauchte Gips, um aus dem Dragan-Daumen-Negativ ein Dragan-Daumen-Positiv zu machen. Mir gefiel das auch in seiner symbolischen Bedeutung: aus dem Dragan-Negativ ein Dragan-Positiv machen.

Überhaupt tat mir der Aufenthalt im Baumarkt gut. Hier drehte sich alles um die Bedürfnisse von Menschen, die mit ihren eigenen Händen etwas erschaffen wollten. Die Steine, die es hier zu kaufen gab, sollten niemandem in den Weg gelegt werden, sondern sollten irgendjemandem mal ein Zuhause sein. Wer in einen Baumarkt geht, packt an. Der lebt im Jetzt und gestaltet die Zukunft selber. Und ich gehörte jetzt auch zu diesen Leuten. Ich kaufte eine kleine Packung Modellgips, um dem im Jetzt vor sich hin verwesenden Daumen von Dragan eine Zukunft zu geben. Ich bezahlte an der Kasse und steckte die Packung in meine Aktentasche.

In dem Moment klingelte mein Telefon. Es war die Kanzleizentrale.

»Ja, bitte?«

»Ich verbinde Sie mit Herrn Dr. von Dresen«, sprach Frau Bregenz mit ihrer aufgesetzten Automatenstimme.

Ich wartete auf meinen gewohnten Impuls, das gekünstelte Verhalten dieser Frau irgendwie zu kommentieren. Aber dieser Impuls war weg. Ich wartete nur noch achtsam auf das Klicken der Leitung und die Stimme meines baldigen Ex-Chefs.

»Von Dresen hier. Wir gehen auf Ihr Angebot ein.«

Na bitte. »Das heißt konkret?«

»Aufhebungsvertrag zum ersten Mai, zehn Monatsgehälter Abfindung. Sie nehmen Herrn Sergowicz und sämtliche mit ihm verbundenen Mandate mit. Herr Sergowicz bestätigt uns schriftlich, dass er bisher ausschließlich von Ihnen betreut worden ist und auch in Zukunft ausschließlich von Ihnen betreut werden will. Damit sind alle Forderungen gegenüber unserer Kanzlei erloschen.«

»Klingt gut. Schicken Sie mir das an meine private E-Mail-Adresse.«

»Liegt gleich auf Ihrem Schreibtisch.«

»Ich werde heute nicht mehr ins Büro kommen.«

»Wann Sie im Büro sind, bestimmen immer noch wir.«

»Sie können mich ja feuern, wenn Ihnen das nicht passt. Noch sind Sie mein Chef. Apropos – solange der Aufhebungsvertrag nicht wirksam, geschweige denn unterschrieben ist, ist Herr Sergowicz auch noch offiziell Mandant Ihrer Kanzlei. Ich gehe also davon aus, dass Sie die Pressearbeit bis dahin übernehmen.«

»Die Pressearbeit? Was sollen wir denen denn sagen?«

»Das Gleiche, was ich Ihnen jetzt im Namen von Herrn Sergowicz sage: kein Kommentar.«

Yes! Zehn Monatsgehälter Abfindung bald auf meinem Konto. Hundertzehntausend Euro von Dragan in bar jetzt schon zur Verfügung. Keine Verpflichtungen mehr in dieser verschissenen Kanzlei, und mein nerviger Mandant konnte nicht mehr nerven. Und obendrein würde mein Noch-Arbeitgeber mir im Namen dieses Mandanten die Presse vom Hals halten und damit bestätigen, dass er noch lebt. Obwohl er es nicht tat.

Mal ganz wertfrei: Hätte ich noch achtsamer mit mir umgehen können? Joschka Breitners Ratgeber begann mystische Bedeutung für mich zu bekommen. Jetzt musste ich nur noch dafür sorgen, dass mich die Polizei nicht wegen Mordes verhaftete und dass weder Dragans Clan noch die Konkurrenz Verdacht schöpfte, was wirklich mit Dragan geschehen war.

Ich atmete die Luft der Freiheit und ging durch eine Stadt im Frühling nach Hause, um nach dem Rechten zu sehen. Dem rechten Daumen.

Ich hatte meine kleine Silikon-Daumen-Form im Badezimmer gelagert. Vom Gefühl her machte die Form schon einen ziemlich festen Eindruck. Und der Daumen wollte definitiv raus – das verriet mir schon sein Geruch. Leider hatte ich keine Ahnung, wie lange Silikon braucht, um vollständig auszutrocknen. Passenderweise findet sich dazu im Internet tatsächlich eine, nun ja, Daumenregel. Pro Zentimeter Silikon-Masse rechnet man mit vierundzwanzig Stunden Trockenzeit. Da ich den Daumen einfach in die aufgeschnittene Tube gepresst hatte, war die Silikonschicht zu allen Seiten recht dick. Ich müsste also mindestens drei bis vier Tage warten, um auf der sicheren Seite zu sein.

Es gab aber auch reichlich Tipps, um das Austrocknen zu beschleunigen. Ein Raum mit hoher Luftfeuchtigkeit bei um die zwanzig Grad würde das Aushärten unterstützen. Ich ließ also im Bad ein wenig die Dusche laufen und bat meine Heizung, die Dampfwolke bei zwanzig Grad bei Laune zu halten. Bis morgen wollte ich dem Silikon noch Zeit geben. Achtsamkeit ist keine Einbahnstraße. Auch Silikon hat Bedürfnisse.

Es war noch nicht einmal Montagmittag, und ein Großteil meiner Sorgen nach dem Aufstehen hatte sich von selbst erledigt. Gut, es gab noch ein paar Anrufe zu erledigen. Das wollte ich kurz hinter mich bringen. Ich rief bei Peter Egmann, dem Leiter der Mordkommission, an. Eigentlich wollte ich ihm nur mitteilen, dass ich ihm nichts mitzuteilen hatte. Aber er hatte *mir* einiges mitzuteilen.

»Björn, danke für den Rückruf. Ich kann mir vorstellen, dass du gerade alle Hände voll zu tun hast …«

Ich klemmte mir das Handy unters Ohr und schaute mir meine Hände an, mit denen ich vor wenigen Stunden in der Kanzlei meine Sachen zusammengepackt hatte. Mit denen ich Gips kaufen war. Und mit denen ich die Silikon-Form abgetastet hatte. Jetzt hatten sie exakt gar nichts zu tun, außer gleich wieder den Telefonhörer zu halten.

»Für einen Polizisten hast du eine rege Vorstellungskraft. Warum sollte ich viel zu tun haben?«

»Na, dein Chef wird wegen Mordes gesucht und ist untergetaucht. Und heute Morgen wurde einer seiner Soldaten tot im Wald gefunden. Kopfschuss.«

Mein Magen verkrampfte sich wieder. Gerade noch hatte ich fast alle Probleme gelöst, und jetzt war auf einmal die Rede von einer Leiche mit Kopfschuss? Völlig unabhängig von der Frage, warum ich als Laie anscheinend der Einzige war, der eine Leiche ohne Rückstände beseitigen konnte, klang eine weitere Leiche nach weiterem Ärger. War das der Beginn des Bandenkrieges mit Boris? Hätte ich ihn vielleicht doch etwas zügiger zurückrufen sollen?

Ich machte gute Miene zu den bösen Gedanken.

»Meine Chefs betreiben eine Kanzlei. Mit allen dreien habe ich vorhin noch zusammengesessen. Wenn du einen von ihnen verhaften möchtest, nur zu. Wahrscheinlich meinst du aber nicht meinen Chef, sondern meinen Mandant. Und von einem Kopfschuss weiß ich nichts.«

»Murat Cümgül. Türsteher in einem von Tonis Läden. Wurde heute Morgen von Spaziergängern tot auf einer Bank beim Futterautomaten am Wildgehege gefunden.«

Ich musste mich nicht erst dumm stellen. Ich hatte tatsächlich keine Ahnung, was es mit diesem Todesfall auf sich hatte. Ich wusste nur, dass Murat gestern vergeblich versucht hatte, mich zu erreichen. Hätte er mich erreicht und davon überzeugt, mich mit ihm zu treffen, hätte ich heute Morgen mit ihm auf der Bank gesessen. Kalte Angst erfasste mich. So wie es aussah, hatte mir das digitale Fasten das Leben gerettet. Was aber nicht hieß, dass mein Leben nicht auch weiterhin in akuter Gefahr war. Vor mir auf dem Tisch lag der Achtsamkeitsratgeber. Ich blätterte, bis ich die richtige Stelle fand:

»Beim Aufkommen von Angst konzentrieren Sie sich auf Ihren Atem. Atmen Sie ruhig ein und aus. Spüren Sie den Atem körperlich. Am Eingang Ihrer Nasenflügel zum Beispiel. Oder in der Bauchdecke. Bleiben Sie in Gedanken bei Ihrem Atem. Bewerten Sie die Angstgefühle nicht. Versuchen Sie, die Situation im Hier und Jetzt zu genießen.«

»Bist du erkältet?«, wollte Peter in die Stille hinein wissen.

»Wieso?«

»Du atmest so laut.«

Ich atmete einfach nur bewusst. Und mir wurde bewusst, dass es mir damit auch schon gleich besser ging. Mit jedem Atemzug spürte ich ein Stück Selbstsicherheit zurückkehren. Im Gegensatz zu so manch anderem aus meinem Arbeitsumfeld *konnte* ich noch atmen. Das war eindeutig positiv. Gab es sonst noch etwas Positives an dieser Situation zu genießen? Gut, der Tote lag zumindest in landschaftlich reizvoller Umgebung. Das war ebenfalls positiv. Und ich hatte ihn nicht erschossen. Das war insofern positiv, als ich Peter gegenüber ein völlig reines Gewissen haben konnte. Was immer es also mit diesem Mord auf sich hatte – im Hier und Jetzt ging es mir gut. Der Rest würde sich ergeben, wenn es so weit war.

Ich ging auf Peters Bemerkung nicht ein, sondern versuchte es meinerseits mit einer Frage: »Jagdunfall?«

»Muss schon ein ziemlich blinder Jäger gewesen sein, wenn er einen an Händen und Füßen mit Kabelbinder gefesselten Türken nicht von einem röhrenden Hirsch unterscheiden kann. Zumal, wenn er dem Türken mit einer Pistole aus nächster Nähe von hinten in den Kopf schießt.«

»Tragisch. Aber was hat das mit mir zu tun?«

»Na ja. Ich sag mal so – die Nummer eins von Dragans Kartell erschlägt die brennende Nummer zwei von Boris' Kartell. Anschließend verschwindet Nummer eins spurlos, und der Stellvertreter von Dragans Nummer zwei wird im Wald erschossen. Das könnte zu juristischen Verwicklungen für alle Beteiligten führen.«

»Nicht für alle.«

»Für wen denn nicht?«

»Die, die tot sind, sind ja ganz offensichtlich aus dem Schneider.«

»Es fragt sich nur: Warum sind die tot?«

Mit anderen Worten, die Polizei hatte genauso wenig Ahnung wie ich. Das müsste ich mit Dragan besprechen. Ach nee, der war ja auch tot.

»Vielleicht besprichst du das mal mit Dragan«, regte Peter an.

»Bei nächster Gelegenheit.«

»Wann wird die sein?«

»Das geht dich wiederum nichts an, weil es unter das Mandantengeheimnis fällt.«

»Björn, wir wissen, dass Dragan die Stadt verlassen hat.«

»Dann weißt du mehr als ich.«

»Er muss dabei Hilfe bekommen haben.«

»Wenn du meinst.«

»Du bist der Einzige, den er angerufen hat.«

Hm, das könnt ihr aber nur wissen, wenn ihr illegalerweise mein Handy abgehört hättet, was ihr natürlich nicht macht. »Hilf mir auf die Sprünge – was hat er denn gesagt?«

»Dass er mit dir Eis essen gehen will.«

»Wie romantisch. Und was habe ich gesagt?«

»Du hast gesagt, du willst mit deiner Tochter an den See fahren.«

»Und was habe ich gemacht?«

»Du bist mit deiner Tochter in die Kanzlei gefahren, und sie hat dort ein Eis gegessen.«

Du meine Güte, aufgrund der Tatsache, dass dieser Idiot von Möller meine Tochter mit Eis verschmiertem Mund gesehen hat, würde Peter ja wohl nicht ernsthaft einen Anfangsverdacht der Strafvereitelung gegen mich herleiten.

»Gut. Schuldig. Meine Tochter hat in der Kanzlei ein Eis gegessen. Gibt es sonst noch Verdachtsmomente?«

»Wir wissen, dass du von der Kanzlei aus an den See gefahren bist.«

»Ach, woher weißt du das schon wieder?«

»Wir haben dich beobachtet.«

»Ihr beschattet einen Anwalt und seine nicht einmal dreijährige Tochter ein Wochenende lang? Auf welcher Rechtsgrundlage? Illegales Eis-Essen?«

»Wir haben dich nicht beschattet. Ich sag mal so – zufälligerweise war ein Kollege von mir auf dem See Bootfahren und hat zufälligerweise mit seinem Teleobjektiv Landschaftsaufnahmen gemacht.«

Das war dann wohl das Boot, das noch am Abend vor Anker gelegen hatte. Hätte ich da nicht schon dank Emily komplett auf Achtsamkeit umgestellt gehabt, wäre ich heute Vormittag nicht im Baumarkt, sondern bereits im Knast gewesen. Und zwar sowohl, wenn ich mich mit einem lebenden Dragan auf dem Steg hätte sehen lassen, als auch, wenn ich den toten Dragan bereits am Samstag aus dem Kofferraum geholt hätte.

Ich fasste die neuen Informationen zusammen.

»Dragan hat mich also angerufen, um mit mir Eis zu essen. Ihr habt mich anschließend in der Kanzlei und am See gesehen. Ihr habt hingegen Dragan weder in der Kanzlei noch am See gesehen. Und ein Eis habe ich auch nicht gegessen, sondern meine Tochter. Versuch doch mal auf der Grundlage einen Durchsuchungsbefehl für die Kanzlei oder das Haus am See zu bekommen.«

»Nun ja, da ist noch ein kleines Detail …«

»Und das wäre?«

»Die Nachbarn von dem Haus am See haben heute Morgen die Polizei angerufen. Auf ihrem Terrassentisch lag ein abgetrennter Finger mit einem Siegelring.«

Verdammt. Das war in der Tat alles andere als ein nebensächliches Detail. Das war – richtig gedeutet – ein Indiz für meinen Mord. Überraschenderweise erfasste mich in diesem Moment keine Angst, sondern Wut. Wut auf diesen verdammten Vogel. Musste der den Finger ausgerechnet an einer gut sichtbaren Stelle fallen lassen? Und wo sind diese ganzen Katzen, wenn man sie mal braucht? Warum hatte den Finger nicht längst eine gefressen?

»Und was hat das mit Dragan zu tun?«, fragte ich mit hoffentlich gelangweilt klingender Stimme.

»Der Ring an dem Finger hat eine auffällige Ähnlichkeit mit dem Ring, den Dragan in dem Video dem kleinen Jungen unter das Kinn gepresst hat. Demnach spricht einiges dafür, dass der Finger auch zu Dragan gehört. Der Finger muss also entweder mit Dragan oder mit dir zum See gekommen sein. Im dümmsten Fall für dich beides gleichzeitig.«

»Und das hat was zur Folge?«

»Das hatte bereits zur Folge, dass ein Richter der Ansicht war, der gefundene Finger würde eine Durchsuchung des Hauses am See durchaus rechtfertigen. In diesem Moment durchwühlen zehn Kollegen das Anwesen.«

Fuck! So ein Ringfinger macht noch nicht einmal ein Promille des Körpergewichts eines Menschen aus. Ich hatte 99,9 Prozent von Dragan problemlos durch den Häcksler geschickt. Und so ein dummes Detail führt dann zu einem Durchsuchungsbefehl.

Aber das sollte kein Grund zur Panik sein. Gerade weil die Möglichkeit einer Durchsuchung bestand, hatte ich Dragan ja zerhäckselt. Sonst hätte ich ihn ja auch einfach im Bootshaus liegen lassen können. Ich war mir ziemlich sicher, dass ich – bis auf die Sache mit dem Finger – einen guten Job erledigt hatte. Ich musste jetzt einfach Vertrauen haben.

»Dann hoffe ich, dass die Kollegen alles ordentlich hinterlassen. Wenn nachher irgendetwas fehlt, mache ich dich dafür verantwortlich, Peter.«

»Wenn wir mehr finden als diesen Finger, mache ich dich dafür verantwortlich, Björn.«

Wir legten auf. Die Folgen meiner Unachtsamkeit bestätigen die Notwendigkeit der Achtsamkeit. Ich atmete noch zwei Minuten vor mich hin und ordnete meine Gedanken. Was die Durchsuchung des Hauses anging, so musste ich einfach abwarten. Mir fiel ad hoc nichts Dramatisches ein, was die Polizei dort hätte finden können. Bis der Finger auf Dragans DNA untersucht wäre, würden ein paar Tage vergehen. Natürlich konnte ich mir sofort den Kopf darüber zerbrechen, ob die Polizei nun davon ausging, dass Dragan tot war. Ob sie deshalb nun nach seinem Mörder suchte. Ob sie mich als Mörder verdächtigte. Ich konnte es aber auch lassen. Denn: Was bedeutete ein abgetrennter Finger? Dass der ehemalige Besitzer in Zukunft Schwierigkeiten hätte, sich irgendwo als Konzertpianist zu bewerben. Mehr nicht. Es gab in der jetzigen Situation Dringenderes als diesen Finger. Fragen, die ich sofort klären musste. Vor allen Dingen musste ich den Anschlag auf Murat unbedingt mit Sascha besprechen. Persönlich. Um die Frage zu beantworten, ob das ein Anschlag auf mich war.

Mit Boris wollte ich mich erst ganz zum Schluss beschäftigen. Wenn er jetzt schon einen Bandenkrieg vom Zaun gebrochen hätte, würde ich den mit einem Telefonat ohnehin nicht abwenden können. Und wenn Boris *nicht* hinter dem Mord an Murat steckte, dann würde er mit dem allgemeinen Morden wahrscheinlich auch noch ein wenig warten können.

Menschen, deren Telefone abgehört werden oder die dies vermuten, kennen das Problem: Die Gespräche, die man führt, sind verkrampft, weil man immer an die Mithörer denkt. Mit Einweg-Prepaid-Handys zu arbeiten ist nur eine semigute Lösung. Schließlich muss man dafür erst einmal die Prepaid-Nummer des Gegenübers kennen, ohne dass die Polizei diese Nummer erfährt.

Dragan und ich hatten dafür ein Verfahren entwickelt, das von seinem ganzen Clan, inklusive Sascha, sehr erfolgreich genutzt wurde. Man schickt dem Gegenüber einfach per SMS eine elfstellige Ziffernfolge vom abgehörten Handy des einen an das abgehörte Handy des anderen. Addiert man diese Ziffern zu den Ziffern des SMS-Schreibers, erhält man als Ergebnis die Nummer des anzurufenden Prepaid-Handys.

Ich schickte Sascha also von dem Handy, von dem ich mittlerweile wusste, dass die Polizei es überwachte, eine SMS mit den Ziffern 0 01 77 48 90 32. Wer die Nummer meines Handys nicht kennt, kann mit den Ziffern schon mal gar nichts anfangen. Die Polizei kannte zwar meine Nummer, da die Polizei aber nicht wusste, in welcher Verbindung diese Ziffern zu meiner Handynummer standen, konnte sie damit auch nichts anfangen. Sascha wusste beides und rief mich kurze Zeit später von einer mir bis dahin unbekannten Handynummer aus an.

»Ich bin's«, meldete er sich.

»Danke für den Rückruf.«

»Wie geht's dem Chef?«

»Den Umständen entsprechend.«

»Wo ist er jetzt?«

Fast hätte ich geantwortet: *Der Daumen ist in einer Silikon-Tube, der Ringfinger in einer Asservatentüte und der Rest im Magen von ein paar Dutzend Fischen …*

Ich konnte mich aber gerade noch zurückhalten und sagte stattdessen: »Er möchte zu deinem Schutz und zum Schutz aller, dass niemand das weiß.«

»Aber du weißt es?«

»Nicht direkt«, improvisierte ich.

»Aber ihr seid in Kontakt.«

»Selbstverständlich. Er will ja, dass der Laden weiterläuft. Ich muss dich treffen.«

»Wann und wo?«

»Schlag du was vor.« Es war immer gut, sein Gegenüber auch eine Entscheidung treffen zu lassen. In diesem Fall war das sogar sinnvoll. Ich hatte keine Erfahrung im Aussuchen von konspirativen Treffpunkten. Sascha schon.

»Kennst du den Kinderspielplatz am Schlosspark?«, fragte er.

»Klar.«

»Morgen Vormittag, halb zwölf.«

Das war zwar während der Bürozeiten, aber ich betrachtete mich einfach mal als »freigestellt«.

15   UNVOREINGENOMMENHEIT

»Achtsamkeit ist die unvoreingenommene Lebenseinstellung,
die wir an Kindern so bewundern. Kinder leben im Moment.
Ein im Spiel versunkenes Kind genießt den Augenblick. Lernen
Sie unvoreingenommen zu sein wie ein Kind.«

JOSCHKA BREITNER,
»ENTSCHLEUNIGT AUF DER ÜBERHOLSPUR –
ACHTSAMKEIT FÜR FÜHRUNGSKRÄFTE«

DAS SILIKON WÜRDE ALLEIN weiter trocknen. Die Rückrufe an meine Chefs, die Polizei und Sascha waren erledigt. Die Kanzlei würde mir bis zu meinem offiziellen Ausscheiden Anfang nächster Woche die Presse vom Hals halten. Bis dahin würden sich die Wogen, so hoffte ich, wohl einigermaßen geglättet haben. Und der Rückruf an Murat hatte sich nun auch erledigt. Ich wusste nicht, ob seit Freitag ein Bandenkrieg entfesselt worden war. Wenn, hätte ich daran aber in diesem Moment auch nichts ändern können. Für ein klärendes Gespräch mit Boris fehlten mir noch die notwendigen Hintergrundinformationen von Sascha. Und den würde ich morgen Vormittag treffen. Ich hatte also im Moment nichts Dringendes mehr vor, als mir selbst Gutes zu tun.

Ich entschied mich dafür, meine Tochter zu sehen. Wenn ich Emily näher sein konnte, während ich diese ganze Gewalt erfolgreich von ihr fernhielt, dann hatte alles seinen Sinn.

Da Katharina mich sowieso darum gebeten hatte, rief ich Katharina an, um mit ihr über was-auch-immer bezüglich Kindergärten zu sprechen. Nach dem dritten Läuten ging sie ran.

»Hi, Katharina, ich bin's.«

»Ist was passiert?«

Ich horchte in mich hinein, ob ich ihr irgendetwas von »Mandant zerhackt«, über »Chefs bedroht« bis hin zu »beinahe am Futterautomaten erschossen worden« sagen wollte. Ich wollte aber nicht. Und da ich nicht tun musste, was ich nicht tun wollte, sagte ich: »Nein, wieso?«

»Es ist Montagmittag, und du hast Zeit zum Telefonieren?«

»Ich hab gerade ein wenig Tagesfreizeit.«

»Ich dachte, bei dir müsste die Luft brennen, wo dein Lieblingsmandant auf jeder Titelseite ist.«

Katharina und ich hatten uns schon in jeder erdenklichen Form über die moralischen Aspekte meiner Arbeit gestritten. Nach unserer Trennung behandelten wir dieses Thema noch nicht mal mehr mit verbitterter Ironie.

»Die Titelseiten sind derzeit sein einziger bekannter Aufenthaltsort. Ein Mandant, der nicht da ist, macht auch keine Arbeit.«

»Klingt nach der Ruhe vor dem Sturm.«

»Wahrscheinlich. Aber die kann ich ja für Emily nutzen, wenn du nichts dagegen hast.«

»Natürlich nicht. Komm vorbei. Ich muss ohnehin mit dir reden.«

Ich legte auf und nahm den Nachplapper-Vogel in die Hand.

»Auf geht's zu Emily!«, sprach ich in sein verstecktes Mikro, und er wiederholte den Satz in seiner eigenen Stimmlage. Es hörte sich völlig sinnfrei, aber lustig an.

»Emily ist mein Ein und Alles.«

Der Vogel wiederholte es.

Ich ging mit ihm auf der Hand zur Garderobe.

»Ich bin der tollste Papa der Welt.«

Der Vogel sah das genauso.

»Ich habe meinen Mandanten zerhackt und bin frei.«

Leider stolperte ich in diesem Moment auf dem Weg zur Haustür und ließ den Vogel fallen, bevor er antworten konnte. Ich nahm ihn wieder hoch und wiederholte den Satz: »Ich habe gesagt: Ich habe meinen Mandanten zerhackt und bin frei!«

Der Vogel schwieg weiterhin eisern. Durch den Sturz schien der Speicherchip Schaden genommen zu haben. Aber was wollte man von einer Spielzeugbeilage für ein »Happy Meal« qualitativ schon erwarten? Ich steckte den Vogel in die Manteltasche und beschloss, Emily einen neuen zu kaufen.

Ich fuhr in unser altes Haus. Ein wunderschönes, frei stehendes Sechzigerjahrehaus mit großem Garten, großer Terrasse und vielen alten Bäumen. Emily begrüßte mich freudig.

»Papa, hast du keine Arbeit mitgebracht?«

»Nein, mein Schatz, gerade in diesem Moment nicht.«

»Ich spiel gerade Haus am See!«

Sie zeigte mir alle Kuscheltiere, die sie am Terrassenrand aufgereiht hatte, um mit ihnen im Gras die Fische zu beobachten und mit Nussspucke zu füttern. Ich beneidete sie um die kindliche Fähigkeit, schöne Momente im Leben jederzeit durch Spielen wiederholen zu können. Und ich beneidete sie um die Wissenslücke, nicht auch noch eine Motorsäge und einen Häcksler in das Spiel einbinden zu müssen.

Katharina und ich setzten uns auf die teuren Teakholz-Stühle, die ich uns nach einem ebenso aufwendig wie erfolgreich abgewehrten Verfahren gegen Dragan wegen Menschenhandels gegönnt hatte.

Ich verdiente mein Geld mit Mafiosi und ließ davon den Regenwald abholzen, um unsere Terrasse zu bestuhlen.

Ich habe nie verstanden, wie Katharina meinen Job so kritisieren, aber dennoch völlig unbefangen auf den Früchten dieses Jobs Platz nehmen konnte. Zum Glück hatten wir mittlerweile eine Basis gefunden, auf der solche Fragen keine Rolle spielten. Wir verspürten keinen Hass aufeinander. Dafür kannten wir uns zu lange. Und in allem, was Emily anging, waren wir mittlerweile schlicht und ergreifend ein Team. Ein gutes Team.

Das war auch der Grund, warum Katharina mit mir sprechen wollte.

»Wir müssen uns etwas wegen Emilys Kindergartenplatz einfallen lassen«, begann sie.

»Aber wir haben uns doch bei einunddreißig Kindergärten beworben ...«

Unabhängig von der Tatsache, dass der Umgang mit anderen Kindern für die Entwicklung eines Kindes notwendig und wichtig war, hatte Katharina vor, ab dem Sommer zumindest halbtags wieder in ihrer Versicherung arbeiten zu gehen. Ein Kindergartenplatz für Emily war deshalb unter jedem Gesichtspunkt notwendig. Dank meines Achtsamkeitskurses hatte ich es geschafft, zumindest beim Großteil der Bewerbungsgespräche physisch anwesend zu sein. Ich hatte allerdings ein wenig den Überblick über die Ergebnisse verloren.

Katharina nickte. »Richtig. Und im April sollen die Plätze vergeben werden. Und wir haben jetzt Ende April! Von fünfundzwanzig Kindergärten haben wir bis heute keinerlei Rückmeldung bekommen. Fünf Kitas haben abgesagt.«

»Keine Rückmeldung ist noch keine Absage.«

»Alle Kinder von Emilys Kindertanzkurs haben bereits mindestens eine Zusage bekommen. Keine Zusage *heißt* Absage. Du weißt doch selber, wie so was ist – die Kindergärten haben Schiss, eine Absage zu schreiben, damit Juristen wie wir nicht dagegen klagen.«

»Aber noch ist die Anmeldefrist nicht rum.«

»Die Anmeldefrist ist am 30. April rum. Wenn wir bis dahin keine Zusage für Emily haben, hat sie ein weiteres Jahr lang keinen Platz.«

»Okay. Fünfundzwanzig Kindergärten ohne Rückmeldung, fünf Absagen. Macht dreißig Bewerbungen. Was ist mit Bewerbung Nummer 31?«

»Deswegen wollte ich mit dir sprechen.«

Katharina gab mir einen Brief. Edel-Öko-Briefumschlag und Edel-Öko-Briefpapier: strahlend weiß, aber mit einem fetten Recycling-Zertifikat drauf. Auf dem Briefkopf prangte das von einem Kind hingekrakelte Logo: ein Delfin mit Downsyndrom. Es war das Logo der Elterninitiative »Wie ein Fisch im Wasser«. Das waren ausgerechnet die Betreiber des Kindergartens, den ich für Dragan aus dem zukünftigen Bordell ekeln sollte. Unser Wunschkindergartenplatz 29 von 31. Mich beschlich das ungute Gefühl, dass diese Elterninitiative nun auf Platz eins gerutscht war. Und dass der Inhalt des Briefes dazu vielleicht im Widerspruch stand.

Um zu verstehen, dass die Suche nach einem Kindergartenplatz keine Bagatelle ist, muss man wissen, dass schon das Anmeldeverfahren in unserer Stadt der blanke Hohn war. Zunächst einmal musste man sein Kind online auf einer zentralen städtischen Plattform registrieren lassen. Diese Plattform nannte sich, kreativ wie Beamte nun mal sind, »Kindergarten-Online- und Tagesmütter-Zentrale«. Abgekürzt KOTZ. Die entsprechende Homepage hieß tatsächlich »kotz.de«. Nur über die Anmeldung auf kotz.de konnte man seinen Anspruch auf einen Kindergartenplatz geltend machen. Die Benutzeroberfläche von KOTZ war und ist derart benutzerunfreundlich, dass aufgrund diverser Seitenabstürze und Eingabe-Abbrüche ein Großteil der Kinder die Stadt bereits zum Studium verlassen haben dürfte, bevor die Eltern die Kindergartenanmeldung vollständig abgeschlossen haben.

Die Anmeldung auf kotz.de führte allerdings mitnichten zur direkten Anmeldung bei irgendeinem Kindergarten. War man bei KOTZ registriert, musste man bei jedem einzelnen Kindergarten einen Termin vereinbaren und alle Daten, die man bereits bei kotz.de hinterlegt hatte, erneut in den von der jeweiligen Einrichtung benutzten Fragebogen eintragen.

Diesen Grund-Humbug musste man zunächst einmal verstehen, bevor es überhaupt in die entscheidende Phase der Kindergartenplatzvergabe ging. Es folgten die Bewerbungsgespräche. In denen man der Kindergartenleitung die Hucke voll log, warum man ausgerechnet diesen Platz in diesem Kindergarten haben wolle, weil einem das Konzept so gut gefalle. In der Hoffnung, sich nachher unter den Zusagen den besten Kindergarten aussuchen zu können.

Natürlich hat jeder Kindergarten seine eigene ideologische Ausrichtung. Das fängt an bei dem Unterschied zwischen einem konfessionellen oder einem städtischen Kindergarten. Konfessionelle Kindergärten bringen dem Kind die Bedeutung von Ostern, Weihnachten und Sankt Martin bei. Städtische Kindergärten feiern das Frühlingsfest, das Winterfest und das Laternenfest, um durch Traditionsverleugnung ihren Beitrag zur Integration zu leisten.

Außerdem müssen sich Eltern entscheiden, welcher Art von Ernährungsfaschismus sie den Vorzug geben: Möchten sie, dass ihr Kind biologisch, vegetarisch oder vegan betreut wird, bevor sie auf dem Rückweg eh bei McDonald's vorbeifahren? Es gibt Kindergärten, die diskriminieren Schweinefleisch, um nicht in den Verdacht zu geraten, sie wollten Muslime vergiften, es gibt Kindergärten, die gehen gerne in den Wald, andere betonen, dass sie behinderte Kinder in die Gruppe integrieren, die nächsten haben zwar keine behinderten Kinder, dafür aber mindestens dreißig Prozent spanische.

Jeder Kindergarten behauptet, dass die Vergabe der Plätze absolut diskriminierungsfrei erfolgt. Religion, Ernährung oder Nationalität spielen für die Vergabe der Plätze keine Rolle. Taufe ist nicht Pflicht für einen katholischen Kindergarten, vegetarische Ernährung nicht für einen biologischen, ein spanisches

Elternteil nicht für einen bilingualen. Offiziell. De facto sollte Ihr Kind aber für alle Fälle sowohl evangelisch als auch katholisch getauft sein und Sie sofort bereit, den Glauben zu Gunsten eines städtischen Kindergartens genauso abzulegen wie den Glauben an das Vergabesystem. Sorgen Sie dafür, dass Ihr Kind mindestens ein Pflaster auf der Brille hat und hinkt, wenn Sie es zum Bewerbungsgespräch mitnehmen. Es sollte dazu in der Lage sein auf Arabisch »Nimm ruhig mein Spielzeug, du bist ja Gast hier« zu sagen. Und selbstverständlich sind Mama und Papa glücklich miteinander verheiratet, auch wenn sie sich vor dem Familiengericht gerade die Schädel eingeschlagen haben.

Und wenn Sie all diesen Humbug über sich und über Ihr Kind haben ergehen lassen, dann entscheidet jede einzelne Kindergartenleitung am Ende frei Schnauze und völlig dezentral, welches Kind sie gerne hätte – und welches nicht.

Ohne meinen Achtsamkeitskurs hätte ich bereits nach dem zweiten Bewerbungsgespräch darauf bestanden, ab sofort nur noch meine Anwalts-Visitenkarte abzugeben und Emilys Kindergartenanspruch ohne diesen Konzept-Interesse-Vortäuschungs-Blödsinn am Ende aller Absagen einfach einzuklagen. Doch wie schrieb Joschka Breitner so schön?

»Achtsamkeit ist die unvoreingenommene Lebenseinstellung, die wir an Kindern so bewundern. Kinder leben im Moment. Ein im Spiel versunkenes Kind genießt den Augenblick. Lernen Sie unvoreingenommen zu sein wie ein Kind.«

Und wo konnte ich diese kindliche Unvoreingenommenheit besser anwenden als bei den Menschen, die meinem Kind diese Unvoreingenommenheit zielgerichtet bis zur Grundschule austreiben würden? Daher ging ich zu jedem Bewerbungsgespräch und machte überall eine unvoreingenommene Miene zum völlig verlogenen Spiel …

Katharina riss mich aus meinen Gedanken. »Lies jetzt endlich den Brief.«

Ich nickte, nahm den Brief und las:

Sehr geehrte Frau Diemel,
Sie und Ihr Mann haben sich bei unserer Elterninitiative um einen Kindergartenplatz für Ihre Tochter Emily beworben. Die entscheidende Sitzung über die Vergabe der Kindergarten-plätze fand am gestrigen Donnerstag statt. Wir haben uns gegen Ihre Tochter Emily entschieden. Ausschlaggebend war die Tatsache, dass Ihr Mann uns mit einer Räumungsklage ge-droht hat, weil ein Mandant von ihm aus unserem Haus einen Bordellbetrieb machen möchte. Mit einer solchen Klientel wollen wir nichts zu tun haben.
Mit freundlichen Grüßen

Ich guckte Katharina an. Sie guckte mich an. Das durfte ja wohl nicht wahr sein! Da hatte ich gerade durch den Mord an meinem Mandanten die Work-Life-Balance wiederhergestellt, und jetzt sollte diese von einem Kindergarten wieder aus dem Gleichge-wicht gebracht werden?

»Du, das mit der Räumungsklage ist Folgendes ...«, setzte ich an, doch sie ließ mich gar nicht ausreden

»Björn! Was du für deinen Dragan erledigst, musst du mit dir selber ausmachen. Hier geht es aber nicht um Dragan, hier geht es um Emily!«

Vor mir bäumte sich gerade eine Löwenmutter auf. Mit Lö-wenmüttern ist nicht zu spaßen. Ich versuchte die Löwenmutter mit allen vier Pranken wieder auf den Boden der Realität zu brin-gen. Ich hob beschwichtigend die Hände.

»Katharina, der Kindergarten stand bei uns auf Platz neunundzwanzig von einunddreißig. Die Chancen, dass der für uns mal wichtig werden würde, standen eins zu einunddreißig. Ich konnte doch im Leben nicht damit rechnen, dass es da mal zu beruflichen Komplikationen ...«

Wieder kam ich nicht weit.

Katharina fauchte mich an. »Da quälen wir uns durch diesen ganzen Platzvergabe-Schwachsinn, und am Ende scheitert es – mal wieder – an deinem verfluchten Mafia-Mandanten!«

»Aber ich versuche doch Beruf und Privatleben zu trennen ...«

Katharina riss mir den Brief aus der Hand und tippte mit dem Zeigefinger beinahe ein Loch in den Briefkopf. »Im Gegensatz zu dir sind diese Kindergarten-Gutmenschen hier ganz offensichtlich nicht dazu in der Lage, Beruf und Privatleben zu trennen. Die lehnen unsere Tochter ab, weil ihnen der Beruf des Vaters nicht passt. Vielleicht sollten die deinen Beruf mal kennenlernen?«

Die Löwenmutter fing an, die Krallen auszufahren. Und zwar nicht in meine Richtung. Sondern in Richtung Elterninitiative. Ich war also gar nicht der alleinige Böse. Allerdings war ich ein wenig überfordert mit der Frage, was das für Konsequenzen für mich haben würde.

»Und was willst du, dass ich jetzt tue?«, bot ich mich an.

Katharina sah mich wild entschlossen an: »Ich will, dass du das in Ordnung bringst. Wie auch immer.« Sie presste mir den Brief gegen die Brust. »Wer unsere Tochter ablehnt, weil er ihren Vater nicht mag, der soll Emilys Vater kennenlernen.«

»Wie ...soll das konkret aussehen?«

»Das fragst du mich? Frag doch mal deinen Dragan. Der ist dir was schuldig.«

»Bitte?« Ich glaubte, meinen Ohren nicht zu trauen.

»Du hast es geschafft, diese Menschen wegen Dragan gegen

unsere Tochter aufzubringen«, fuhr Katharina fort. »Jetzt überzeug sie davon, dass sie einen Fehler gemacht haben. Für Dragan kannst du das doch immer so gut. Das ist doch dein Job – ›Leute überzeugen‹. Oder?«

In der Tat war das mein Job. Und den beherrschte ich. Ich hatte halt nur so meine Probleme mit den Leuten, für die ich das tat. Für Emily Leute zu überzeugen wäre durchaus eine positive Perspektive. Aber dieser positive Gedanke wurde schnell wieder zunichtegemacht.

»Entweder Emily hat am Dreißigsten eine schriftliche Zusage, oder …«

Ich sah sie erschrocken an. »Oder?«

»Oder … ich ziehe mit Emily in eine andere Stadt. In irgendeine, wo man keine Klimmzüge am Hochreck machen muss, um einen Kindergartenplatz zu bekommen. Ich will irgendwann auch wieder selbst über meine Zeit bestimmen und arbeiten gehen können. Und wenn das hier nicht möglich ist, dann eben woanders.«

Das war eine ernst zu nehmende Drohung. Zöge sie mit Emily weg, würde ich halt sehen, wo ich bliebe. Katharina drohte mir schlicht mit weniger Emily-Zeit. Und um genau das Gegenteil zu erreichen, hatte ich gerade erst meinen Hauptmandanten getötet und meine Chefs erpresst. Aber das wusste Katharina schließlich nicht.

Aber ich war fast dankbar, dass es Katharina dann doch noch geschafft hatte, eine verdrießliche Atmosphäre zu schaffen. Und ich hatte kurzzeitig geglaubt, wir würden ein Elterngespräch auf Augenhöhe führen. Zu viel Harmonie aus dem Nichts heraus kann auch irritierend sein.

16 UNGEDULD

»Um zu vermeiden, dass man durch Ungeduld von der Achtsamkeit abgebracht oder beeinflusst wird, ist es hilfreich, sich der Ungeduld bewusst zu werden und sie anzuerkennen. Verurteilen Sie die Ungeduld aber nicht. Benennen Sie Ihren gewünschten Zustand: »Ich bin ruhig.« Lassen Sie es sein, sich in die Unruhe hineinzusteigern.«

JOSCHKA BREITNER,
»ENTSCHLEUNIGT AUF DER ÜBERHOLSPUR –
ACHTSAMKEIT FÜR FÜHRUNGSKRÄFTE«

DIE BESUCHSSITUATION ENTSPANNTE SICH dann doch noch, weil Katharina plötzlich verkündete, sie werde in der Stadt einen Kaffee trinken gehen, und zwar allein. Dies führte für mich zu der befreienden Lage, zwanglos den Rest des Nachmittages mit Emily im Garten verbringen zu können.

Als ich am frühen Abend wieder in meiner Wohnung war, fühlte ich mich restlos glücklich. Dieser eine freie Montagnachmittag als Vater im Garten hatte mir wieder mehr sinnstiftende Lebensfreude bereitet als die letzten zweiundfünfzig Montagnachmittage als Anwalt im Büro.

Ich war – und bin es ehrlich gesagt immer noch – ein Mensch, der gerne etwas zu tun hat. Zu viel sollte es nicht sein, das wusste ich nach Jahren auf der Überholspur dank Herrn Breitner mittlerweile. Aber gar nichts tun, war mir auch nicht möglich. Genau das ist aber die Krux bei der Achtsamkeit. Das schlechte Gewissen, jetzt irgendetwas erledigen zu müssen, steht der Achtsamkeit für die eigenen Bedürfnisse oft entgegen. In meinem Achtsamkeitsratgeber steht diesbezüglich der sinnvolle Satz:

»Suche nicht nach Aufgaben. Die Aufgaben finden dich.«

Oder anders formuliert: Wenn irgendwo ein Mandant im See untertaucht, taucht schon irgendwo ein anderes Problem auf. So gesehen, hatte mich jetzt eine neue Aufgabe durch Katharina gefunden. Sie lautet in ihren Worten: »Bring das in Ordnung.«

Oder geschäftsmäßiger: Ich musste Emily bis zum Ende des Monats einen Kindergartenplatz beschaffen, oder ihre Mutter würde mit ihr fortziehen. Und Katharina war es offensichtlich völlig egal, wie ich diese Aufgabe löste. Sie war nur am Ergebnis interessiert.

Während ich mit Emily im Garten gespielt hatte, hatte sich ein Teil meines Gehirns bereits mit der Lösung dieser Aufgabe beschäftigt. Es hatte mich in den letzten Jahren viel Zeit gekostet, Dragan davon zu überzeugen, dass es nur die halbe Miete war, einen Konkurrenten zu beseitigen. Wirtschaftlich sinnvoller war es, den Konkurrenten zu übernehmen. Wer den albanischen Drogenhändler erschießt, der hat dadurch keinen einzigen Kunden gewonnen. Wenn man aber alle Kunden des Drogenhändlers übernimmt, kann der sich anschließend selber erschießen.

In mir reifte der Gedanke, ob es nicht sinnvoller wäre, die gesamte Elterninitiative in Dragans Namen zu übernehmen, statt sie in Dragans Namen zu bekämpfen. Wie auch immer das anzustellen wäre. Ich brauchte dafür in jedem Fall Dragans Zustimmung. Nicht zuletzt, um seine Officer und Knochenbrecher davon zu überzeugen, dass die Idee, ausgerechnet *sie* sollten einen Kindergarten übernehmen, wirklich von Dragan stammte. Da Dragan tot war, musste sein Daumen diese Aufgabe übernehmen.

Ich ging also ins Badezimmer und schaute mir die Silikonform an. Der Daumen war völlig verfärbt und hatte auch seine ursprüngliche Form verändert. Das Silikon hingegen war unverändert und offensichtlich inzwischen fast vollständig getrocknet - aber sicher war ich mir nicht. Ich wollte endlich den Gips in die Form kippen, traute mich aber nicht, aus Angst, ich könnte die Silikonform beschädigen oder zerstören – nur weil ich zu ungeduldig war.

Da ich mich einfach nicht entscheiden konnte, ging ich ins

Wohnzimmer und nahm den Achtsamkeitsratgeber zur Hand. Ich blätterte ungeduldig bis zu einer Seite, auf der das Thema Ungeduld behandelt wurde.

»Um zu vermeiden, dass man durch Ungeduld von der Achtsamkeit abgebracht oder beeinflusst wird, ist es hilfreich, sich der Ungeduld bewusst zu werden und sie anzuerkennen. Verurteilen Sie die Ungeduld aber nicht. Benennen Sie Ihren gewünschten Zustand: ›Ich bin ruhig.‹ Lassen Sie es sein, sich in die Unruhe hineinzusteigern.«

Ich war mir meiner Ungeduld völlig bewusst, sonst hätte ich die Situation des Wartens schließlich genossen und keinen Grund gehabt, hektisch im Achtsamkeitsratgeber zu blättern. Wie sollte ich die Ungeduld nicht verurteilen? Sie ging mir gehörig auf den Zeiger. Aber vielleicht hatte Ungeduld tatsächlich auch etwas Gutes. Vielleicht war es gar nicht nötig, so lange mit dem Trocknen des Silikons zu warten. Vielleicht war Warten genau die falsche Einstellung. Ich sollte mir nicht von einer Tube Silikon und ein paar Heimwerkertipps aus dem Internet vorschreiben lassen, wie ich meinen Abend gestaltete. Achtsamkeit ist die liebevolle Wahrnehmung des Augenblicks. Und zwar voller Liebe zu mir selbst – nicht zu einer Tube Silikon. Mein Wunschzustand »Ich bin ruhig« würde sich sofort einstellen, wenn ich diesen gammelnden Daumen endlich entsorgen und dann weiter am Gipsabdruck arbeiten würde. Und ob das Silikon im Kernbereich noch Restfeuchte enthielt, war für meinen Gipsabdruck wohl kaum relevant.

Meine Ungeduld war also völlig berechtigt, weil das Warten wahrscheinlich völlig überflüssig war.

Ich atmete tief ein und aus. Ich spürte den Atem bis in meine beiden eigenen Daumen.

Um mich nicht weiter in die Unruhe hineinzusteigern, nahm

ich den für mich nunmehr überflüssigen fremden Daumen aus der Form, schmiss ihn ins Klo und betätigte die Spülung.

Schlagartig war meine Unruhe verflogen.

Dann nahm ich die Tube Silikon in die Hand und schaute mir das Daumen-Negativ an. Es sah wirklich gut aus. Die Rillen der Fingerabdrücke waren mit bloßem Auge zu erkennen. Auch die Narbe in Form eines »D« stach hervor.

Ich säuberte die Form von Öl und Daumen-Flüssigkeits-Resten und rührte den am Vormittag gekauften Gips an.

Unter leichtem Rütteln und Klopfen goss ich die dickflüssige Masse in die Silikonform. Und wartete erneut. Aber dieses Mal hatte die Warterei einen physikalisch absolut nachvollziehbaren Sinn.

Die Wartezeit nutzte ich, um mir im Internet die Homepage der Elterninitiative anzuschauen. Ich kannte diese Menschen ja schon vom Bewerbungsgespräch und von der angedrohten Räumungsklage. Für beides hatte ich mir allerdings keine tiefgründigen Gedanken über die verantwortlichen Personen oder die Vorgeschichte dieser Elterninitiative gemacht. Wenn ich diesen Menschen mit meiner Achtsamkeit ebenso erfolgreich einen Strich durch ihre Unachtsamkeit machen wollte wie Dragan, sollte ich mich vielleicht auch ein bisschen intensiver mit ihnen beschäftigen.

Die Elterninitiative mit dem behinderten Delfin als Logo und dem Wahlspruch »Wie ein Fisch im Wasser« war eine gemeinnützige GmbH und nicht als Verein organisiert. Das war erfreulich. In einem Verein entscheiden die Mitglieder. Mitglieder muss man einzeln überzeugen. In einer GmbH entscheiden die Gesellschafter. Gesellschafter ist, wer Anteile an der GmbH hat. Wer die meisten Anteile hat, hat am meisten zu sagen. Anteile aber kann man ohne jede Überzeugung kaufen. Lediglich den

Entschluss, die Anteile jemand anderem zum Verkauf anzubieten, muss man eventuell argumentativ unterfüttern. Eine GmbH ist gemeinnützig, wenn sie einem gemeinnützigen Zweck dient und ihre Gewinne ausschließlich dazu verwendet, diesen Zweck zu erreichen.

Die »Wie ein Fisch im Wasser gGmbH« hatte lediglich drei Gesellschafter. Das waren Eltern, die vor fünf Jahren gemeinsam ein Start-up gegründet hatten. Es sollten Flip-Flops aus alten Autoreifen produziert werden. Doch schon bald stellten sie fest, dass ihnen bei der Arbeit die Kinder im Weg herumkrabbelten, und da sie gerade im Gründungsfieber waren, gründeten sie die Aufbewahrungsstätte für den Anhang gleich mit.

Die drei Gründungsgesellschafter des Kindergartens waren Mitte/Ende dreißig. Wie ich ihrer Autoreifen-zu-Sandalen-Homepage entnahm, wollten sie »das Thema Nachhaltigkeit und Recycling wirtschaftlich besetzen«. Eine tolle Floskel um mit Dritte-Welt-Müll ein lukratives Geschäft zu machen.

Es waren Jungs aus einem Milieu, das nie bei der Bundeswehr gewesen war, aber Bärte aus dem Ersten Weltkrieg mit Frisuren aus dem Zweiten Weltkrieg kreuzte. Sie ernährten sich vegan, fuhren Hybrid-Autos und bliesen mit einem einzigen Business-Class-Flug nach Asien mehr CO_2 in die Luft, als ihre Autos in zehn Jahren einsparten.

Jedenfalls kauften diese Weltverbesserer alte Autoreifen in Pakistan auf, wo Kinder die Reifen ohne Schutzkleidung in meterhohen Schrottbergen von den Felgen zerrten. Dann ließen sie die Autoreifen nach Bangladesch liefern, wo andere Kinder sie ohne Handschuhe zu Sohlen und Riemchen zerschnitten. Die Sohlen und Riemchen wiederum wurden dann nach Sri Lanka gebracht, wo wieder andere Kinder sie ohne jeden Atemschutz zu Schuhen zusammenlöteten.

Die drei Herren hatten also keine Zeit für ihre eigenen Kinder, weil sie die Kinderarbeit in der Dritten Welt organisieren mussten.

Die Schuhe wurden dann von Sri Lanka aus nach Hamburg verschifft. In Hamburg angekommen hatte jeder Schuh, inklusive Material, Kinderarbeit und Transportkosten, gerade mal 2,39 Euro verursacht. Die netten Existenzgründer verkauften ihre Reifenschuhe dann für 69,95 Euro das Paar über hippe Boutiquen und über das Internet. Unter dem Namen »untired« wurde der Krempel als »nachhaltige Streetwear« angepriesen. Als Beitrag zur Müllreduzierung in der Dritten Welt. Wobei sich der reale Müllanteil durch den Gebrauch von Verpackungsmaterial verdreifacht hatte. Interessanterweise trugen vor allem Globalisierungsgegner gerne diesen asiatischen Sondermüll, der ohne Globalisierung und Kinderarbeit nie zu ihnen gefunden hätte.

Diese drei Herren jedenfalls waren die Gründer und Gesellschafter von »Wie ein Fisch im Wasser«. Sie waren dafür verantwortlich, dass Emily keinen Kindergartenplatz bei ihnen bekommen sollte, nur weil ihr Vater sein Geld als »Bäh«-Anwalt und nicht mit Kinderarbeit verdiente. Das waren für den Anfang erst mal eine ganze Menge Informationen, mit denen ich mich gedanklich beschäftigen konnte.

Nach einer Stunde Recherche hatte ich einen groben Plan. Nach einer weiteren war der Gips trocken. Ich holte ihn vorsichtig aus der Silikon-Form heraus. Ein perfekter Abdruck von Dragans rechtem Daumen. Mein Stempel für alle zukünftigen Entscheidungen. Ich säuberte die Silikonform und versteckte sie in meinem Putzschrank. Mit dem Daumen ging ich ins Wohnzimmer und holte die heute Vormittag gekaufte Boulevardzeitung hervor. Es war an der Zeit, meinen Plan zu konkretisieren und Dragan seine erste Anweisung verfassen zu lassen.

17 UNSICHERHEIT

»Unsicherheit und Sicherheit sind irrationale Gefühle, die Sie selber steuern können. Stellen Sie sich einen Ort vor, der Ihnen Sicherheit gibt. Umgeben von Menschen, denen Sie vertrauen. Spüren Sie, wie Sie sich selbst ein Gefühl der Sicherheit geben können.«

JOSCHKA BREITNER,
»ENTSCHLEUNIGT AUF DER ÜBERHOLSPUR –
ACHTSAMKEIT FÜR FÜHRUNGSKRÄFTE«

AM NÄCHSTEN TAG hatte ich bereits nach der ersten morgendlichen Atem-Übung das Aufhebungsangebot der Kanzlei in meinem E-Mail-Account. Es entsprach im Wesentlichen dem, was wir besprochen hatten. Ich fügte aus Prinzip ein paar Änderungen in den Entwurf ein und schickte ihn zurück. Ich bat darum, den geänderten Vertrag bis am Nachmittag um fünfzehn Uhr gegengezeichnet auf meinem Schreibtisch liegen zu haben. Daraufhin verfasste ich eine Erklärung im Namen Dragans, dass er die Kanzlei von Dresen, Erkel und Dannwitz von allen etwaigen Forderungen freistellen würde und in Zukunft – wie auch schon in der Vergangenheit – ausschließlich von mir betreut werden wolle. Dieses Schreiben druckte ich auf einem der von Dragan blanko unterschriebenen Blätter aus und verstaute es in meiner Aktentasche.

Dann ging's zum Treffen mit Sascha am Kinderspielplatz. Auch heute beschloss ich, den A8 vor meinem Apartment stehen zu lassen und meine neue, freie Welt zu Fuß zu erkunden. Ich hatte meine persönlichen Dinge bereits aus dem Wagen entfernt. Den Wagenschlüssel würde ich heute in der Kanzlei abgeben. Sollte die Kanzlei sich den Firmenwagen selber abholen und zum Leasingunternehmen zurückbringen, wenn sie Lust dazu hatte. Ich ließ mir von niemandem mehr aufzwingen, mit welchem Verkehrsmittel ich mich fortbewegte.

Wie sich herausstellte, hatte der Kinderspielplatz am Schloss-park drei enorme Vorteile für ein konspiratives Treffen. Zum einen war er vormittags von zahlreichen Tages-, und echten Müttern sowie Großmüttern nebst Kindern besucht. Es herrschte also ein permanenter Lärmpegel von jauchzenden Timos und Noemis sowie »Timo, Noemi, lasst das bitte«-rufenden Müttern. Wenn man sich bei dieser Geräuschkulisse auf eine Bank setzte, war bereits aus zwei Metern Entfernung niemand mehr dazu in der Lage, einen Gesprächsfetzen zu verstehen.

Vermeintlicher Nachteil: Auf diesem Spielplatz fielen zwei Männer auf wie zwei Drag-Queens auf einem Salafisten-Treffen. Daraus ergab sich aber gleich ein weiterer Vorteil: Entsprechend auffällig wären uns auch etwaige Beschatter erschienen.

Der dritte Vorteil war inhaltlicher Natur. Das, was ich mit Sascha besprechen wollte, als wir den Termin vereinbart hatten, hatte, zugegeben, viel mit Handgranaten und Toten zu tun. Seit gestern Nachmittag hatte sich die Themenliste allerdings ein wenig erweitert. Nun würde das Gespräch auch viel mit Kindern zu tun haben.

In Sachen Kinder war Sascha der perfekte Ansprechpartner.

Sascha war neunundzwanzig Jahre alt. Er war nicht sonderlich groß, aber drahtig gebaut. Er wirkte verschmitzt, verschlagen und immer einen Tacken ungepflegt. Nicht dreckig, aber so, als sei er vor zehn Minuten aus dem Bett gesprungen, würde unter seiner Kleidung noch einen Superhelden-Schlafanzug tragen und müsste sich noch kämmen und die Zähne putzen. Das führte dazu, dass Sascha von Fremden in der Regel unterschätzt wurde, was sich für manchen von ihnen als tödlicher Fehler herausgestellt hatte.

Vor sechs Jahren war Sascha aus Bulgarien nach Deutschland gekommen. Die ersten Jahre hatte er für Toni gearbeitet. Zunächst als Barkeeper, dann als stellvertretender Geschäftsführer. Sascha war intelligent und kannte bald jeden Türsteher, jeden Dealer und jede Prostituierte in Tonis Club. Es stellte sich heraus, dass sich Sascha auch gut mit Computern auskannte. Er war kein Nerd, aber innerhalb kürzester Zeit war er der Ansprechpartner für alle Viren- und Netzwerk-Probleme.

Was keiner wusste, war die Tatsache, dass Sascha tagsüber in die Uni ging, um dort seinen deutschen Abschluss zu machen. Aber nach drei Jahren musste Sascha feststellen, dass es ihm nicht möglich war, fünf Tage die Woche morgens um acht seinen Arbeitsplatz im Club zu verlassen, um dann um neun Uhr in der Uni zu sitzen.

Sascha schmiss daher die Uni. Um nicht völlig als Mafioso zu verblöden, entschied er sich aber dazu, eine Ausbildung zu machen, die er vormittags ohne großen Lernaufwand absolvieren konnte. Sascha wurde Erzieher. Er fragte Toni, ob er einen Job mit mehr Sonnenstunden haben könne. Dragans Fahrer war eine Woche vorher mit 120 km/h vor einer Grundschule geblitzt worden. Toni empfahl Sascha bei Dragan und verbürgte sich für ihn und nutzte die Chance, einen seiner Vertrauten in Dragans unmittelbarer Nähe zu platzieren. So lernten Sascha und Dragan sich kennen. Sascha war seinem jeweiligen Arbeitgeber gegenüber immer loyal und eignete sich von daher nicht als Informant für Toni. Das Verhältnis zwischen Toni und Sascha kühlte sich merklich ab.

Der Job war ideal für Sascha. Dragan schlief gerne lang und regelte seine Dinge tagsüber von zu Hause aus. Sascha wurde also meist erst am Nachmittag gebraucht und konnte sich tagsüber seiner Erzieher-Ausbildung widmen. Er machte nach drei Jahren einen hervorragenden Abschluss und erzählte Dragan erst davon, als er das Zertifikat in der Tasche hatte. Dragan lachte sich halb tot. Sascha und ich waren die einzigen Menschen mit direktem Zugang zu dem Mafiaboss, die über einen Hochschulabschluss verfügten. Aber Sascha hatte nun auch noch eine Ausbildung zum Erzieher. Dragan fing an, mir meine fehlende pädagogische Qualifikation vorzuwerfen, über die ja nun selbst sein Fahrer verfügte. So erfuhr auch ich von Saschas Zusatzqualifikation.

Als ich beim Spielplatz ankam, saß Sascha schon auf einer Bank und schaute den Kindern beim Toben zu. Ich setzte mich neben ihn.

»Schöner Ort«, begann ich das Gespräch.

»Wenn ich unschuldige Kinder toben sehe, kann ich am besten entspannen.«

»Gibt es denn auch schuldige Kinder?«, wollte ich wissen.

»Nein. Genauso wenig wie unschuldige Erwachsene. Jede Erfahrung lädt die Schuld ihrer Entstehungsgeschichte auf dir ab.«

»Bist du jetzt Pädagoge oder Philosoph?«

»Wer mit Kindern zu tun hat, macht da keinen großen Unterschied.«

»Das kenne ich von meiner Kleinen. Allerdings ist *sie* eher die Philosophin.«

»Super Mädel, die Emily. Wie geht's ihr?«

Ich rechnete Sascha hoch an, dass er Emilys Namen parat hatte.

»Klasse, hat das Wochenende am See genossen.«

»Und Dragan?«, wollte Sascha wissen.

»Dem geht's auch gut. Da er offiziell nie in meinem Kofferraum war, will er auch nicht, dass irgendjemand erfährt, wo er ihn verlassen hat. Aber wir stehen in Kontakt. Dragan hat dir ja gesagt, dass er will, dass die Geschäfte weiterlaufen, wie bisher. Die ersten Anweisungen von ihm habe ich dabei.«

»Das wird allerdings schwieriger als gedacht«, bemerkte Sascha.

Das war das Dumme mit Menschen, die sich mit Achtsamkeit nicht auskannten. Sie bewerteten alles.

»Wo ist das Problem?«

»Na ja …«, druckste Sascha. »Ehrlich gesagt, es sind eine ganze Reihe von Problemen.«

Als Freund der wertungsfreien Wahrnehmung und als jemand, der Singletasking zu schätzen wusste, bat ich Sascha, mir der Reihe nach einfach die Aspekte zu benennen, die er als problematisch beurteilte.

»Der Reihe nach? Gut, also: Tatsache ist, dass Dragan beinahe getötet worden wäre, dass ich beinahe getötet worden wäre, dass Igor getötet worden ist und dass Murat ebenfalls tot ist. Toni macht gerade ziemlich auf dicke Hose. Und wenn wir nichts unternehmen, steuern wir auf einen veritablen Bandenkrieg mit Boris zu.«

Dass Dragan und Sascha hatten getötet werden sollen, war mir neu. Doch auch sonst stand Saschas Beschreibung der Problemlage ein wenig im Widerspruch zu meinem Zustand tiefster Entspannung.

»Gut, fangen wir mal von hinten an: Was ist mit dem Bandenkrieg?«

»Boris ist sauer, dass Igor von Dragan erschlagen und verbrannt worden ist. Vor allem ist er sauer, dass sich Dragan deswegen nicht meldet, um sich zu entschuldigen. Boris erreicht dich ebenfalls nicht. Er hat mich jetzt wissen lassen, dass er erwartet, bis heute Abend entweder von dir oder von Dragan persönlich zu hören. Sonst wird er jeden Tag einen von Dragans Officern erschießen, bis der feine Herr bereit ist, mit Boris zu reden. Wobei er ab diesem Zeitpunkt auch keine Probleme hätte, Dragan, dich oder mich zu erschießen. Boris ist wirklich *stinksauer*.«

Damit war zu rechnen gewesen. Aber Boris würde sich besänftigen lassen. Er war Geschäftsmann. Jedes Menschenleben hatte für ihn einen Preis. Und der Preis für Igor ließ sich in Geld, Drogen oder neuen Reviergrenzen bezahlen.

»Das ist zwar nicht schön, aber nachvollziehbar. Bevor ich mich mit Boris treffe, würde ich allerdings gerne wissen, was genau auf dem Rastplatz passiert ist. Erzähl bitte von Anfang an.«

»Gut. Seit ein paar Wochen stimmen bei Toni die Zahlen nicht mehr. Die Umsätze brechen ein. Nicht dramatisch, aber so, dass man das nicht mehr ignorieren kann.«

»Und woran liegt es?«

»Toni behauptet, in seinem Revier würde jemand Stoff zum halben Preis verkaufen. Das würde ihm den Markt versauen.«

»Und was hat Dragan dazu gesagt?«

»Dragan vermutet, dass Toni einen Teil seines Stoffs auf eigene Rechnung verkauft. Er hat dafür aber keine Beweise und wollte das Ganze auf dem nächsten Officer-Meeting zur Sprache bringen, falls Toni bis dahin keine bessere Erklärung eingefallen wäre.«

»Und? Ist Toni eine bessere Erklärung eingefallen?«

»Eine Erklärung, ja. Aber nach den Vorfällen vom Freitag zweifle ich stark daran, ob die besser ist.«

»Was hat Toni euch erzählt?«

»Toni hat gesagt, er würde sich mal umhören. Ein paar Dealer unter Druck setzen, ein paar Knochen brechen und so. Und am Freitagabend ruft mich Murat an und erzählt mir, es wäre jetzt klar, wer dahintersteckt. Igor. Er würde mit Boris' Billigung sein eigenes Drogennetzwerk in unserem Revier aufziehen. Und Nachschub für den Stoff würde er noch am selben Abend da auf dem Parkplatz beziehen. Das wäre die Gelegenheit, um Igor zu erwischen. Und das wäre dann auch der Beweis, dass Boris Dragan verarscht.«

»Aha. Und warum hat Toni das nicht Dragan persönlich erzählt? Warum schickt er Murat damit zu dir?«

»Das frage ich mich auch. Höchstwahrscheinlich, damit er notfalls alles abstreiten kann. Falls was schiefläuft. Ist dann ja auch schiefgelaufen …«

»Wie ist es dazu gekommen?«

»Also. Wir sind auf dem Weg nach Bratislava. Ich bekomme den Anruf von Murat. Wir fahren daraufhin kurz zu dem Parkplatz. Wir sehen Igor und einen Typen in dem Van. Dragan brüllt Igor an, ich spritze ihm Benzin auf die Hose, Dragan zündet ihn an. Feuer unterm Hintern machen. Die übliche Nummer. Damit hätte es gut sein sollen. Ich hatte ja schon eine Decke zum Löschen in der Hand. Aber der angebliche Drogentyp zückt in dem Moment eine Handgranate und will aus dem Wagen springen. Anstatt Igor zu löschen, werfe ich die Löschdecke über den Typen und trete ihm die noch gesicherte Handgranate aus der Hand. Igor nutzt die Gelegenheit und rennt brennend aus dem Van. Der Van fängt Feuer. Dragan rennt hinterher. Ich sehe den Bus mit den Kindern kommen, schlage den Handgranaten-Idioten k. o. und hole unseren Wagen. Den Rest kennst du vom Video.«

»Euer Plan war also nur, Igor Feuer unterm Hintern zu machen, und gut ist?«

Sascha nickte. »Ja. Anschließend hätten wir Igor zu Boris gebracht und uns darüber unterhalten, wie sich Boris für den Scheiß entschuldigen könnte.«

Ich schüttelte den Kopf. »Manchmal nützt der beste Plan nichts.«

»Wie man's nimmt.«

Ich hörte da einen sonderbaren Unterton in Saschas Stimme. »Was meinst du?«

Sascha zögerte. »Vielleicht gab es noch einen anderen Plan.

Dragan war so in Rage, der hat bestimmt nicht darauf geachtet. Aber so wie es aussah, war der Typ mit der Handgranate nicht die Bohne überrascht über unser Erscheinen. Igor war eindeutig überrascht. Aber der Typ da hat eher den Eindruck gemacht, als hätte er nur auf uns gewartet. Um uns alle zu erledigen.«

Oha, da hatte ich wohl achtsam die Wespenkönigin getötet, während ein anderer ziemlich unachtsam den Finger in ihr Nest gesteckt hatte.

»Wer war der Typ?«

»Keine Ahnung. Nie gesehen. Und so, wie der in dem Wagen explodiert ist, ist von dem auch nichts mehr zu sehen.«

»Und was war mit den Drogen?«

»Das ist es ja. Da gab es keine Drogen. Gar nichts. Igor wollte auf dem Parkplatz wohl einen Waffendeal abschließen. Handgranaten.«

»Und was für einen Sinn sollte es haben, Dragan und dich in einen Hinterhalt zu locken? Wer hätte davon profitiert?«

»Toni natürlich. Und der Verdacht wäre nicht mal auf ihn gefallen. Außer Dragan und mir wusste niemand davon, dass er Ärger mit Dragan hatte. Wahrscheinlich hätte er sehr schnell Anspruch auf Dragans Erbe erhoben und die Dringlichkeit durch einen Bandenkrieg mit Boris unterstrichen.«

»Aber der Plan hat ja auch nicht funktioniert – falls es einer war. Dragan hat überlebt.«

Sascha zuckte mit den Schultern. »Aber alles andere hat geklappt. Igor ist tot. Boris ist stinksauer. Dragan ist untergetaucht, und Toni ist aus dem Schneider. Keiner denkt mehr an seine krummen Geschäfte, wenn Dragan glaubt, er sei von Boris in eine Falle gelockt worden.«

Verdammt, die Lage war verwirrender, als ich bislang gedacht hatte.

»Okay«, ich kniff die Augen zusammen. »Wenn Toni einen Bandenkrieg vom Zaun brechen möchte – wie passt dann die Ermordung von Murat ins Bild?«

Sascha schüttelte den Kopf. »Ich habe keine Ahnung«, gab er zu. »Aber nach dem Chaos auf dem Parkplatz hat mich Murat angerufen. Ganz kleinlaut. Wollte unbedingt Dragan sprechen. Wollte allerdings nicht sagen, worum es geht. Offensichtlich hatte er die Hosen randvoll. Ich habe ihm gesagt, er soll sich an dich wenden. Du bist Dragans Sprachrohr.«

»Das hat er getan. Er hat mir am Sonntagabend auf die Mailbox gesprochen. Er wollte, dass wir uns Montagmorgen am Wildgehege treffen.«

»Vielleicht hat er kalte Füße bekommen, weil er Dragan in die Falle geschickt hat. Vielleicht wollte er bei dir ein Geständnis ablegen.«

»Wenn er erschossen wurde, weil er Toni verpfeifen wollte, dann heißt das aber, dass Toni den Inhalt des Anrufes kannte. Ich befürchte zwar, abgehört zu werden, allerdings – von der Polizei.«

Sascha stutzte. Man sah ihm an, wie er eins und eins zusammenzählte. »Und wenn Toni einen Informanten bei der Polizei hat? Dann würde er an den Inhalt der abgehörten Gespräche kommen und das Ganze einen Sinn ergeben«, sagte er schließlich.

Ich nickte. »Gut möglich. Und dann wäre ich wahrscheinlich auch gleich mit draufgegangen, wenn ich mich mit Murat getroffen hätte. Toni braucht mich nicht, und er muss befürchten, dass ich davon erfahre, dass Dragan ihn auf dem Kieker hat.«

Sascha sah mich besorgt an. »Soll ich Walters Begleitservice für dich anheuern?«, fragte er.

Walter war in Dragans Firma der Officer für Waffenhandel. Sein legaler Deckmantel war ein Security-Unternehmen. Seine

Jungs und auch Mädels waren sehr effektiv, was Personenschutz anbelangte. Aber eine Rund-um-die-Uhr-Bewachung war im Moment das Letzte, was ich brauchte.

»Noch nicht«, sagte ich daher schnell. »Ich ... ich warte noch das Gespräch mit Boris ab. Außerdem muss ich all das, was du mir gerade erzählt hast, mit Dragan besprechen. Ich sag dir dann Bescheid.«

Eine kleine Pause entstand. Was vor allem daran lag, dass ich nicht wusste, wie ich nach den ganzen Intrigen-, Mord- und Rache-Themen jetzt zum Thema Kindergartenübernahme überleiten sollte.

Sascha nahm mir das Problem ab.

»Und, was hat Dragan für Anweisungen?«, fragte er.

Ich versuchte mir meine Nervosität nicht anmerken zu lassen, als ich Sascha die präparierte Boulevardzeitung vom Vortag übergab. Sie war versehen mit zahlreichen umrandeten Wörtern und Verbindungslinien. Und einem perfekten Daumenabdruck von Dragan.

Sascha begann, das Kunstwerk zu entziffern.

»Bordellpläne geändert. Übernehmen Elterninitiative. Binnen einer Woche. Bauen nicht Puff, sondern Kindergarten aus. Alles weitere über Anweisungen Anwalt.«

Sascha sah mich irritiert an.

»Hab ich Dragan beim Einsteigen den Kofferraumdeckel zu fest auf den Kopf geschlagen? Was hat das zu bedeuten?«

Der Lärm auf dem Spielplatz schien schlagartig verstummt zu sein. Ich hatte das Gefühl, als würden mich plötzlich alle Kinder anschauen und mir dieselbe Frage stellen. Und die Mütter der Kinder sahen mich empört an, warum ich ihren Kindern die Frage nicht beantwortete. Selbst die Vögel waren verstummt und warteten gespannt. Vor allem aber wartete Sascha auf eine

Antwort, und der würde sich nicht mit Ausflüchten abspeisen lassen.

Die Übernahme eines Kindergartens durch das organisierte Verbrechen war sicher eine tolle Chance für einen Vater, der für das organisierte Verbrechen tätig war und seine Tochter gerne optimal betreut wissen wollte. Sie war aber nicht direkt die Lösung des Problems, wie auf einen drohenden Bandenkrieg rund um einen untergetauchten und angeschlagenen Verbrecherboss zu reagieren wäre.

Kurz: Mich überkam ein Gefühl der Unsicherheit, ob ich in diesem Punkt Beruf und Privatleben tatsächlich unter einen Hut kriegen würde.

»Unsicherheit und Sicherheit sind irrationale Gefühle, die Sie selber steuern können«, schrieb Joschka Breitner dazu. *»Nehmen Sie sich in Gedanken aus der Situation heraus, in der Sie sich unsicher fühlen. Stellen Sie sich einen Ort vor, der Ihnen Sicherheit gibt. Umgeben von Menschen, denen Sie vertrauen. Spüren Sie, wie Sie sich selbst ein Gefühl der Sicherheit geben können.«*

Ich nahm mich also in Gedanken aus dem Spielplatz heraus. Ich stellte mir vor, ich säße mit Emily an meiner Seite auf dem Steg an dem Haus am See. Die Wärme des Holzes erfüllte meinen Körper und entkrampfte meine Muskeln. Das Plätschern der Wellen an den Bohlen beruhigte meine Nerven. Das Glitzern der Sonne auf dem Wasser kitzelte meine Sinne.

»Also, so abwegig ist der Gedanke doch gar nicht«, improvisierte ich. »Zum einen hat sich Dragan diese ganzen Intrigen-Gedanken um Toni bislang noch gar nicht gemacht. Wie du gesagt hast: Der hat den Handgranaten-Typen gar nicht so bewusst wahrgenommen.«

»Er weiß aber trotzdem, dass das Ganze hier kein Kindergeburtstag ist«, warf Sascha ein.

»Eben. Und deshalb ...«, ich nahm in Gedanken Emily in den Arm und spuckte eine Nuss ins Wasser, »deshalb will Dragan die Dinge selber in der Hand behalten. Er will sich, gerade weil er untergetaucht ist, nicht von anderen treiben lassen. Er will nicht reagieren, sondern agieren.« Na bitte, das klang doch ganz gut. »Und zwar so souverän«, fuhr ich fort, »als wäre gar nichts geschehen. Das Edelbordell, das Dragan geplant hat, ist ein Langzeitprojekt. Kurzfristig sperrt sich der Kindergarten gegen die Räumung. Also sollten wir ihn erst mal übernehmen. Kindergarten statt Bandenkrieg. Das ist ein Zeichen von Souveränität. Es wäre ein Zeichen von Unsicherheit, sich nicht um dieses Projekt zu kümmern, nur weil irgendjemand einen Bandenkrieg provozieren will.«

»Das wird dieser Jemand aber anders sehen.«

»Genau darum geht es Dragan. Dieser Jemand erwartet, dass Dragan alle Zukunftsprojekte einstellt und sich voll und ganz auf einen drohenden Bandenkrieg konzentriert. Soll sich dieser Jemand doch an Dragan abarbeiten.« Ich sah Sascha herausfordernd an. »Was machst du denn im Kindergarten mit Kindern, die aus der Reihe tanzen?«

»Manchmal ist es in der Tat hilfreich, Regelverstöße einfach zu ignorieren.«

»Na siehst du. Wenn Dragan jetzt also einen Kindergarten übernehmen will, anstatt sich einen Bandenkrieg aufzwingen zu lassen, werden wir ja sehr schnell feststellen, wer aufgrund dieser Gelassenheit nervös wird.«

»Aber was will er mit einem Kindergarten? Sollten wir uns nicht lieber um Drogen, Waffen und Nutten kümmern, wie gehabt?«

»Natürlich. Aber dafür braucht es keine neuen Anweisungen. Das läuft alles weiter, wie bisher. Der Kindergarten und das Edelbordell sind ein Politikum. Bis der Kindergarten wegen

Eigenbedarf aus dem Haus ist und bis alle Genehmigungen für den Puff da sind, vergehen Jahre. Wenn wir diese Elterninitiative übernehmen, können wir den Laden zu gegebener Zeit einfach still und leise dichtmachen.«

Diesen Teil wiederum glaubte ich selber nicht so ganz. Ich merkte, wie mein gedanklicher Steg leicht zu wanken begann.

»Aha. Die Übernahme eines Kindergartens ist jetzt unser dringendstes Problem und das Einzige, was Dragan auf der Seele brennt.«

»Das Einzige, was Dragan schriftlich kommunizieren möchte. Der Kindergarten ist ihm dumm gekommen ... Sieh mal, wenn uns ein konkurrierender Drogenring dumm kommt, dann zerschlagen wir ihn ja auch nicht, sondern übernehmen ihn. Der ganze Kundenstamm ist bares Geld wert.«

Mein Vergleich des Kindergartens mit einem Drogenring führte dazu, dass sich der Steg so stark neigte, dass ich dem See entgegenrutschte.

»Inwiefern ist der Kundenstamm eines Kindergartens Geld wert?«

»Na, ganz einfach ... also ... jedes Kind hat zum Beispiel in der Regel zwei Eltern. Über einen Kindergartenplatz hast du also drei Kontakte. Kind, Vater und Mutter. Eltern sind von einem guten Kindergartenplatz genauso abhängig wie ... wie Junkies von gutem Stoff. Die machen für dich, was du willst.«

Ich klammerte mich mit letzter Kraft an den Steg wie ein Fassadenkletterer. Aber Sascha schien davon nichts mitbekommen zu haben.

»Gut«, sagte er unvermittelt, »dann übernehmen wir den Kindergarten.«

Ich sah Sascha ungläubig an.

»Ich regle das. Kein Problem.«

»Wie bitte?« Erst jetzt bemerkte ich, dass ich mir alles weitere Gestammel sparen konnte. Der Steg war wieder im Lot.

»Ich rede mit den Leuten von der Elterninitiative.«

»Dragan will, dass das bis Anfang nächster Woche über die Bühne gegangen ist. Ein Gespräch mit den Betreibern sollte also noch diese Woche stattfinden.«

Ich stand erleichtert auf und gab Sascha einen Zettel mit dem Namen, der Adresse und der Telefonnummer von »Wie ein Fisch im Wasser«.

Sascha erhob sich ebenfalls. »Ich versteh zwar nicht, was der Zeitdruck soll, aber so ist Dragan halt. Klar. Binnen einer Woche. Aber sag Dragan bitte, dass ich einen Wunsch habe.«

Ich sah ihn fragend an.

»Wenn unser Syndikat jetzt ins Kindergartengeschäft einsteigt, will ich der Leiter dieser Unternehmenssparte sein.«

»Du willst…?«

»Siehst du hier sonst noch einen ausgebildeten Erzieher?«

Sascha war noch pfiffiger als gedacht. Als Leiter einer Unternehmenssparte in Dragans Kartell wäre Sascha Officer. Auf einer Ebene mit Toni. Was nicht von Nachteil war, wenn Toni hinter dem Anschlag auf Dragan steckte.

»Das wird kein Problem sein. Ich glaube, Dragan will das sowieso.«

Ich sah Sascha an, dass ihn diese Nachricht stolz machte. Endlich wurden seine Qualifikationen gewürdigt. Und sei es nur vom Gipsdaumen eines zerhäckselten Verbrechers.

»Dragan will noch diese Woche ein persönliches Treffen mit mir und allen Officern, in dem wir den neuen Kurs abstecken und mitteilen, dass ansonsten alles beim Alten bleibt.«

»Ich kümmere mich drum. Irgendein Terminwunsch?«, fragte Sascha.

»Frühestens am Donnerstag. Deine Theorie in Sachen Toni muss ich in Ruhe mit Dragan besprechen und eventuell die daraus nötigen Konsequenzen vorbereiten. Das geht nicht von heute auf morgen.«

Sascha trat neben die Bank, wo sich ein metallener Papierkorb befand. Er zündete das Zeitungsblatt an und ließ die verkohlten Überreste in den Korb fallen. Er sah versonnen die rauchende Asche an. Irgendetwas schien ihn zu bewegen.

»Das mit dem Kindergarten ist für Natascha vielleicht ein kleines Trostpflaster«, sagte er schließlich.

»Wer ist Natascha?«

»Bekannte von mir.«

»Was hat die mit dem Kindergarten zu tun?«

»Nichts. Aber mit dem Haus. Natascha wollte eigentlich in dem Edelbordell arbeiten, das es jetzt erst mal nicht geben wird.«

»Und warum sollte sie das mit dem Kindergarten dann freuen?«

»Wenn ich einen eigenen Kindergarten leite, kann sie ihre beiden Kleinen tagsüber da unterbringen. Wie du selbst sagst, von einem Kindergartenplatz sind vor allem die Eltern abhängig. Nicht die Kinder.«

Ich nickte. »Wer betreut denn bis jetzt ihre Kleinen?«

Sascha lächelte. »Ich.« Damit wandte er sich dem Geschehen auf dem Spielplatz zu. »Alexander, Lara«, rief er, »kommt, wir gehen.«

Alexander und Lara hörten aufs Wort und zogen mit Sascha ab. Der erste Kinderjunkie, der auf meine neue Droge abfuhr: Kindergartenplätze.

18 UNVERSCHÄMTHEITEN

»Es gibt Menschen, die kommunizieren offener, und es gibt
Menschen, die kommunizieren zurückhaltend. Zurückhaltende
Menschen empfinden offene Menschen schnell als unverschämt.
Anstatt sich vergeblich über die Unverschämtheit anderer
aufzuregen, lässt sich auch an der Diskrepanz zwischen den
Kommunikationsstilen arbeiten. Seien Sie weniger zurückhaltend
in der Äußerung Ihrer Wünsche. Und treten Sie der vermeintlichen
Unverschämtheit mit Klarheit entgegen. Die beste Antwort auf
eine unberechtigte Forderung ist: Danke, dass du deinen Wunsch
offen äußerst. Leider ist es nicht möglich, ihn zu erfüllen.«

JOSCHKA BREITNER,
»ENTSCHLEUNIGT AUF DER ÜBERHOLSPUR –
ACHTSAMKEIT FÜR FÜHRUNGSKRÄFTE«

ICH GING NOCH EIN WENIG im Schlosspark spazieren, um meine Gedanken zu ordnen. Ich musste Boris kontaktieren. Und ich musste herausfinden, was auf dem Parkplatz tatsächlich passiert war.

Es gab – außer mir – nur zwei Menschen, die ein Interesse daran gehabt hätten, Dragan auf dem Parkplatz zu töten: Boris und Toni. Boris, weil er Dragan als Konkurrenten ausschalten wollte. Toni, weil er Dragans Platz einnehmen wollte. Entweder stand also ein Bandenkrieg bevor oder eine Revolte. Beide Möglichkeiten konnten für mich als frischbebackenen Königsmörder gehörig in die Hose gehen, vor allem, wenn ich nicht hundertprozentig sicher war, wer dahintersteckte – Boris oder Toni. Würde ich gegen den Falschen vorgehen, konnte das üble Konsequenzen haben. Würde ich gar nichts tun, hätte das womöglich noch viel üblere Folgen. Mein grob gefasster Plan fußte deshalb auf der Überlegung, die beiden Herren sich einfach gegenseitig ausschalten zu lassen.

Boris war mal Dragans bester Freund gewesen. Toni war mal Dragans Schützling gewesen. Und Dragan war jetzt gar nicht mehr. Dragan war jetzt … ich. Ich hatte meinen eigenen Stress mit Dragan ziemlich achtsam beseitigt, hatte damit aber Dragans Stress als Dragan übernommen. Doch mit dem würde ich auch noch fertigwerden.

Noch während ich durch den Park spazierte und meinen Blick

über eine lange Pappelallee schweifen ließ, bekam ich eine SMS von Toni. Sie war wie Toni selbst: fordernd und unverschämt. »Wo ist Dragan?«

Was für ein Typ stellt so eine Frage? Entweder steckte Toni hinter der Falle vom Freitag. Dann war die Frage an Dreistigkeit nicht zu überbieten. Oder Toni steckte nicht dahinter. Dann war diese Frage an Dummheit nicht zu überbieten. Zumal in unverschlüsselter Form an ein Handy geschickt, das von der Polizei überwacht wurde. Oder *von* einem, das überwacht wurde. Im Zweifel traf beides zu.

Bevor ich übereilt und emotionsgeladen auf diese SMS mit einem »Tickst du noch ganz sauber?« reagierte, setzte ich mich in Ruhe auf eine der Allee-Bänke, machte drei tiefe Atemzüge und holte meinen Achtsamkeitsratgeber hervor. Ich hatte die Stelle, die sich dem Umgang mit unverschämten und dreisten Menschen widmete, in den letzten Wochen schon einmal gelesen, als ich mich über Dragan aufgeregt hatte.

»Es gibt Menschen, die kommunizieren offen, und es gibt Menschen, die kommunizieren zurückhaltend. Zurückhaltende Menschen empfinden offene Menschen schnell als unverschämt. Anstatt sich vergeblich über die Unverschämtheit anderer aufzuregen, lässt sich auch an der Diskrepanz zwischen den Kommunikationsstilen arbeiten. Seien Sie weniger zurückhaltend in der Äußerung Ihrer Wünsche. Und treten Sie der vermeintlichen Unverschämtheit mit Klarheit entgegen. Die beste Antwort auf eine unberechtigte Forderung ist: ›Danke, dass du deinen Wunsch offen äußerst. Leider ist es nicht möglich, ihn zu erfüllen.‹«

Schöner Ansatz. Wenn ich Toni jetzt unter den Augen der mitlesenden Polizei schreiben würde: »Danke, dass du wissen willst, wo ich Dragan versteckt habe. Leider hat mir Dragan gesagt, dass ich niemandem sagen soll, wo er ist«, dann hätte ich auf Tonis

Unverschämtheit sicherlich achtsam reagiert. Und gegenüber einer ebenso achtsam wie unverschämt mitlesenden Polizei eine Menge zu erklären. Ich entschied mich für einen Mittelweg. Ich nahm mir vor, derart offen zu kommunizieren, dass sowohl Toni als auch die Polizei mit meiner Antwort alles und nichts anfangen konnten. Ich antwortete Toni:

»Danke, dass du so offen fragst. Dragan ist in der Hermann-straße 41, 2. OG, bei Frau Bregenz (2x klingeln). Er will aber nicht, dass das an die große Glocke gehängt wird.«

Sollten die Polizei, Toni und meinetwegen auch Frau Bregenz unter sich ausmachen, welchen Informationswert diese SMS hatte. Und wenn Frau Bregenz dadurch Schwierigkeiten bekam... mein Gott, dann würde mich das natürlich freuen.

Während ich noch auf der Bank saß, rief ich in der Kanzlei an und fragte im Sekretariat nach, ob der Aufhebungsvertrag auf meinem Schreibtisch läge. Das wurde mir bestätigt.

Ich machte mich zu Fuß auf den Weg, um den Vertrag zu un-terschreiben. Vom Schlosspark aus war die Kanzlei bequem in dreißig Minuten zu erreichen. Um eine neue alte Gewohnheit aufleben zu lassen, trank ich vor dem Betreten des Bürogebäudes noch in aller Ruhe einen Kaffee bei McDonald's und kaufte mir dazu eine Boulevardzeitung. Um Punkt fünfzehn Uhr, fünfund-vierzig Minuten nach der SMS, war ich in meinem Büro. Der Aufhebungsvertrag lag tatsächlich – mit den gewünschten Än-derungen – unterschrieben bereit. Ich unterzeichnete ihn eben-falls und legte Dragans Erklärung mit in die Dokumentenmappe. Ab morgen würde ich nicht mehr Mitarbeiter von von Dresen, Erkel und Dannwitz sein. Die Mappe wollte ich als letzte Hand-lung in dieser Kanzlei, die mich zehn Jahre meines Lebens und viel-leicht auch meine Ehe gekostet hatte, zusammen mit dem Auto-schlüssel und meiner Zugangskarte zum Haupteingang persönlich mit einem Lächeln bei Frau Bregenz abgeben. Zusammen mit der Adresse, wo mein Firmenwagen geparkt war.

Am Empfangstresen stand allerdings keine Frau Bregenz. Bei meiner Ankunft hatte sie dort noch mit schlecht gelauntem Gesicht gestanden, um mich zu ignorieren. Jetzt lag sie *mit bleichem Gesicht und flachem Atem hinter* dem Empfangstresen. Umringt von zwei Rettungssanitätern. Und von allen Mitarbeitern, die gerade Zeit hatten. Unter anderem von Clara, der Referendarin.

»Was ist denn passiert?«, wollte ich wissen.

»Frau Bregenz ist zusammengebrochen«, gab Clara zur Antwort.

»Clara, im Hinblick auf Ihr in naher Zukunft anstehendes mündliches Examen wäre es sinnvoll, wenn Sie einen komplexen Sachverhalt in wenigen Worten zusammenfassen könnten. Dass Frau Bregenz zusammengebrochen ist, sehe ich selber. Wissen Sie auch, warum?«

»Sie ist angerufen worden, und dann ist sie zusammengebrochen.«

»Von wem ist Frau Bregenz angerufen worden?«

»Von der Polizei.«

»Das wissen Sie woher?«

»Weil ich den Krankenwagen anrufen wollte, und die Polizei war noch in der Leitung.«

»Und was hat die Polizei gesagt?«

»Dass die Polizei selber den Krankenwagen anruft.«

»Gut, Clara. Vielleicht hat die Polizei Ihnen auch verraten, was Frau Bregenz so aufgeregt hat, dass sie zusammengebrochen ist.«

»Ja. Also, die Polizei hat gesagt, dass in Frau Bregenz Wohnung gerade eine Handgranate explodiert ist. Kurz bevor ein Sondereinsatzkommando die Wohnung stürmen wollte.«

Noch eine Handgranate.

»Vielen Dank, Clara. Geht doch.«

Ich konzentrierte mich auf meinen Atem und auf das im Hier und Jetzt unzweifelhaft vorliegende Positive. Meine achtsame SMS war also angekommen und sowohl von Toni als auch von der Polizei gelesen worden. Tatsächlich einen Anschlag auf Dragan zu verüben, der sich vermeintlich ausgerechnet bei Frau Bregenz aufhalten sollte, war ebenso verblödet wie hektisch. Boris war nichts von alledem. Toni war beides. Das heißt, sofern Boris keinen Spitzel bei der Polizei hatte, konnte nur Toni hinter dem neuerlichen Anschlag stecken. Ich hatte also das, was achtsame Menschen schätzen: Klarheit. Ich wusste jetzt, wer der Auslöser der ganzen Probleme war. Dadurch wurden die Probleme allerdings nicht unbedingt kleiner.

Da Frau Bregenz mir für eine feierliche Übergabe nicht mehr zur Verfügung stand, legte ich die Unterlagenmappe mit dem Schlüssel in das Fach für interne Post. Mir wurde bewusst, dass ich vermutlich zum letzten Mal als Angestellter aus der Kanzlei ging. Während des Wegatmens der Handgranatenexplosion in Frau Bregenz' Wohnung wurde mir fröhlich und beschwingt. Was ging mich das Privatleben der Mitarbeiter meines ehemaligen Arbeitgebers an? Ich hatte eine sechsstellige Summe in bar, eine fast doppelt so hohe Abfindung vertraglich zugesichert und von heute an jede Menge Zeit für meine Tochter und ein stressfreies Leben. In meiner Wohnung war keine Handgranate explodiert. Gut, ich müsste noch Toni und Boris gegeneinander ausspielen, damit das auch in Zukunft nicht geschähe. Aber das würde sich ergeben.

Natürlich hatte ich keine Ahnung, dass diese Wogen nur die Vorläufer eines gewaltigen Sturms waren, durch den ich das Schiff, das ich eigentlich verlassen wollte, jetzt als Kapitän steuern musste, um nicht selbst zu ertrinken.

19 ZEITDRUCK

»Zeit ist relativ. Wie wir Zeit wahrnehmen, ist abhängig von unserer subjektiven Einschätzung der Situation, in der wir uns befinden. Das Empfinden von Zeitdruck ist somit nichts anderes als der Ausdruck von Anspannung.«

JOSCHKA BREITNER,
»ENTSCHLEUNIGT AUF DER ÜBERHOLSPUR –
ACHTSAMKEIT FÜR FÜHRUNGSKRÄFTE«

ICH HATTE KAUM DIE KANZLEI VERLASSEN, als ich eine SMS von Toni erhielt: »00035247315.«

Das war nach der »Wo ist Dragan?«-SMS und der Handgranate in der Wohnung von Frau Bregenz die nächste Unverschämtheit. Was glaubte dieser Typ eigentlich, wer er sei? Ich würde ihn bestimmt nicht auf irgendeinem Prepaid-Handy anrufen. Er hatte *mich* anzurufen. Solche Formfragen waren wichtig. Ich nahm mir vor, ihn noch ein wenig zappeln zu lassen und ihm erst im Anschluss den Code für mein neues Prepaid-Handy zu schicken, damit er mich anrufen könnte.

Im selben Moment klingelte auch schon mein offizielles Handy. Peter Egmann. Er wollte mich treffen. Sofort. Wir verabredeten uns im McDonald's. Weiter war ich noch nicht gekommen.

Zehn Minuten später kreuzte Peter auf. Er trat zu mir an den Tisch, wo ich bereits in Ruhe einen Muffin mümmelte und den imaginären See hinter dem McCafé-Tresen genoss. Peter hingegen war für einen ansonsten ziemlich coolen Polizisten sehr aufgebracht.

»Björn, was ist das für eine Scheiße?«

»Das ist keine Scheiße, sondern ein sehr erfolgreiches Schnellrestaurant.«

Er setzte sich. »Ich rede nicht von diesem Laden, sondern von dem Zustand eurer Frau Bregenz!«

Ich zuckte mit den Schultern. »Hatte anscheinend einen Schwächeanfall.«

Peter funkelte mich wütend an. »Nachdem sie erfahren hat, dass eine Handgranate durch ihr Wohnzimmerfenster geflogen ist. Wer steckt dahinter?«

»Woher soll ich das wissen?«

»Du hast Toni eine SMS geschickt, in der steht, dass Dragan in der Wohnung von Frau Bregenz ist!«

»Und? War er da?«

»Natürlich nicht.«

»Mal abgesehen von der Frage, auf welcher rechtlichen Basis ihr meine SMS lest – habt ihr ernsthaft geglaubt, was da stand?«

»Wir müssen jeder Spur nachgehen.«

»Dann fragt doch am besten den Typen, der die Handgranate geworfen hat, was der Scheiß sollte.«

»Der ist flüchtig.«

»Ach? Ich dachte, ihr hattet aufgrund der SMS schon ein SEK vor Ort. Musste das SEK erst ein SEK rufen, um den Typen zu fangen?«

»Die Lage ist ernst, Björn. Drei Tote und zwei Handgranaten-explosionen in vier Tagen. Und alle Taten stehen in Verbindung zu Dragan.«

»Ich aber nicht.«

»Ach nein? Einen Tag nachdem du mit deiner Tochter in dem Haus am See übernachtet hast, taucht Dragans Ring mitsamt Finger auf dem Terrassentisch der Nachbarn auf. Kannst du mir das mal bitte erklären?«

»Ist denn überhaupt klar, dass es Dragans Finger ist?«, konterte ich.

»Das ist eindeutig Dragans Siegelring von dem Video. Das

Stück ist ebenso geschmacklos wie einzigartig. Eine Spezialanfertigung.«

»Moment«, wandte ich ein. »Der Ring von Dragan ist keine Einzelanfertigung, sondern eine Paar-Anfertigung. Boris hat sich damals genau den gleichen Ring machen lassen.«

»Von Boris haben wir aber inzwischen erfahren, dass er noch alle zehn Finger hat.«

»Und seit Jahren trägt er an keinem dieser Finger diesen Ring.«

»Was willst du damit sagen?«

»Nun, wenn ihr noch nicht einmal wisst, wessen Ring ihr da gefunden habt, wie willst du dir dann sicher sein, wessen Finger an dem Ring hängt? Wer sagt dir, dass Dragan in diesem Moment nicht irgendwo in der Sonne am Strand liegt, mit zehn Fingern und seinem geschmacklosen Ring, und ihr Boris' Ring mit dem Finger eines Unbekannten in eurem Asservatentütchen habt?«

Als Strafverteidiger ist man nicht der Wahrheit verpflichtet, sondern man muss nur Zweifel säen. Und darin war ich schon immer ganz gut gewesen.

»Gut, der Punkt muss noch geklärt werden. Aber da wird uns das DNA-Gutachten sicherlich weiterhelfen. Leider ist das Labor völlig überlastet. Aber ich hoffe, das Ergebnis Ende der Woche zu bekommen.«

»Für ein DNA-Gutachten brauchst du zunächst einmal Vergleichs-DNA von Dragan. Kleiner Tipp vom Fachmann: Nimm eine Speichelprobe – die ist gerichtsverwertbar. Allerdings … wenn du Dragan das Wattestäbchen in den Mund steckst, kannst du ihn eigentlich auch gleich selber fragen, ob ihm ein Finger fehlt.«

Es war mir als Anwalt schon immer gelungen, jedes Gegenüber argumentativ an die Wand zu reden. Gut, meine ganzen schönen Argumente würden in dem Moment in sich zusammenfallen, in dem zweifelsfrei zu Dragan gehörendes Blut, Sperma oder Speichel mit der Finger-DNA verglichen werden würden. In allen anderen Momenten davor aber nicht. Und in diesem Moment war es eindeutig Peter, der sich lieber wieder auf sicheres Terrain retten wollte.

»Willst du gar nicht wissen, was wir bei der Hausdurchsuchung gefunden haben?«

Hatte ich doch irgendwelche eindeutigen Spuren meiner Leichenbeseitigung übersehen? Mir wurde kalt. Meine Kehle wurde trocken. Mein Nacken verspannte sich. Ich versuchte all das zu überspielen.

»Oh, doch. Was habt ihr gefunden?«

»Taucher haben eine goldene Uhr und eine Gürtelschnalle vor dem Bootshaus gefunden! Und beide sind ebenfalls auf dem Video zu sehen.«

Eine unendliche Erleichterung durchströmte mich. Die Uhr und die Gürtelschnalle waren Massenware. Bis auf die Sache mit dem Finger schienen mir dank meiner absichtsvollen Zentrierung bei der Beseitigung der Leiche also keine weiteren Fehler unterlaufen zu sein.

»Herzlichen Glückwunsch. Und wenn die Taucher weitergesucht hätten, hätten sie bestimmt auch noch antike Vasen oder die Reste von Atlantis entdeckt. Was hat das mit Dragan zu tun?«

Peter sah mich an, mit einem Blick, als hätte ich sie nicht mehr alle.

»Björn – dein Mandant steht im Mittelpunkt einer Mordermittlung. Und es ist nicht ganz ausgeschlossen, dass er selbst Opfer eines Verbrechens geworden ist. Zu einem Zeitpunkt und an einem Ort, der sehr viel mit dir zu tun hat. Ich verstehe überhaupt nicht, wie dich das alles so kaltlassen kann.«

»Achtsamkeit.«

»Was?«

»Atemübungen, Zeitinseln, bewusstes Handeln. Solltest du auch mal probieren.«

»Keine Zeit.«

»Irgendwann ist die Zeit auch bei dir reif für Achtsamkeit. Bis dahin fassen wir doch mal zusammen: Zu dem Finger gibt es noch nichts Konkretes. Sobald Dragan wiederauftaucht, kann er euch Finderlohn für eine Uhr und eine Gürtelschnalle zahlen. Und sonst? Keinerlei Hinweise auf den Urheber des Handgranatenanschlags?«

»Nur, dass es wohl der gleiche Handgranatentyp war wie am Freitag auf dem Parkplatz.«

»Ich muss dir deine Arbeit nicht erklären, Peter, aber den Anschlag kann nur verübt haben, wer den Inhalt meiner SMS an Toni kannte. Im Grunde musst du nur abklären, ob irgendwer bei euch den Inhalt der SMS an Boris weitergegeben hat.«

Peter wollte protestieren. Ich redete weiter: »Und wenn das nicht der Fall sein sollte, bleibt eigentlich nur noch Toni als Verdächtiger übrig.«

Damit erhob ich mich. Ich nahm mein Tablett. Peter blieb sitzen. Der Mann wirkte erschöpft und ausgezehrt.

»Du solltest was essen«, sagte ich zu ihm. »Ich empfehle das Happy Meal. Das Spielzeug der Woche ist ein Nachplapper-Vogel. Da wird sich dein Sohn drüber freuen. Aber pass auf, der Sprachchip hat manchmal einen Wackler. Nichts ist perfekt.«

Er knurrte bloß und winkte ab. Als ich mein Tablett abgeliefert hatte und mich zum Ausgang begab, war der Polizist bereits verschwunden. Ich hatte ihm gar nichts von meinem Ausscheiden aus der Kanzlei erzählt. Aber das wäre ohnehin erst ab nächster Woche offiziell.

Ich machte mich auf den Weg nach Hause. Während ich zu

Fuß durch die Innenstadt schlenderte, beschloss ich, später am Abend Boris einen Besuch abzustatten. Aber vorher musste ich mit Toni geredet haben. Ich hatte seine Nachricht jetzt lange genug ignoriert. Ich schickte ihm eine elfstellige SMS und bekam prompt einen Anruf auf dem Prepaid-Handy. Ich setzte mich auf eine Bank vor einem schmucklosen Siebzigerjahre-Brunnen mit schaumigem Geplätscher.

»Björn, warum meldest du dich nicht?«

»Mama? Bist du das?«

»Lass den Scheiß, Alter. Hier brennt die verdammte Hütte. Dragan ist nicht da, und du bist der Einzige, der zu ihm Kontakt hält. Wir brauchen jetzt sofort Entscheidungen, verstehst du? Sofort!«

»Hört sich nach Zeitdruck an.«

»Zeitdruck? Am Arsch. Uns fliegt alles um die Ohren, wenn Dragan nicht sofort ein paar Entscheidungen fällt. Und zwar zackig.«

»Donnerstag gibt es ein Officer-Meeting, da wird Dragan euch mitteilen, was nötig ist.«

»Scheiß auf Donnerstag. Donnerstag ist noch ein Leben weit weg. So viel Zeit haben wir nicht! Ich muss ihn sofort sprechen, hörst du? Sofort!«

Mein Achtsamkeitsführer hatte ein paar sehr klare Sätze zum Thema Zeitdruck:

»Zeit ist relativ. Wie wir Zeit wahrnehmen, ist abhängig von unserer subjektiven Einschätzung der Situation, in der wir uns befinden. Das Empfinden von Zeitdruck ist somit nichts anderes als der Ausdruck von Anspannung.«

Oder ein Zeichen dafür, dass hier jemand zum zweiten Mal damit auf die Schnauze gefallen war, seinen Chef umzubringen und deswegen sauer auf sich selbst war. Ich konnte mich in seine

Lage gut hineinversetzen. Mir war allerdings im ersten Anlauf gelungen, was er vergeigt hatte. Deswegen saß ich jetzt ohne jeden Zeitdruck auf der Bank vor dem rauschenden Brunnen und schaute einer Taube, einer kleinen Schaumkrone und einer auf der Oberfläche vor sich hin treibenden Pommes zu.

»Sag mal, Toni, kann es sein, dass du angespannt bist?«

»Da kannst du einen drauf lassen!«

»Warum ist das so?«

»Weil … weil … weil mein Boss vorhin zum zweiten Mal innerhalb von vier Tagen beinahe in die Luft gesprengt worden wäre … weil mein engster Mitarbeiter mit einem Kopfschuss im Wald lag … weil Boris unsere ganze Firma abschlachtet … Reicht das?«

Ich verfolgte mit den Augen, wie die kleine, dreckig-weiße Schaumkrone am Brunnenrand entlang von der Pommes wegtrieb.

»Richte dir mal eine Zeitinsel ein. Das hilft.«

»Willst du mich verarschen?«

»Ich will dir nur helfen.«

»Wenn du mir helfen willst, Alter, dann bring mich zu Dragan. Sofort.«

Ich hatte nicht die Absicht, mich von Toni unter Druck setzen zu lassen. Während die Taube versuchte, die labbrige Pommes aus dem Brunnen zu picken, ging ich zum Angriff über.

»Vielleicht kannst du mir erklären, wieso keine Stunde nach meiner SMS an dich die Wohnung von dieser Bregenz in die Luft geflogen ist.«

»Klar kann ich dir das erklären. Das kapiert doch jeder Hirni: Unsere scheiß SMS wurden abgefangen.«

»Und dann hat die Polizei da eine Handgranate reingeworfen?«

»Das ist doch offensichtlich, dass Boris einen Maulwurf bei den Bullen hat. Der hat das Boris gesteckt, und Boris' Leute haben

227

die scheiß Handgranate geworfen. Wir müssen sofort gegen Boris vorgehen.«

Die ganze Sofort-Hektik ging mir langsam auf den Zeiger.

»Das entscheidet immer noch Dragan. Und zwar frühestens am Donnerstag.«

»Nein! Du bringst mich vorher zu ihm!«

»Das entscheidest bestimmt nicht du.«

»Herr Anwalt, du warst am Wochenende in aller Seelenruhe mit deiner Kleinen am See, hast geangelt, bist geschwommen und hast scheiß Marshmallows gegrillt. Während ich hier bis zum Hals in der Scheiße stehe, um die Firma zu retten. Ich sag dir eins: Wenn du mir nicht sofort einen Kontakt zu Dragan herstellst, dann wird deine Tochter das nächste Wochenende zehn Zentimeter unter der Wasseroberfläche planschen. Haben wir uns verstanden?«

Die Schaumkrone am Brunnenrand war auf einmal nichts im Vergleich zu der Schaumkrone, die sich gerade um meinen Mund herum bildete.

Klar hatten wir uns verstanden. Toni hatte sich durch das Bedrohen meiner Tochter gerade einen Feind fürs Leben gemacht. In den letzten vier Tagen waren schon ganz andere für weniger gestorben. Außerdem hatte Toni mir gegenüber soeben zugegeben, dass er ganz offensichtlich einen Kontaktmann bei der Polizei hatte, sonst wüsste er nicht so gut über mein Wochenende Bescheid. Und wenn dieser Kontaktmann an die Daten meines Handys kommen konnte, wusste Toni von diesem Kontaktmann auch, dass sich Murat mit mir treffen wollte. Und wenn der Kontaktmann wusste, dass ein Finger mit Dragans Ring auf dem Nachbargrundstück gefunden wurde, dann würde auch Toni das früher oder später erfahren. Dass Toni von dem Finger nichts erwähnte, ließ mich darauf schließen, dass er entweder noch nichts davon wusste oder dass er noch irgendetwas in der Hinterhand behalten wollte.

Aber vor allem setzte mein mir mittlerweile vertrauter Achtsamkeits-Automatismus bei mir ein:

1. Ich bemerkte die Absicht dessen, was ich gleich tun wollte: Toni bedrohen.
2. Ich atmete einmal ein und wieder aus.
3. Ich fing ruhig und zentriert an, Toni verbal zu kastrieren.

»Ob wir uns verstanden haben, Herr Barkeeper? Lass mich das mal so zusammenfassen: Ich soll Dragan von dir ausrichten, dass du auf seine ausdrückliche Anweisung scheißt, gefälligst die Füße stillzuhalten und auf seine Instruktionen zu warten. Ich soll Dragan ausrichten, dass er sich gefälligst bei dir zu melden hat. Und ich soll dem kinderlieben Onkel Dragan ausrichten, dass du die Tochter seines Lieblingsanwalts umbringen willst, wenn er sich nicht an deine Wünsche hält. Wenn ich das alles so richtig verstanden habe, dann kann ich dir aus rechtlicher Sicht schon jetzt den Ratschlag geben, dir selber den Schwanz abzuschneiden und ihn so zuzubereiten, wie du ihn am liebsten magst, bevor du ihn isst. Ansonsten wird Dragan nämlich den Zeitpunkt und das Rezept bestimmen. Haben wir uns verstanden?«

Toni kannte mich so nicht. Aber er hatte auch noch nie vorher meine Tochter bedroht.

Nach einem langen Schweigen, sagte er schließlich: »Ich … also … es geht darum, dass … vielleicht kannst du Dragan einfach bitten, auf die Verhältnisse hier Rücksicht zu nehmen. Ich will nur, dass …«

»Wie sagt man?«

»Ich will nur, dass …«

»Du ›willst‹ nicht, du ›möchtest‹.«

»Gut, also, ich möchte nur, dass Dragan mir sagt, was zu tun ist.«

»So ist brav. Und dann wartest du auf Dragans Anweisungen – oder die nächste Handgranate kannst du dir als Zäpfchen einführen.«

»Ich … ich…«

»Noch was?«

»Hör mal, Björn, wenn Dragan lebt und du Kontakt zu ihm hast, dann entschuldige ich mich in aller Form bei ihm.«

Aha, geht doch. Ungewohnte Töne von dem Spacko. Leider beließ er es nicht dabei und legte mit weitaus gewohnteren Tönen nach. »Wenn Dragan aber nicht mehr lebt oder du gar keinen Kontakt zu ihm hast, dann bist du tot. Du hast bis zum Ende des Monats Zeit, mich zu Dragan zu bringen. Wenn das nicht geschieht, erlebst du den ersten Mai nur noch teilweise.«

Ich legte auf.

Jetzt hatte ich schon das zweite Ultimatum an der Backe. Bis zum 30. April musste ich auch die Sache mit dem Kindergartenplatz geregelt haben. Irgendwie setzte mich meine neue, achtsame Lebensführung unter einen sehr zentrierten Zeitdruck.

Ein erster Problemlösungsansatz, der sich mir aufdrängte, lautete: Toni musste weg.

Aber die Entscheidung musste ich nicht jetzt fällen. Vorher musste ich in jedem Fall Boris einen Besuch abstatten.

20 GENUSSVOLL ESSEN

»Achtsamkeit ist auch die Kunst, Alltägliches zu genießen. Zum Beispiel Essen. Essen regt alle Sinne an. Nehmen Sie sich ein alltägliches Lebensmittel und stellen Sie sich vor, Sie würden es zum allerersten Mal wahrnehmen. Wie sieht das Lebensmittel aus? Wie fühlt es sich an? Wie riecht es? Macht es Geräusche? Welche Gefühle nehmen Sie wahr, wenn das Lebensmittel Teil Ihres Körpers wird?

Genießen Sie die Nahrungsaufnahme mit allen Sinnen. Machen Sie Ihre eigene Erfahrung. Diese Erfahrung wird so richtig sein, wie sie ist.«

JOSCHKA BREITNER,
»ENTSCHLEUNIGT AUF DER ÜBERHOLSPUR –
ACHTSAMKEIT FÜR FÜHRUNGSKRÄFTE«

BORIS ZU KONTAKTIEREN war relativ einfach. Er aß quasi jeden Abend zur gleichen Zeit in seinem eigenen russischen Restaurant. Obendrüber hatte er seine Geschäftsräume. Untendrunter eine Diskothek. In das Restaurant kam man nur mit Reservierung oder mit Durchsuchungsbefehl. Oder auf Wunsch von Boris. Die Türsteher des russischen Restaurants durchsuchten mich nach Waffen und meldeten mich bei Boris an.

Zu Boris hatte ich einen recht guten Draht. Ich mochte ihn sogar ein wenig. Im Gegensatz zu Dragan war er nicht launisch. Was ihn nicht weniger grausam machte. Ganz im Gegenteil: Boris wusste genau, was er tat. Er fügte niemandem aus einem Impuls heraus Schmerzen zu. Sondern immer aus Berechnung. Er war Russland-Deutscher und im selben Stadtteil wie Dragan groß geworden. Beide waren sie in der Schule Außenseiter gewesen und hatten sich angefreundet. Sie prügelten sich mit denselben Assis, sie stellten denselben Mädchen nach. Sie begingen die ersten Straftaten gemeinsam, besorgten sich zusammen die ersten Drogen zum Verkaufen und schickten zusammen die ersten Mädels auf den Strich. Sie ließen sich vom ersten gemeinsam verdienten Geld die Siegelringe anfertigen.

Der Grund für ihre Trennung war ein sehr alltäglicher: Dragan hatte Boris die Freundin ausgespannt. Was nicht so alltäglich war, war Boris' Reaktion. Er ließ die Freundin enthaupten und nagelte den Torso an Dragans Haustür. Daraufhin stellte die Polizei erst mal Dragans Leben komplett auf den Kopf. Die beiden gingen fortan getrennte Wege. Boris nahm den Ring vom Finger, was Dragan leider nicht möglich war. Dragan und Boris teilten ihr Revier untereinander auf. Boris wusste, dass Dragan jederzeit bereit war, jede Grenze zu überschreiten. Dragan wusste, dass sich das in einer Weise rächen würde, die er nicht voraussehen würde. Es herrschte also ein Gleichgewicht des Schreckens und des Misstrauens.

Damit das Gleichgewicht nicht gestört wurde, wurden halbjährlich Gespräche geführt. Seit ich Dragans Anwalt war, nahm ich an diesen Konsultationen teil. Boris schätzte meine Arbeit, nicht zuletzt, weil ich ihm unter der Hand den einen oder anderen Tipp zur Legalisierung einzelner Geschäftssparten gegeben hatte. Das untermauerte den Burgfrieden. Aber Boris würde mich Dragan nie abwerben. Das tat man in diesem Milieu mit Anwälten genauso wenig wie mit Freundinnen. Ein Wissen, das mich in der Tat über die Jahre sehr beruhigt hatte. Es hätte mir wenig Spaß gemacht, wenn mich Dragan aus Rache kopflos an die Haustür von Boris genagelt hätte.

Wenn Dragan ein Baum von einem Mann war, war Boris ein Bär von einem Mann. Groß, behaart, voluminös. Er wirkte beleibt und gutmütig, bestand aber aus nichts als Muskeln, und hinter seinem rundlichen Gesicht wohnte ein eiskalter Verstand.

Boris saß an seinem Tisch und aß. Überall standen Teller und Schüsseln herum. Mit russischem Essen hatte ich noch nie etwas anfangen können. Ehrlich gesagt widerte es mich sogar an, wie Boris da genussvoll diese mir fremden Sachen in sich reinschlang.

Ich erinnerte mich an eine Übung von Herrn Breitner in Bezug auf Essen. Gerade Essen ist dazu in der Lage, allen Sinnen Genuss zu bereiten. Wir hatten dazu gemeinsam ein Stück Apfel gegessen und darauf geachtet, wie jeder einzelne Sinn geschärft wurde. Das war ein bisschen skurril, aber entspannend. Um den negativen Assoziationen des essenden Boris' etwas Positives abgewinnen zu können versuchte ich, diese Übung im Geiste mit Boris und seinem Essen durchzuführen.

Nehmen Sie sich ein alltägliches Lebensmittel und stellen Sie sich vor, Sie würden es zum allerersten Mal wahrnehmen. Wie sieht das Lebensmittel aus?

Für mich sah russisches Essen immer aus, als hätte ein Chinese beim Italiener gegessen und es dann über einen Teller mit deutschen Spezialitäten erbrochen. Überschaubare Portionen säuerlicher Matsche mit Teig und Gemüse, aus der immer wieder mal eine erkennbare Kartoffel oder ein Stück Fleisch hervorguckte. Ich war noch nie ein Freund von Eintöpfen gewesen. Boris liebte Eintöpfe.

Wie fühlt es sich an?

Der Soße nach zu urteilen, die von Boris offenbar unbemerkt an seinem Kinn heruntertropfte, musste sich das Essen wie eine zweite Haut anfühlen. Warm, geschmeidig, sanft.

Wie riecht es?

Es roch wie Sonntagnachmittag im Treppenhaus eines Mehrparteien-Hauses. Zig Gerüche, die nicht zusammenpassten.

Macht es Geräusche?

Ja. Zumindest in Boris' Mund. Es hörte sich an, als würde jemand mit einem edlen Wildleder-Slipper in ziemlich dünnflüssige Kuhscheiße treten. Man musste genau hinhören, aber exakt das war das Geräusch.

Welche Gefühle nehmen Sie wahr, wenn das Lebensmittel Teil Ihres Körpers wird?

Ein Gefühl der Dankbarkeit überkam mich, dass dieses Lebensmittel *nicht* Teil meines Körpers wurde.

Genießen Sie die Nahrungsaufnahme mit allen Sinnen. Machen Sie Ihre eigene Erfahrung. Diese Erfahrung wird so richtig sein, wie sie ist.

Zumindest machte ich die Erfahrung, dass ich jetzt dank der kleinen Achtsamkeitsübung alle meine Sinne einmal gedehnt und aufgewärmt hatte, bevor ich sie beim Gespräch mit Boris würde brauchen können.

»Björn!«, begrüßte er mich. »Ich weiß es zu schätzen, dass du persönlich vorbeikommst.« Ich wusste, dass Boris das ernst meinte. »Möchtest du etwas essen?«, fragte er und zeigte auf die Gerichte auf dem Tisch.

»Danke, nein. Ich …«

»Erzähl mir nicht, du hast schon gegessen.«

»Nein. Ich habe noch nicht gegessen. Ich hasse russisches Essen.«

Boris lachte. »Du weißt, dass ich eine mutige Wahrheit lieber mag als eine feige Lüge. Leider entgeht dir dabei ein hervorragender Genuss.«

Ich lächelte höflich.

Boris wurde wieder ernst. »Lass uns gleich zur Sache kommen«, sagte er. »Warum ist der rückgratlose Hund Dragan nicht selber gekommen?«

»Er ist … untergetaucht.« Das war keine Lüge. Er ist halt nur nicht als Ganzes untergetaucht, sondern in Teilen.

»Er versteckt sich vor mir.«

»Er geht der Polizei aus dem Weg.«

»Und versteckt sich vor mir.«

»Und er versteckt sich vor dir. Aber ich habe das hier für dich.«

Ich gab Boris eine Seite einer Tageszeitung von gestern. Die Seite war ebenfalls mit Kringeln und Linien überzogen. Am unteren Rand befand sich der Fingerabdruck mit dem vernarbten »D«. Boris nahm die Zeitung verächtlich entgegen.

»Wie in den guten alten Zeiten?«

Boris hatte in seinem rechten Daumen ein vernarbtes »B« eingebrannt. Er hatte die Zeitungsmethode in einem früheren Leben gemeinsam mit Dragan erfunden.

»Wenn das eines von Dragans Kreuzworträtseln ist, dann kann er sich folgendes Lösungswort in den Arsch tätowieren lassen: ›Brenn in der Hölle!‹«

Dennoch las Boris die insgesamt drei Sätze, die sich den Kringeln entnehmen ließen.

»Igors Tod bedauerlich. Parkplatz war Falle. Anwalt hat volle Verhandlungsvollmacht.«

Boris nahm die Zeitungsseite, entzündete sie an der Tischkerze und hielt sie vor mir in die Höhe.

»Wenn ich das Video richtig in Erinnerung habe, dann brannte Igor wesentlich länger als diese Zeitungsseite.« Boris ließ die Asche der Zeitung in einen Weinkühler rieseln. »Und Igor wurde auch nicht mit Wasser gelöscht, sondern brennend totgeschlagen. Das ist in der Tat sehr bedauerlich.«

Boris schaufelte sich eine Gabel voll Essen in den Mund. Er kaute eine Weile.

»Also schön«, sagte er schließlich und sah mich an. »Dragan behauptet also, auf dem Parkplatz in eine Falle gelockt worden zu sein?«

Ich nickte.

»Und er hat Igor nicht umbringen wollen, sondern das war ein Kollateralschaden.«

Ich nickte erneut.

»Gut.« Boris setzte ein erkennbar falsches Lächeln auf. »Wenn er davon überzeugt ist, dann … lass mich überlegen … ja, dann kann er ja nichts dafür, dass Igor jetzt ein Häufchen verprügelte Asche ist. Dann hat sich die Sache ja erledigt. Sag Dragan also bitte, er kann aus seinem Versteck herauskommen und wir backen bei nächster Gelegenheit gemeinsam ein paar Blini.«

»Sind das nicht diese kleinen russischen Pfannkuchen?«

Boris wurde wieder ernst. »Diese kleinen russischen Pfannkuchen werden das Letzte sein, was Dragan durch den Kopf geht. Bevor ich ihn enthaupte.« Fast schon gelangweilt schob sich Boris die nächste Gabel in den Mund.

»Boris – lass uns über Vergeltung später reden. Wenn Dragan in eine Falle gelockt worden ist, dann ist der dafür Verantwortliche auch verantwortlich für Igors Tod. Wenn der Typ gefunden ist, könnt ihr euch gemeinsam an ihm rächen.«

Boris hörte auf zu kauen. Er schluckte den letzten Bissen herunter, legte die Gabel beiseite und tupfte sich mit der Serviette den Mund ab. Ich hatte endlich seine Aufmerksamkeit. »Tun wir mal so, als hätten Dragan und ich gemeinsame Interessen. Was ist deiner Meinung nach auf diesem Parkplatz geschehen?«

Seine Frage wertete ich als gutes Zeichen. Ich holte tief Luft. »Seit Wochen wurde in Dragans Revier angeblich Stoff zum halben Preis verkauft.«

»Hab ich nichts mit am Hut«, sagte Boris ab. Es klang wie eine sachliche Feststellung, nicht wie eine Rechtfertigung.

»Sascha hat von Murat einen Anruf bekommen«, fuhr ich fort.

»Wer ist Murat?« Boris sah mich aufrichtig ratlos an.

»Kleiner Gangster von Toni. Muss dir nichts sagen. Jedenfalls hat Murat gesagt, dass auf diesem Autobahnparkplatz Igor von einem Typen eine Drogenlieferung für Dragans Revier bekommt. Sascha und Dragan sind dort hingefahren. Igor war da. Der Typ war da.«

»Waren auch Drogen da?«, wollte Boris wissen.

»Nein, aber eine Kiste Handgranaten.«

»Dann sollten wir diesen Murat fragen, warum er so eine Scheiße erzählt.«

»Würde Dragan gerne tun, aber Murat wurde gestern Morgen erschossen aufgefunden.«

Boris nahm seine Serviette in beide Hände und faltete sie zweimal. Er dachte nach. »Und was sagt Toni dazu?«

»Der will, dass Dragan jetzt gegen dich in den Kampf zieht. Er hat schon gedroht, dass meiner Tochter etwas geschieht, wenn er nicht sofort Kontakt zu Dragan bekommt.«

»Und was meint Dragan?«

»Der hat es nicht so gern, wenn die Tochter seines Anwaltes bedroht wird. Ich mag das im Übrigen auch nicht.«

»Wer mit Dragan reden will, sollte vielleicht einfach dich umbringen. Dann hat Dragan kein Sprachrohr mehr und muss auftauchen.«

So hatte ich das noch gar nicht gesehen. Blöde Situation. Aber noch war ich ja das Sprachrohr. Also sprach ich.

»Für Dragan hast du Priorität. Nicht Toni. Dragan will keinen Krieg mit dir, Boris. Er will zunächst mal Klarheit zwischen euch.«

Boris sah mich an. Es war offensichtlich, welche Schlüsse er aus meinen Worten zog: Dragan lebt. Dragan hat Schiss. Dragan hat ein internes Problem.

Boris schob seinen Teller zur Seite und machte somit optisch reinen Tisch vor uns.

»Du hast offen mit mir gesprochen, dann will ich auch offen zu dir sprechen, Herr Anwalt. Igor hat ein sehr günstiges Angebot für französische Handgranaten bekommen. Ist normalerweise nicht unser Ding. Als Kriegswaffe taugen die nichts. Aber um sie in einen Club der Konkurrenz zu schmeißen, in dem in Zukunft

unsere Drogen vertickt werden sollen, sind sie ab und zu brauch-
bar. Igor kannte weder die Ware noch den Typen. Das war ein
erstes Treffen.«

»Und Igors letztes.«

Das hätte ich besser nicht gesagt.

Boris runzelte bedrohlich die Stirn. »Igor war einer meiner
wichtigsten Männer. Und noch habe ich keinen Beweis dafür,
dass Dragan mir nicht ins Handwerk pfuschen wollte.«

Ich hob beschwichtigend die Hände. »Boris, Dragan ist genauso verarscht worden wie Igor. Wir gehen davon aus, dass alle
drei, Dragan, Sascha und Igor, an dem Abend dran glauben sollten. Dafür sollte der Typ mit den Handgranaten sorgen. Aber
dann kam der Bus mit den Kindern.«

»Wer ist für diesen Mist verantwortlich? Ich will einen
Namen!«

Es war das eine, dass wir beide wussten, von wem die Rede
war. Von Toni. Es war etwas völlig anderes, wenn ich diesen Namen offiziell aussprächе. Boris würde sich Toni sofort holen.
Und bevor er das tat, sollte ich als eigene Lebensversicherung
besser den Rest von Dragans Officern davon überzeugt haben,
dass Toni wegmusste. Dafür brauchte ich Beweise. Und dafür
brauchte ich Zeit.

»Gib mir ein wenig Spielraum und ich…«Boris ließ mich nicht
ausreden. »Ich gebe Dragan sechs Tage. Dann sagt er mir klipp
und klar, wem ich den toten Officer zu verdanken habe. Du
servierst mir dieses Schwein. Mit einem Apfel im Mund. Ich
hänge ihm dann persönlich ein paar Handgranaten an den Sack.
Andernfalls…«

Ich war ganz Ohr.

»Andernfalls hänge ich dir ein paar Handgranaten um den
Hals. Vielleicht motiviert dich das ja.«

»In sechs Tagen?« Ich tat so, als müsste ich überlegen. Ich tat so, als hätte man mir nicht bereits zweimal den 30. April als ultimative Frist gesetzt. »Das ist ja schon ... Montag.«

»Ganz genau. Nächsten Montag hast du mir den Verräter übergeben. Andernfalls bist du tot.«

Sechs Tage. Das war nicht einfach, aber machbar. Ich spürte eine gewisse Erleichterung. »Mach dir keine Sorgen«, sagte ich. »Ich bring dir den Typen. Sonst noch was?«

»Und dann bringst du mich zu Dragan.«

Die Erleichterung war Geschichte. »Wie bitte?«

»Ich muss mit dem Feigling ein paar Takte reden. Damit so etwas nicht noch mal vorkommt.«

»Ja, aber ... wie stellst du dir das vor? Dragan wird polizeilich gesucht.«

»Das ist deine Aufgabe, dir das vorzustellen. Wenn ich bis nächsten Montag nicht mit Dragan gesprochen habe, bist du tot.«

Inzwischen fragte ich mich, ob mein Leben nicht einfacher verlaufen wäre, wenn ich mich bereits am letzten Samstag von Dragan hätte umbringen lassen. Aber gut, hatte ich halt ein weiteres Problem, das es bis Montag zu lösen galt.

»So, dann hätten wir wohl alles Geschäftliche besprochen.« Boris sah mich freudestrahlend an. »Wie wäre es mit einem Stück Petersburger Torte zum Nachtisch?«

21 PANIK

»Mit folgender Achtsamkeitsübung können Sie eine Panikattacke
lindern: Suchen Sie sich einen ruhigen Ort in Wohnung, Haus oder
Büro, an dem Sie nicht gestört werden. Ideal wäre ein Blick in
den Garten oder auf einen Baum. Bevor Sie starten, lockern Sie
ggf. enge Kleidung, Gürtel oder Schuhe. Nehmen Sie die Außenwelt,
in der Sie gerade sind, wahr.
Zählen Sie langsam im Geiste fünf Dinge auf, die Sie gerade sehen
können. Danach konzentrieren Sie sich auf fünf Dinge, die Sie
hören können (z. B. Geräusche oder Stimmen).
Wenn möglich, fixieren Sie mit Ihren Augen einen festen Punkt.
Nehmen Sie nun wahr, wie Ihre Füße vom Boden getragen werden.
Wie Ihre Beine fest auf Ihren Füßen stehen. Wie Ihr ganzer
Körper von Boden, Füßen und Beinen getragen wird. Spüren Sie
Ihr Gewicht auf dem Boden nach, und verdeutlichen Sie sich vor
Ihrem geistigen Auge, dass nichts Sie umwerfen kann.«

JOSCHKA BREITNER,
»ENTSCHLEUNIGT AUF DER ÜBERHOLSPUR –
ACHTSAMKEIT FÜR FÜHRUNGSKRÄFTE«

AM NÄCHSTEN MORGEN hätte ich mangels beruflicher Verpflichtungen eigentlich ausschlafen können. Unangenehmerweise wurde ich aber um 8.30 Uhr von einer Explosion vor meinem Haus geweckt. Meine Achtsamkeit konsequent praktizierend, setzte ich mich zunächst aufrecht im Bett hin und atmete dreimal tief durch. Anschließend öffnete ich die Jalousie und schaute auf die Straße. Tatsächlich, dahinten brannte mein ehemaliger Firmenwagen. Das gesamte Heck war zerfetzt und stand in Flammen, schwarzer Qualm stieg auf. Der Rest des Wagens schien unversehrt zu sein, wurde aber mit jeder Sekunde mehr ein Opfer des Feuers. Vor den Trümmern des lodernden Wagens stand, kreidebleich und in viel zu enger Designerkleidung, die paralysierte Referendarin Clara, die offenbar im Rahmen ihrer Referendarsausbildung den Auftrag bekommen hatte, einen Leasingwagen zurückzuholen. Das war jetzt die dritte Explosion innerhalb von fünf Tagen. Die ersten beiden hatten Dragan gegolten. Ich musste davon ausgehen, dass diese hier nicht Clara galt, sondern mir. Toni wollte offenbar seinen Worten von gestern Nachdruck verleihen. Das war ihm gelungen. Mein Herz raste, ich war am ganzen Körper schweißnass. Das war keine Angst – das war Panik.

Ich griff schnell nach meinem Achtsamkeitsratgeber und schlug das Kapitel mit einer Übung gegen Panik auf. Dort stand:

»Suchen Sie sich einen ruhigen Ort in Wohnung, Haus oder

Büro, an dem Sie nicht gestört werden. Ideal wäre ein Blick in den Garten oder auf einen Baum. Bevor Sie starten, lockern Sie ggf. enge Kleidung, Gürtel oder Schuhe.«

Das war einfach. Ich stand ja schon am Fenster meines – bis auf die Explosion – ruhigen Schlafzimmers, das auf eine ruhige, grüne Straße hin zeigte. Ich sah auf einen Vorgarten mit Fahrzeugtrümmern. Und ich sah auf der anderen Straßenseite einen Baum, an dem ein brennender Hinterreifen hing. Ich trug bequeme Boxershorts und ein T-Shirt. Ich war barfuß. Ich las weiter.

»Nehmen Sie die Außenwelt, in der Sie gerade sind, wahr.«

Ich war in einer ruhigen Wohnung mit angenehm kühlen Granit-Fußboden. Mein Zimmer war minimalistisch möbliert und sehr aufgeräumt. Vor dem Fenster sah es aus, als wäre dort eine Bombe explodiert. Was daran lag, dass dort gerade eine Bombe explodiert war.

»Zählen Sie langsam im Geiste fünf Dinge auf, die Sie gerade sehen können.«

Ich sah einen brennenden Reifen in einem Baum. Ich sah ein brennendes Fahrzeugheck. Ich sah einen verbogenen Kofferraumdeckel. Ich sah eine leichenblasse Referendarin, und ich sah Glassplitter im Umkreis von zwanzig Metern um den Wagen herum.

»Danach konzentrieren Sie sich auf fünf Dinge, die Sie hören können (Geräusche oder Stimmen).«

Ich konzentrierte mich auf das Piepen zahlreicher Auto-Alarmanlagen, die offensichtlich von der Explosion ausgelöst worden waren. Ich hörte das prasselnde Knistern der Flammen, die die Rückbank des A8 zerfraßen. Jetzt hörte ich das Explodieren des Benzintanks. Ich hörte, wie der brennende Reifen vom Baum auf die Straße plumpste, und ich hörte ganz zuletzt ein hysterisches Kreischen der Referendarin.

»Wenn möglich, fixieren Sie mit Ihren Augen einen festen Punkt.«

Ich wollte zunächst die Referendarin fixieren. Die fing dann aber an, planlos hin und her zu rennen. Also fixierte ich das Autowrack selber. Was nicht ganz einfach war, da seine Konturen durch die schwarzen Rauchwolken, die aus ihm aufstiegen, immer wieder verwischt wurden.

»Nehmen Sie nun wahr, wie Ihre Füße vom Boden getragen werden. Wie Ihre Beine fest auf Ihren Füßen stehen. Wie Ihr ganzer Körper von Boden, Füßen und Beinen getragen wird.«

Ich nahm all das wahr. Ein schönes Gefühl.

»Spüren Sie Ihrem Gewicht auf dem Boden nach, und verdeutlichen Sie sich vor Ihrem geistigen Auge, dass nichts Sie umwerfen kann.«

In der Tat: Mich konnte nichts umwerfen.

»Lenken Sie nun Ihre Aufmerksamkeit der Atmung zu. Atmen Sie ruhig und gleichmäßig.«

Ich atmete zwei Minuten lang ruhig und gleichmäßig. Meine aufkommende Panik war vorbei. Die Autoalarmanlagen waren verklungen. Die Referendarin war von Passanten zu Boden geworfen worden, die jetzt beruhigend auf sie einredeten. Eine einfache Achtsamkeitsübung hatte die Situation geklärt. Ich konnte mich also wieder praktischen Fragen widmen. Was war jetzt zu tun?

Da ich Peter von der Mordkommission eh noch mitteilen wollte, dass ich in der Kanzlei gekündigt hatte, nutzte ich den Moment, ihm bei der Gelegenheit auch mitzuteilen, dass auf einen Wagen der Kanzlei offensichtlich gerade ein Attentat verübt worden war. Peter ging nach dem zweiten Läuten sofort ran.

»Was gibt's?«

»Ich habe gestern Nachmittag vergessen, dir etwas Wichtiges mitzuteilen.«

»Schieß los.«

»Ich habe in der Kanzlei gekündigt. Seit gestern bin ich freigestellt und ab 1. Mai raus aus dem Laden.«

»Und um mir das mitzuteilen, rufst du mich vor neun an.«

»Ja, weil diese Information dir die Arbeit erleichtern könnte.«

»Inwiefern?«

»Insofern, als vor zirka acht Minuten bei mir vor dem Haus ein Wagen in die Luft geflogen ist.«

»Was für ein Wagen.«

»Ein schwarzer Audi A8.«

»Dein Dienstwagen?«

»Eben nicht. Ich habe die Papiere und den Schlüssel für den Wagen gestern Nachmittag in der Kanzlei zurückgegeben. Rechtlich und faktisch bin ich weder Halter noch Besitzer des Wagens. Und falls es irgendwelche Rückfragen gibt: Ich bin von der Explosion geweckt worden, kann also nichts zum Tathergang sagen.«

»Steckt Dragan dahinter?«

»Dann könnte ich noch viel weniger dazu sagen.«

»Du vertrittst Dragan also jetzt freiberuflich?«

»Einer muss es ja machen.«

»Gut, dann ... danke für die Info.«

»Bis die Tage.«

Ich legte auf.

Danach rief ich Sascha an und erklärte ihm, was vorgefallen war. Ich bat ihn, jetzt doch bei Walter ein Personenschutzteam anzufordern. Allerdings ein sehr unauffälliges, was mich in erster Linie beobachten sollte, um festzustellen, wer mich so beobachtete. Sascha versicherte mir, dass innerhalb von dreißig Minuten ein entsprechendes Team für mich bereitstehen würde. Außerdem teilte mir Sascha mit, dass wir heute Abend bei der Elterninitiative vorbeischauen könnten. Ich sagte zu. Je früher das über die Bühne ging, desto besser. Morgen war ohnehin das Officer-Meeting angesetzt.

Danach ging es mir wesentlich besser. Es war mein erster Tag seit über zehn Jahren, an dem ich keinerlei berufliche Verpflichtungen hatte. Ich hatte eine lukrative Festanstellung eingetauscht gegen die Freiheit eines freiberuflichen Papas. Hans im Glück wäre stolz auf mich gewesen. Gut, ich hatte noch mit ein paar Ermittlungen gegen mich wegen Beihilfe zur Strafvereitelung, einer Morddrohung gegen meine Tochter, zwei Morddrohungen gegen mich sowie den Machtspielchen mindestens eines, wenn man Boris dazurechnete, sogar zweier Psychopathen zu tun. Außerdem war gerade mein ehemaliges Firmenauto vor meiner Wohnung in die Luft geflogen. Aber Hans im Glück hat ja auch nicht direkt das Pferd behalten, sondern ebenfalls einfach weitergetauscht. Das hinderte ihn aber nicht daran, im Moment glücklich zu sein. Und ich sollte es auch sein.

Ich machte ein paar weitere Atemübungen vor dem Fenster und beschloss dabei, Katharina heute von meiner beruflichen Veränderung zu erzählen. Schließlich war unsere gemeinsame Tochter der Grund für meinen Wunsch nach dieser Veränderung. Ich rief Katharina an und fragte, ob sie etwas dagegen hätte, wenn ich Emily abholen würde, um mit mir auf den Spielplatz zu gehen.

»An einem Mittwochvormittag?«

»Ja, konkret an diesem.«

»Was ist passiert? Hat Dragan dich rausgeworfen?«

Ich sparte mir, sie auf die Feinheiten des Dreiecksverhältnisses zwischen einem angestellten Anwalt, seinem Arbeitgeber und seinen Mandanten hinzuweisen. Ich stellte mir stattdessen vor, dass meine zukünftige Exfrau es gut mit mir meinte. Dass das ganze Universum es gut mit mir meinte. Dass alle Menschen in der U-Bahn es gut mit mir meinten ... Und das reichte mir dann auch schon.

»Hör zu, Katharina. Durch mein Achtsamkeitstraining ist mir bewusst geworden, dass ich beruflich so nicht weitermachen kann. Die Arbeit in der Kanzlei ist mir über den Kopf gewachsen. Ich habe mich mit von Dresen, Erkel und Dannwitz auf einen Aufhebungsvertrag geeinigt.«

»Das ist ja ...« Katharina war hörbar sprachlos.

»Finanziell ändert sich erst mal nichts. Ich habe eine sehr komfortable Abfindungsvereinbarung getroffen.«

»Das heißt, du hast mit den ganzen Verbrechern endlich nichts mehr zu tun?«

»Mit denen in der Kanzlei nicht. Mit den anderen ... also, ich muss ja auch in Zukunft irgendwie Geld verdienen. Strafrecht ist mein Spezialgebiet. Ich kann nicht ausschließen, dass ich mit dem einen oder anderen ...«

Das war jetzt nicht komplett gelogen.

»Was ist mit Dragan?«, fiel Katharina mir ins Wort.

»Ich weiß noch nicht einmal, wo der sich aufhält. Aber um die Abwicklung werde ich mich bestimmt noch kümmern müssen.«

Dass unsere Tochter gestern im Rahmen dieser Abwicklung mit dem Tode bedroht worden war, sagte ich lieber erst mal nicht.

»Hauptsache, der Rund-um-die-Uhr-Horror hat ein Ende. Das wird dir guttun.«

»Das wird auch Emily guttun.« Sofern Toni mit seiner Drohung nicht ernst machte. »Kann ich sie gleich abholen?«

»Klar. Komm vorbei!«

Da ich dank des Aufhebungsvertrages keinen Firmenwagen mehr besaß, musste ich nicht sauer darüber sein, dass dieser in die Luft gesprengt worden war und mir nicht mehr zur Verfügung stand. Ich fuhr also völlig freiwillig mit dem Bus zu Katharina.

Emily freute sich wahnsinnig, schon wieder mit mir einen Ausflug zu machen.

Katharina wirkte sehr gelöst und äußerte noch einmal ihre Freude, dass ich endlich meinen Job geschmissen hatte. »Kann es sein, dass aus dem Silberstreifen am Horizont langsam eine Morgenröte wird?«

Ich konnte sie nicht darauf hinweisen, dass der Silberstreifen am Horizont, gerade durch eine Reihe von Handgranaten-Explosionen untermalt wurde, die ich erst mal nicht als Sonnenaufgang fehlinterpretieren würde. Aber ich wollte ihr die Freude auch nicht nehmen. Wer weiß, vielleicht explodierte das alles um mich herum ja gerade im Sonnenaufgang. Ich gab mich optimistisch.

»Kann sein. Im Moment genieße ich den Augenblick, wie er ist. Und obendrein habe ich jetzt mehr Zeit, mich um die Kindergartensache zu kümmern.«

Katharina nahm mich in den Arm und gab mir einen Kuss auf die Wange. So viel Zärtlichkeit hatte ich seit Monaten nicht von ihr bekommen. Achtsamkeit machte offensichtlich sexy.

22 VERBITTERUNG

»Verbitterung ist der Ausdruck einer lang anhaltenden
Enttäuschung. Die Enttäuschung mag von außen gekommen sein.
Wie lange sie in Ihnen verbleibt, bestimmen aber ausschließlich
Sie selber.«

JOSCHKA BREITNER,
»ENTSCHLEUNIGT AUF DER ÜBERHOLSPUR –
ACHTSAMKEIT FÜR FÜHRUNGSKRÄFTE«

ALS GENUG HARMONIE zwischen Katharina und mir geflossen war, machte ich mich mit Emily auf den Weg. Katharina bat mich, Emily alle zwei Stunden mit einer Kindermentholsalbe die Brust einzureiben, da sie leichte Anzeichen einer Erkältung zeigte. Ich nahm die Salbe und Emily, und wir fuhren mit der Straßenbahn zu dem Spielplatz im Stadtpark. Der hatte mir am Vortag gut gefallen. Es gab jede Menge Klettergerüste, Rutschen, Schaukeln. Drum herum Unmengen von Sand. Und eine mobile Espressobar mit Unmengen an Sojamilchtüten für die wachsende Zahl der an welcher Intoleranz auch immer leidenden Latte-macchiato-Mamas.

Emily wollte rutschen. Und zwar alleine. Um mir zu zeigen, wie toll sie das schon konnte. Ich setzte mich also an den Rand der Spielplatzbegrenzung und beobachtete Emily. Und die anderen Kinder. Und die anderen Erwachsenen.

Wenn Ihnen irgendjemand pauschal erzählt, Kinder seien etwas Tolles – dann lügt der. Das eigene Kind ist das tollste Kind der Welt. Ende der Geschichte. Daneben gibt es zum Glück noch eine ganze Reihe von Kindern, die wirken ganz sympathisch. Und dann gibt es schlicht und ergreifend eine ganze Reihe von Arschlochkindern. Das sind Kinder, an denen man optisch sofort erkennt, wie penetrant unsympathisch die Eltern sind. Arschlochkinder definieren sich allerdings nicht ausschließlich durch ihre

Optik. Sie sind fordernd, eintönig, unlustig, anstrengend. Auch auf dem Spielplatz im Stadtpark erkannte man die Arschlochkinder sehr schnell an ihrem monotonen Genöle.

Bis auf mich, ein Pärchen und einen einzelnen Mann waren ausnahmslos Frauen auf dem Spielplatz. Das Pärchen war eines dieser aggressiv machenden »Hach, sind wir glücklich«-Pärchen. Gut aussehend, sportlich, erfolgreich. Offensichtlich seit der eigenen Geburt vom Geld ihrer Eltern lebend, die sich obendrein zu siebzig Prozent der Zeit um die Enkel kümmerten.

Der einzelne Mann wirkte ein wenig traurig und verloren. Wahrscheinlich auch kein so häufiger Kinderspielplatzgänger, der sich allein unter Frauen sichtlich unwohl fühlte. Vielleicht ein Scheidungsvater, der zwanghaft versuchte, seinem Kind ein wenig die unbeschwerte Alltäglichkeit vorzuspielen, die man ihm genommen hatte.

Bis auf diese drei entdeckte ich zwei Arten von Frauen: Mütter und Tagesmütter.

Die Mütter waren in der Regel apathisch wirkende, überforderte Frauen, die sich mit gezwungenem Lächeln jeweils um ein einzelnes, aufgedrehtes Kind kümmerten.

Die Tagesmütter hingegen waren einzelne, aufgedrehte Frauen, die bis zu fünf apathische überforderte Kleinkinder unter drei Jahren in einem Großraumkinderwagen vor sich herschoben.

Eine Tagesmutter darf bis zu fünf Kinder betreuen. Wenn unter diesen fünf Kindern nur ein einziges Arschlochkind dabei ist, dann sind vier andere Kinder im Grunde sich selber überlassen, während die Tagesmutter das Arschlochkind davon abhalten muss, die anderen Kinder zu beißen, zu schlagen oder zu kratzen. Oder einfach nur damit, dass es aufhört rumzunölen.

Während mein Blick über den Spielplatz streifte und ich mir so meine Gedanken machte, stellte ich auf einmal fest, dass ich –

anstatt mich über die Zeit mit Emily zu freuen – voller Verbitterung in Gedanken über die anwesenden Mütter, Tagesmütter und Kinder herzog.

Nach nur drei Minuten auf dem Spielplatz war meine Laune von »Ach wie ist das schön!« in »Sind die alle doof!« umgeschlagen. Ohne irgendeine Veränderung der äußeren Umstände.

Über Verbitterung stand auch etwas in meinem Achtsamkeitsratgeber:

»Verbitterung ist der Ausdruck einer lang anhaltenden Enttäuschung. Die Enttäuschung mag von außen gekommen sein. Wie lange sie in Ihnen verbleibt, bestimmen aber ausschließlich Sie selber. Wenn Sie der Ansicht sind, Ihre Lebensqualität nicht von alten Enttäuschungen beeinflussen lassen zu wollen, dann stellen Sie sich folgende Fragen:

1. Wie ist die Enttäuschung entstanden?

2. Wollen Sie den Gründen der Enttäuschung wirklich so viel Macht über Ihr Leben geben, dass Sie jetzt in Verbitterung leben?

3. Wie würden Sie sich fühlen, wenn Sie feststellen, dass Glück nicht von irgendetwas Konkretem abhängig ist?«

Worüber war ich so enttäuscht, dass ich jetzt so verbittert auf dem Kinderspielplatz saß? Die Antwort war sehr einfach: Ich saß im Gegensatz zu allen anwesenden Frauen das allererste Mal in meinem Leben an einem Wochentag mit meiner Tochter auf einem Spielplatz.

Ich hatte mich zweieinhalb Jahre lang komplett aus der Betreuung meiner Tochter herausgehalten, weil ich gearbeitet hatte wie ein Idiot. Ich war in diesen Jahren nie übermüdet auf einem Kinderspielplatz gewesen, musste nie über Tage und Wochen alle meine Bedürfnisse zurückstellen, um für einen einzigen Menschen da zu sein. Und ich war nicht nur wahnsinnig enttäuscht über, sondern vor allen Dingen wahnsinnig sauer auf mich, dass ich das nie getan hatte. Das waren zweieinhalb verschwendete Jahre, die ich nie wiederbekommen würde. Und schuld daran waren bestimmt nicht die Mütter und Kinder hier auf dem Spielplatz, über die ich gerade herzog. Schuld daran war nur ich allein. Dieser Verbitterung wollte ich keinerlei Macht geben. Zumal ich mein Leben ja schon radikal geändert hatte. Mein Glück war hier und jetzt möglich.

Ich stand auf und ging zu Emily, nahm sie in den Arm, warf sie in die Luft und fing mein Glück mit beiden Händen wieder auf.

Anschließend wollte ich als Zeichen meines Glückes den anderen verbittert guckenden Vater und meinetwegen auch das Lucky-Pärchen auf einen Latte macchiato einladen, doch in diesem Moment klingelte mein Telefon.

Es war Sascha. Er teilte mir mit, dass Walters Security-Beschatter soeben einen Verfolger von mir unschädlich gemacht hätten. Er habe mich von meiner Wohnung über das Haus meiner Exfrau bis zum Kinderspielplatz im Schlosspark verfolgt. Die Security-Mitarbeiter, getarnt als Pärchen, hätten ihn unauffällig aus dem Verkehr gezogen, als er sich mit einem Latte macchiato in der Hand zum Telefonieren hinter einen Baum zurückgezogen hatte. Er sei neben dem Latte macchiato auch mit einer Pistole bewaffnet gewesen und habe zwei französische Handgranaten in der Tasche gehabt, befinde sich jetzt aber gefesselt in ihrem Kofferraum.

Ich sah mich um: Sowohl das Lucky-Pärchen als auch der traurige Mann waren verschwunden. Ich gratulierte mir im Stillen dazu, dass ich bei meiner offensichtlich fehlenden Menschenkenntnis lediglich Rechtsanwalt und nicht Personalreferent geworden war. Ich hätte eher drei der Tagesmütter für Profikiller gehalten als diesen verschüchterten Typen. Und dass das glückliche Pärchen nicht elterliche Antimaterie, sondern meine Beschützer waren, wäre mir im Traum nicht eingefallen.

Ich bat Sascha darum, das Pärchen zu bitten, mir noch ein bisschen Zeit zu geben. Dem Typen würden ein paar Stunden im Kofferraum sicherlich nicht schaden. Später konnten Sascha und ich uns gemeinsam mit ihm befassen. Sascha versicherte mir, dass das problemlos möglich sei. Zudem habe die Elterninitiative den Terminvorschlag für heute Abend per Terminverwaltungsprogramm als freigehalten bestätigt. Sascha müsse nur per E-Mail zusagen. Damit beendeten wir das Gespräch, und den Rest des Vormittages kümmerte ich mich glücklich und in Sicherheit um meinen kleinen Sonnenschein. Auf dem Weg nach Hause gab es dann statt des Latte macchiatos einen Kakao und eine Boulevardzeitung bei McDonald's.

23 AKTIONISMUS

»Natürlich können Sie am Gras ziehen, damit es schneller wächst. Sie können aber auch Ihren Kopf auf das Gras legen, während es wächst. Nichts davon wird das Wachstum des Grases beeinflussen. Aber nur bei einer der Alternativen sind Sie ausgeruht, wenn es darum geht, das Gras später zu mähen.«

JOSCHKA BREITNER,
»ENTSCHLEUNIGT AUF DER ÜBERHOLSPUR –
ACHTSAMKEIT FÜR FÜHRUNGSKRÄFTE«

DIE ELTERNINITIATIVE »Wie ein Fisch im Wasser« hatte großes Interesse an einem Gespräch. Eine Räumungsklage – so unbegründet sie auch sein mochte – ist wirtschaftlich gesehen ein Standortnachteil. Niemand gibt sein Kind für drei Jahre in einen Kindergarten, wenn an gleicher Stelle schon in einem Jahr ein Bordell aufmachen soll. Auch die Hipster wollten einen solchen Prozess gerne vermeiden. Sascha hatte in meinem Namen den hippen Terminvorschlag über das hippe Terminverwaltungsprogramm also ebenso hip per E-Mail zugesagt.

Die Räumlichkeiten von »Wie ein Fisch im Wasser« waren mir von dem Bewerbungsgespräch für Emilys Kindergartenplatz her bekannt. Die Elterninitiative hatte das Gartengeschoss einer wunderschönen, aber reichlich heruntergekommenen Stadthaus-Villa gemietet. In den oberen drei Etagen waren bis vor Kurzem noch ein Architekturbüro, eine Yoga-Schule und ein Start-up für Online-Nudelsuppen-Versand untergebracht. Alle drei hatten aber mittlerweile positiv auf mein Angebot reagiert, die Räume besser sofort zu verlassen, um sich jede Menge Ärger zu ersparen.

Von allen Kindergarten-Bewerbungsgesprächen, die ich mit Katharina zusammen geführt hatte, war uns beiden das Gespräch bei »Wie ein Fisch im Wasser« besonders absurd vorgekommen. Wenn sich zwei Elternteile gemeinsam einen Kindergarten anschauen, weil sie eine Betreuung für ihr Kind suchen, dann stellt sich für normal denkende Menschen die Frage: Wer betreut in der Zeit des Bewerbungsgesprächs das Kind? Katharina und ich waren zu der sehr logischen Lösung gekommen, Emily einfach mitzunehmen. Wohin, wenn nicht in einen Kindergarten, kann man sein Kind denn sonst bedenkenlos mitnehmen?

Als wir im Kindergarten ankamen, wurden wir fast entrüstet gefragt, ob wir Emily nicht lieber im Auto lassen wollten. Das würde den Verlauf des »Assessments« weniger stören. Die Parkplätze vor dem Haus seien von den Räumlichkeiten aus gut einzusehen. Gut einzusehende Parkplätze waren für mich nicht das letzte, sondern gar kein Entscheidungskriterium für die Wahl eines Kindergartens.

Damit war das Bewerbungsgespräch in unseren Augen maximal erfolgreich gelaufen. Nach nur dreißig Sekunden hatten wir die Klarheit, dass unsere Emily bei diesen Menschen in den völlig falschen Händen wäre. Nichtsdestoweniger blieben wir. Mit Emily. Schon allein, weil wir ja einen Rechtsanspruch auf einen Kindergartenplatz hatten. Somit hatten wir auch einen Rechtsanspruch darauf, uns diesen Humbug hier mal genauer anzusehen. Und es lohnte sich.

Die drei Gesellschafter-Hipster hatten aus dem Vorstellungsgespräch in der Tat eine Art »Assessment-Center« gemacht. Vier Elternpaare und eine Mutter waren gekommen. Drei davon konnten ihr Kind bei den Großeltern unterbringen. Die einzelne Mutter hatte ihr Kind »bei meiner besseren Hälfte« gelassen. Alle schauten Emily an, als wäre es ein Zeichen von sozialer Verwahrlosung, abends ein Kind in einen Kindergarten mitzubringen.

Wir mussten zunächst einen schriftlichen Test ausfüllen, in dem abgefragt wurde, was wir über »Wie ein Fisch im Wasser« wussten. Die Eltern links und rechts von uns schrieben wie die Bekloppten. Als ich bei der einen Mutter abgucken wollte, drehte sie mir ernsthaft den Rücken zu, um mich am Abschreiben zu hindern. Da Katharina und ich lediglich wussten, dass der Kindergarten von unseren beiden Wohnungen innerhalb von zehn Minuten mit dem Auto erreichbar war, überließen wir Emily Test und Stift zum Malen.

Anschließend gab es ein kreativ-motivatorisches Gruppengespräch. Hier sollte jedes Elternpaar erzählen, warum das Kind der Eltern rechts von ihnen – von denen außer Emily keines anwesend war – wohl eine Bereicherung für den Kindergarten wäre. Katharina und ich waren zu diesem Zeitpunkt bereits nicht mehr besonders ernst bei der Sache. Deshalb wiesen wir die Eltern links von uns darauf hin, dass Emily über übersinnliche Fähigkeiten verfüge. Sie könne dumme Menschen sehen. Aber leider müssten wir genau deswegen jetzt schnell nach Hause, um Emilys Sinne hier nicht überzustrapazieren.

Das nächste Mal hatte ich erst wieder mit dem Kindergarten zu tun, als sich herausstellte, dass das Gebäude des Kindergartens von Dragan aufgekauft werden sollte. Ich hatte deswegen keinerlei Bedenken gehabt, die Kindergartenfatzkes vor die Tür zu setzen. Damals ging ich auch noch davon aus, dass Emily nicht auf diesen Platz angewiesen wäre. So schnell konnten sich die Dinge ändern.

24 KOMMUNIKATION

»Wenn Sie Ihre eigene Kommunikation optimieren wollen, dann führt Sie der Weg über die emotionale Intelligenz. Diese Intelligenz lässt sich trainieren, indem Sie Ihre Aufmerksamkeit gezielt trainieren. Gewinnen Sie Einblicke in die Bedürfnisse Ihres Gegenübers. Lernen Sie Ihren Gesprächspartner besser zu verstehen und einzuschätzen.«

JOSCHKA BREITNER,
»ENTSCHLEUNIGT AUF DER ÜBERHOLSPUR –
ACHTSAMKEIT FÜR FÜHRUNGSKRÄFTE«

DASS DIE HIPSTER nach dem ganzen verlogenen Bewerbungsgedöns nun meinten, ausgerechnet meiner Tochter einen Strick daraus zu drehen, dass ihnen mein Beruf nicht passte, passte mir gar nicht.

Ich hatte meine Probleme mit Dragan durch Achtsamkeit in den Griff bekommen. Das tat mir gut. Diesen Weg wollte ich weitergehen. Ich hatte also nicht die geringsten Hemmungen, sondern große Lust, diesen Fatzkes nun mit Sascha zusammen äußerst achtsam den selbstgerechten Arsch aufzureißen. Für Emily, für mich und, ja, auch für Katharina.

Selbstverständlich hatte ich mich mental auf den Termin vorbereitet.

Mein Achtsamkeitsratgeber war auch in puncto Kommunikation sehr auskunftsfreudig:

»Wenn Sie Ihre Kommunikation optimieren wollen, dann führt Sie der Weg über die emotionale Intelligenz. Diese Intelligenz lässt sich trainieren, indem Sie Ihre Aufmerksamkeit gezielt trainieren. Gewinnen Sie Einblicke in die Bedürfnisse Ihres Gegenübers. Lernen Sie, Ihren Gesprächspartner besser zu verstehen und einzuschätzen.«

Ich trainierte also meine emotionale Intelligenz, indem ich überlegte, welche Bedürfnisse mein Gegenüber wohl hatte. Ich wusste, dass meine Gesprächspartner selbstgerechte Gutmenschen waren. Sie verbrachten viel Zeit vor dem Spiegel, um ihr Äußeres zu stylen. Und sie verbrachten viel Zeit vor ihren Apple-Geräten, um via Social Media ihre Reifen-Schuh-Firma schönzulügen. Sie hatten in erster Linie ein Bedürfnis nach sich selbst. Und zwar in einer Friede-Freude-Eierkuchen-Welt.

Die Frage war nur, wie viel Friede und Freude wir ihnen bieten mussten, um den Eierkuchen-Kindergarten zu bekommen.

Von den drei Hipstern hatte einer BWL studiert und hielt sich für ein Finanzgenie. Ein anderer hatte Jura studiert und hielt sich für einen Anwalt. Der dritte hatte erst ein BWL- und dann ein Jura-Studium abgebrochen und hielt sich deshalb für kreativ. Keiner von ihnen wäre in seiner Selbstverliebtheit auf die Idee gekommen, zu diesem Gespräch externe Unterstützung hinzuzuziehen. Ich schon.

Wir trafen uns im Verwaltungsbüro des Kindergartens. Sascha und ich hatten noch einen Herrn um die sechzig mitgebracht, der so unscheinbar war, dass er kommentarlos vor der Tür des Büros auf einem Kinderstuhl Platz nehmen konnte, ohne dass das zu Nachfragen führte. Die Atmosphäre im Büro war eisig. Unkonventionell wie die drei Jungs waren, verzichteten sie auf den überall sonst auch unter Gegnern üblichen Handschlag zur Begrüßung. Dafür bekamen wir einen Espresso aus einem 5000-Euro-Siebträger angeboten. Als Zeichen der Großkotzigkeit, dass sich die drei Herren selbst für ihren Kindergarten eine 5000-Euro-Siebträger-Espressomaschine leisten konnten.

Wir saßen zu fünft an einem kleinen Besprechungstisch, der eigentlich nur für vier Personen ausgelegt war. Alles in dem Büro war auf Angeberei ausgelegt. Es sah aus wie in einer Werbeagentur, die auf Design-Kinderprodukte spezialisiert war. Es sah nicht aus wie in einem Raum, in dem die Bedürfnisse von Kindern organisiert wurden. Während sich Hipster Nummer drei allen

Ernstes eine elektronische Pfeife anzündete, indem er auf den »On«-Button im Pfeifenkopf drückte, ergriff ich das Wort und eröffnete das Gespräch.

»Wir haben um dieses Treffen gebeten, um ein paar Missverständnisse zu klären. Mich kennen Sie ja schon, diesen Mann hier sollten Sie vielleicht kennenlernen.« Ich zeigte auf Sascha. »Das ist Sascha, der neue Geschäftsführer von ›Wie ein Fisch im Wasser‹.«

Ungläubige Irritation in den Gesichtern der Hipster.

»Aha. Seit wann das denn?«

»Ab gleich. Ich schätze mal so in ... zwanzig Minuten.«

Hipster Nummer eins schaltete sich in das Gespräch ein.

»Ich habe keine Ahnung, was der Blödsinn soll.«

Ich versuchte das Bedürfnis meines Gesprächspartners nach Verständnis zu verstehen. Und ich versuchte, ihm in einfachen Worten zu erklären, was jetzt geschehen würde.

»Folgendes wird passieren: Wir bieten Ihnen für Ihre Anteile an der ›Wie ein Fisch im Wasser gGmbH‹ das Anderthalbfache des Anteilsnennwertes. Die Anteile gehen über in die ›Sergowicz Kindergarten und Fishing GmbH‹. Der Kindergarten wird weiter betrieben. Alle Kinder haben einen Platz. Sie Ihrerseits haben ein wenig mehr Geld und erheblich mehr Freizeit. Der kleine Mann vor der Tür ist ein Notar und erledigt die Formalien für uns. In zehn Minuten ist mein Freund Sascha hier der neue Geschäftsführer, und wir können alle nach Hause gehen.«

Hipster Nummer eins fragte nur nach dem Teil, den er begriffen hatte.

»Hatten Sie nicht gesagt, es wäre erst in zwanzig Minuten alles vorbei?«

»Richtig. Ich habe eine gewisse Zeitspanne für Nachfragen mit einberechnet.«

Sascha schaltete sich ein. »Sonst noch Fragen, oder können wir den Notar jetzt reinrufen?«

Der Notar war Sascha vor ein paar Jahren aufgefallen, als er kopfüber und bis auf einen roten Ball im Mund völlig nackt an einem Andreaskreuz in einem Keller von einem von Dragans Bordellen hing. Sascha sollte alle Kunden kurzfristig vor einer gerade beginnenden Razzia warnen. Der Notar war ihm seitdem dankbar, nicht von der Polizei wieder mit den Füßen auf die Erde gebracht worden zu sein. Und er fühlte sich Sascha gegenüber ein wenig verpflichtet – was auch daran lag, dass Sascha den Vorher-Nachher-Zustand in dem Keller mit seinem Smartphone dokumentiert hatte.

Die Hipster waren allerdings mit einem zügigen Abschluss alles andere als einverstanden. Hipster Nummer zwei ergriff das Wort.

»Was reden Sie da? Sie wollen für Ihren Drecks-Chef aus unserem Kindergarten ein Bordell machen und verlangen nun von uns, dass wir Ihnen dafür unsere Anteile verkaufen?«

»Nein, wie ich soeben erläutert habe, wird mein Mandant den Kindergarten weiter betreiben. Es geht hier also nicht mehr um die Kinder, sondern nur noch um Ihr Ego. Und dafür habe ich Ihnen gerade ein Angebot gemacht.«

Hipster Nummer drei war dran mit Reden.

»Hören Sie mal. Wir sind davon ausgegangen, dass Sie hier sind, um sich für Ihr Verhalten zu entschuldigen. Uns mit Kündigung zu drohen, aus diesem Kinderparadies hier ein Bordell machen zu wollen, so geht das nicht. Aber wenn Sie Ärger wollen, dann können Sie ihn haben. Sie haben offensichtlich keine Ahnung, wie gut wir in den sozialen Netzwerken verlinkt sind. Das gibt einen Shitstorm – den werden Sie nie mehr vergessen.«

Ich hatte wirklich vorgehabt, das Gespräch auf einer emotional freundlichen Ebene zu führen. Wie es schien, musste es da aber erst einmal hingebracht werden.

Ein »Shitstorm« war und ist für mich eine Belanglosigkeit, die sich noch nicht einmal zu ignorieren lohnte. Ein völlig inhaltsleerer Begriff, bar jeder Maßeinheit. Eine Behauptung, deren Aufstellung als Beweis ihrer Gültigkeit aber für Digitalisierungs-Anbeter völlig ausreichte. Die Aussage: »Mach das nicht, sonst gibt es einen Shitstorm!«, ist ungefähr so ernst zu nehmen, wie wenn man seinem Kind sagt: »Iss deinen Teller leer, sonst stirbt ein Kind in Afrika.« Jede Sekunde sterben in Afrika Kinder. Und jede Sekunde schreiben Idioten Scheiße ins Internet. Diese Tatsachen werden nicht besser, wenn man damit droht, jemanden dafür außerhalb jeder Kausalität die Schuld in die Schuhe zu schieben.

Der Shitstorm-Hipster hatte also augenscheinlich zunächst mal das Bedürfnis nach Krawall. Achtsam wie ich war, sollte er den gerne bekommen. Wenn dieses Bedürfnis befriedigt war, hätte er ja vielleicht danach ein Bedürfnis nach Harmonie.

25 VERGEBUNG

»Vergebung ist etwas sehr Befreiendes. Vor allem für den,
der vergibt. Wut und Rachegefühle können Sie komplett blockieren.
Wenn Sie demjenigen, auf den Sie wütend sind, vergeben,
schaffen Sie sich selbst die größte Freiheit. Wenn Sie erkennen
können, dass derjenige, auf den Sie so maßlos wütend sind,
selber nur eine verletzte Seele ist, wird Ihnen die Vergebung
umso leichter gelingen.«

JOSCHKA BREITNER,
»ENTSCHLEUNIGT AUF DER ÜBERHOLSPUR –
ACHTSAMKEIT FÜR FÜHRUNGSKRÄFTE«

MANCHMAL MUSS MAN MENSCHEN zu ihrem Glück zwingen. Ich jedenfalls wollte dem Bedürfnis der Herren nicht länger im Wege stehen.

»In der Tat möchte ich mich für das entschuldigen, was nun passieren wird«, sagte ich freundlich, aber voller Überzeugung und mit einem Seitenblick auf Sascha.

»Wieso, was wird denn…pmmmmmpf.«

Ohne Vorwarnung hatte Sascha den Kopf des neben ihm sitzenden Hipsters Nummer zwei genommen und auf die Tischoberfläche geknallt. Blut quoll aus dessen Nase. Am Tisch herrschte sprachloses Entsetzen.

»Nachdem ich mich für diesen Vorfall entschuldigt habe, können wir ja nun zum Geschäftlichen kommen.«

Schließlich fand Hipster Nummer zwei die Sprache wieder. »Der Typ hat meine Nase gebrochen«, rief er und sah seine Mitgesellschafter an. »Ruft die Polizei.«

»Die Polizei können Sie gerne rufen. Vielleicht sollten Sie aber lieber vorher Ihre Festplatten löschen.«

»Unsere Festplatten? Wieso, was ist damit?«, wollte Hipster Nummer drei wissen.

»Für einen Kindergarten enthält Ihre Festplatte reichlich viel Nazi-Kinderpropaganda«, erwiderte ich.

»So ein Blödsinn, woher wollen Sie überhaupt wissen, was auf unserem Rechner ist?«

»Weil ich euch die lustigen Sachen da draufgespielt habe, Conchitas«, sagte Sascha in aller Seelenruhe. »Mit dem coolen Bestätigungslink für euer hippes Terminverwaltungsprogramm.«

Hipster Nummer eins wandte sich dem Rechner auf dem Schreibtisch zu. Er klickte die Maus an und die Desktop-Oberfläche erschien. Als Bildschirmhintergrund hatten sich die Jungs ein Dreier-Selfie von sich selbst an einem Strand in Asien ausgesucht. Drei Strohhüte, drei Ray-Ban-Sonnenbrillen, drei globalisierte Weltverbesserer.

»Siehst du den Ordner ›Siegheileheilegänschen‹?«, fragte ihn Sascha. »Da habt ihr euren Schund drin gelagert. Ganz schlecht versteckt, wenn ihr mich fragt.«

Über das Terminprogramm hatte Sascha einen Trojaner an die Hipster geschickt, der nun auf dem Desktop lag. Hipster Nummer eins klickte ebenso ungläubig wie neugierig und mit ängstlich zitternden Händen den Ordner an. Es öffnete sich eine exe-Datei und installierte etwas auf dem Rechner.

»Das kann ja wohl nicht wahr sein«, sagte der verstörte Hipster. Im gleichen Moment speicherten und verbreiteten sich Hunderte Bilder, Bücher, Filme und Plakate deutscher Dunkelpädagogik des vergangenen Jahrhunderts auf dem Netzwerk der Kindertagesstätte. Vom antisemitischen Büchlein »*Der Giftpilz*« über das lustige Franzosenhasser-Schützengrabenkinderbuch »*Hans und Pierre*« bis zum Kommunisten verteufelnden »*Hitlerjunge Quax*« war die komplette Bandbreite der politisch korrekten Kinderunterhaltung des letzten Jahrhunderts vorhanden.

Ich blickte zu Sascha. »Das kann ja wohl nicht wahr sein. Der Idiot hat wirklich auf die Datei geklickt.«

»Hab ich dir ja gesagt. Zugriff auf den Rechner eines Fremden

kriegst du nur, wenn der Fremde dir die Tür aufmacht. Das Rein-
gehen ist dann ein Kinderspiel.«

Hipster Nummer drei hatte als Erstes die Fassung wieder-
gefunden. »Nazi-Kinderpropaganda? Was habt ihr davon, uns
so einen Dreck auf den Rechner zu laden?«

Ich erklärte es ihm gern.

»Es ist sehr einfach. Wir haben jetzt zwei Möglichkeiten, dieses Treffen zu beenden. Erstens: Der Typ mit der Aua-Nase ruft
die Polizei. Der erzählt ihr dann eure Geschichte von den bösen
Bordell-Betreibern, die euch die Nase gebrochen haben. Wir
erzählen dann die Geschichte von den Arschlöchern, die wir bei
der Wiederbelebung brauner Erziehungsmethoden erwischt haben. Wir werden dann ja mal sehen, auf welche Geschichte sich
die Presse stürzt.«

»Und was ist die zweite Möglichkeit?«

»Ich war mit der ersten noch gar nicht fertig. Im Rahmen der
Recherche über eure Vorstellung von politisch korrekter Kindes-
erziehung wird die Geschichte von Taruk rauskommen.«

»Wer ist Taruk?«

»Taruk, mein Freund, ist euer Mitarbeiter des Monats. Ein
siebenjähriger Junge mit Atemwegserkrankungen in einer Fabrik
in Sri Lanka. Er lötet und klebt dort seit zwei Jahren für euch ohne
jeden Atemschutz hippe Gummi-Schuhe zusammen. Für fünfzehn Cent am Tag.«

»Das ist doch ein Fake.«

»Nanu? Wer von uns beiden hat sich denn diese post-faktische
Welt so gemacht wiede-wiede-wie-sie-ihm-gefällt? Ob wahr
oder erfunden würde für Taruk nichts an der Tatsache ändern,
dass mit einem Anruf bei der Polizei sowohl euer Kindergarten
als auch euer Schuhlabel den Bach runtergeht.«

»So toll, wie ihr in den sozialen Netzwerken verlinkt seid, wird das bestimmt schnell die Runde machen, Mr. Shitstorm«, sagte Sascha.

»Aus dem Kindergarten würde dann mangels Anmeldungen wahrscheinlich doch ein Edelbordell, und wenn ihr drei Jungs schlau seid, dann erfindet ihr schnell irgendeine hippe Möglichkeit, aus gebrauchten Dritte-Welt-Autoreifen klimaneutrale Kondome herzustellen. Das wäre dann ein nachhaltiges Geschäftsmodell«, ergänzte ich.

»Das könnt ihr nicht machen.«

»Können ja. Müssen nein. Es gibt ja noch Möglichkeit Nummer zwei«

»Und die wäre?«, wollte der Hipster mit der blutigen Nase wissen.

Jetzt waren wir endlich da angekommen, wo ich von Anfang an hinwollte. »Ihr übertragt eure Geschäftsanteile an ›Wie ein Fisch im Wasser‹ an die ›Sergowicz Kindergarten und Fishing Company‹. Der Kindergarten wird weiter betrieben. Ihr bekommt die Hälfte des Nennwertes der Anteile von uns ausgezahlt und könnt weiter durch Kinderhände eure Idioten-Latschen herstellen lassen.«

»Das Angebot lag vorhin aber beim Anderthalbfachen des Nennwertes ...«

»Das war, bevor wir die Nazi-Propaganda in eurem Netzwerk entdeckt hatten. Also, einverstanden?«

Hipster Nummer eins war noch nicht einverstanden. »Was hättet ihr denn gemacht, wenn ich nicht aus Versehen den Ordner geöffnet hätte? Dann hätten sich diese Bilder doch gar nicht auf dem Rechner installiert?«

Ich klärte ihn auf. »Erstens hast du die Datei nicht aus Versehen, sondern aus Verblödung angeklickt. Zweitens hätte Sascha dann nicht einem von euch die Nase gebrochen, sondern jedem von euch mindestens ein Bein. Irgendeiner von euch wäre dann sicherlich zum Rechner gehumpelt, um die Datei anzuklicken.«

Hipster Nummer drei schaltete sich wieder ein.

»Da müssen wir erst noch einmal zu dritt drüber reden. Ich meine, das sind ja die reinsten Mafia-Metho... grmmmpf ... ahhhhh ...«

Sascha nahm auch den Kopf von Hipster Nummer drei und knallte ihn auf die Tischplatte. Leider lag dort auch die E-Pfeife. Die Tischplatte brach dem Hipster die Nase. Die Pfeife brach einen Zahn raus.

»Genug diskutiert?«

»Ja. Ja ... so machen wir das.«

Ich ging kurz vor die Tür und holte den Notar rein.

»Das ist Dr. Derkes. Herr Dr. Derkes, die Herren möchten gerne ihre Anteile der ›Wie ein Fisch im Wasser gGmbH‹ an die ›Sergowicz Kindergarten und Fishing GmbH‹ übertragen. Zu einem Viertel des Nennwerts.«

Hipster Nummer eins wollte erst noch etwas sagen, schien dann aber doch ein größeres Interesse an einer intakten Nase als an einem fairen Preis zu haben.

Das Unterschreiben und die notarielle Beurkundung der Verträge dauerte keine fünf Minuten. Seit unserem Eintreffen waren keine zwanzig Minuten vergangen.

Vor uns standen drei zutiefst gedemütigte, ehemalige Gesellschafter einer Elterninitiative. Eltern, die die Luxus-Kindheit ihrer Kinder mit der Sklavenarbeit von Kindern in der Dritten Welt finanzierten und sich darauf auch noch als verantwortungsbewusste und nachhaltige Gründer einen runterholten. Arschlöcher, die meiner Tochter willkürlich einen Kindergartenplatz verwehrten, weil ihnen mein Beruf nicht passte. Zwei von diesen

Idioten hatten bereits eine gebrochene Nase. Während der Notar seine Sachen zusammenpackte und Sascha am Computer noch ein Dokument ausdruckte, erkannte ich, dass da in der Tat drei zutiefst verletzte Seelen vor mir standen. Und ich begriff in diesem Moment, was mein Achtsamkeitsratgeber mit Vergebung meinte.

»Vergebung ist etwas sehr Befreiendes. Vor allem für den, der vergibt. Wut und Rachegefühle können Sie komplett blockieren. Wenn Sie demjenigen, auf den Sie wütend sind, vergeben, schaffen Sie sich selbst die größte Freiheit. Wenn Sie erkennen können, dass derjenige, auf den Sie so maßlos wütend sind, selber nur eine verletzte Seele ist, wird Ihnen die Vergebung umso leichter gelingen.«

Mein Groll war verflogen. Ich spürte keinen Hass mehr auf diese Jungs, die ihren Hass auf mich auf dem Rücken meiner Tochter hatten ausleben wollen. Ich fühlte mich gelockert und befreit. Ich hatte diesen Jungs vergeben.

Entsprechend unverkrampft konnte ich mich dann auch von ihnen verabschieden.

»Ach ja«, fiel mir noch ein. »Da sich unsere Wege an dieser Stelle trennen werden, ist es mir ein Bedürfnis Ihnen mitzuteilen, was der neue Geschäftsführer Ihres ehemaligen Kindergartens als zweite Amtshandlung tun wird.«

Hipster Nummer eins, mit der noch intakten Nase, fragte verdutzt: »Was wird er denn als Zweites tun?«

»Er wird Ihre Absage an meine Tochter zurücknehmen und ihr einen Kindergartenplatz anbieten. Sie wissen, wie meine Tochter heißt?«

Keiner der drei Hipster wusste das. Alle zuckten verlegen mit den Schultern. Für sie war Emily immer nur das namenlose Kind vom »Bäh«-Anwalt gewesen.

»Gut. Dann kommen wir jetzt zur ersten Amtshandlung. Herr Geschäftsführer – bitte sehr.«

Sascha stellte sich vor den Hipster mit der intakten Nase und änderte diesen Zustand mit einem gezielten Schlag.

»Die Kleine heißt Emily, du Arschloch. Und jetzt unterschreib das hier.«

Sascha war mit der Vergebung offenbar noch nicht ganz so weit.

26 INNERER WIDERSTAND

»Der innere Widerstand hat eine positive Absicht. Für einen konstruktiven Umgang mit dem inneren Widerstand ist es wichtig, diese positive Absicht des inneren Widerstandes zu erkennen und zu würdigen.«

JOSCHKA BREITNER,
»ENTSCHLEUNIGT AUF DER ÜBERHOLSPUR –
ACHTSAMKEIT FÜR FÜHRUNGSKRÄFTE«

NACH ERFOLGREICH ABGESCHLOSSENEN Vertragsverhandlungen fühlte ich mich als Anwalt immer ein wenig wie ein Marathon-Läufer nach dem Zieleinlauf: erschöpft, aber glücklich und voller Endorphine. In dieser Hochstimmung fuhr ich zusammen mit Sascha in die Zentrale von Walters Security-Firma, um mich mit meinem heute Vormittag dingfest gemachten Beschatter zu unterhalten. Er befand sich noch im Kofferraum des VW Passat vom Security-Pärchen. Wobei der Passat in der Tiefgarage eines nichtssagenden Zweckbaus am Stadtrand stand.

Meine Schutzengel nahmen uns in Empfang. Die beiden waren kein verliebtes Paar, sondern Vollprofis. Im Neon-Licht der Tiefgarage wirkten sie immer noch sportlich und gut aussehend. Aber nicht mehr wie die verwöhnten Kinder reicher Eltern. Sondern wie zwei Menschen, mit denen man nur spaßen sollte, wenn man sie vorher dafür bezahlt hatte.

Ich bedankte mich bei den beiden für ihre hervorragende Arbeit. Sascha öffnete den Kofferraum. Es macht schon einen Unterschied, ob man jemanden sechsunddreißig Stunden – und davon vierundzwanzig Stunden in der prallen Sonne – im Kofferraum lässt oder nur acht Stunden. Im Gegensatz zu Dragan hatte der Typ vor uns noch keine Leichenstarre entwickelt und fing auch noch nicht an zu verwesen. Er legte allerdings eine an Starrsinn grenzende Sturheit an den Tag und war nicht bereit, auch nur ein einziges Wörtchen mit uns zu reden. Die Nummer, die er vor seiner Verladung in den Kofferraum hatte wählen wollen, war noch in seinem Handy gespeichert. Jedenfalls der Teil, den er schon getippt hatte. Die letzten vier Ziffern fehlten. Aber die anderen sieben Ziffern stimmten mit der letzten Prepaid-Nummer von Toni überein.

In Walters Security Firma gab es im Keller ein Besprechungszimmer. Die Bezeichnung war bewusst irreführend. Hier gab es keine Teller mit Konferenzkeksen, um eine gesprächsfördernde Atmosphäre zu schaffen, hier gab es einen handelsüblichen Stromgenerator mit speziell angefertigten Fingerklemmen. Außerdem gab es im Besprechungsraum eine hochmoderne Videokonferenz-Anlage, mit der eine solch intime Befragung bei Bedarf live zu externen Personen übertragen werden konnte. Mit dieser Anlage ließen sich zudem wunderbar die Ergebnisse einer solchen Besprechung aufzeichnen.

Es gab viele Fragen, die ich von diesem Kofferraumtypen gerne beantwortet haben wollte. Zum Beispiel, wer sein Auftraggeber war, was hinter diesem Spiel steckte, ob er auch für den Tod von Murat, den Hinterhalt auf dem Autobahnparkplatz oder die Sprengung meines ehemaligen Firmenwagens verantwortlich war.

Auf der anderen Seite aber hatte ich einen inneren Widerstand dagegen, einen wildfremden Menschen an einen Stromgenerator anzuschließen.

Mit den Hipstern hatte ich mich sehr achtsam auseinandergesetzt, bevor ich zu dem Schluss kam, dass es deren innerem Bedürfnis nach Krawall entsprach, ihnen von Sascha die Nasen brechen zu lassen. Und genau dieser Weg machte es möglich, den verletzten Seelen, die ich auf dem Weg kennenlernen durfte, zu vergeben.

Diesen Typen vor mir hingegen kannte ich noch gar nicht. Das, was ich von ihm wissen wollte, sollte ja erst die Grundlage dafür sein, ob ich ihn mochte oder nicht.

Ich sah, wie Sascha und das Security-Pärchen diesen Typen mit geübten Griffen und mittels Handschellen sowie einer grobgliedrigen Eisenkette auf einem metallenen Gartenstuhl fixierten. Mir wurde leicht unbehaglich. Bei einem Blick auf einen Eimer mit Wasser, mit dem dem jungen Herrn gleich wahrscheinlich die Kleidung zur besseren Leitfähigkeit befeuchtet werden sollte, zauberte mir mein innerer Widerstand sogar einen leichten Schweißfilm auf die Stirn. Alles in mir sträubte sich gegen das, was ich hier sah.

Ich verabschiedete mich kurzerhand auf die Toilette, um meinen Achtsamkeitsführer zum Thema »Inneren Widerstand überwinden« zurate zu ziehen. Dort stand:

»*Der innere Widerstand hat eine positive Absicht. Für einen konstruktiven Umgang mit dem inneren Widerstand ist es wichtig, diese positive Absicht des inneren Widerstandes zu erkennen und zu würdigen. Gelangen Sie in sechs Schritten zu einem konstruktiven Umgang mit Ihrem inneren Widerstand.*«

Ich verinnerlichte die dort gegebenen Ratschläge und ging zügig zurück in den Besprechungsraum. Da Sascha und das Pärchen selber noch einige Schritte vor sich hatten, bis dem jungen Mann die Elektroden des Stromgenerators an die Finger geklemmt werden konnten, nutzte ich die Zeit für eine bewusste Achtsamkeitsübung und folgte mental den gerade gelernten Schritten aus dem Buch.

»*Schritt 1: Achtsam wahrnehmen, was los ist.*

Beschreiben Sie offen die Situation, in der Sie sich befinden.«

Nun, ich wollte einem Typen, den ich nicht näher kannte, einen Stromgenerator an die Finger klemmen. Was mir dabei schwerfiel, war, ihm den Stromgenerator an die Finger zu klemmen.

»Schritt 2: Benennen Sie Ihre inneren Anteile.

Ihr innerer Widerstand ist nicht allein in Ihrem Körper. Er widersetzt sich einem inneren Antrieb. Was ist Ihr Antrieb? Wogegen wehrt sich der Widerstand?«

Mein Antrieb war: Ich wollte gerne in Ruhe und Frieden leben. Ich wollte mein Leben nicht von den Machtspielchen irgendwelcher Mafiosi bestimmen lassen. Ich wollte nicht an meinen freien Wochenenden mit einem Infrarot-Thermometer checken, ob mein Mandant schon gar ist. Ich wollte nicht, dass jemand erschossen wird, wenn ich ein Date mit ihm verpasse. Ich wollte nicht, dass durch eine Scherz-SMS von mir einer mir verhassten Sekretärin die Wohnung zerbombt wird. Ich wollte morgens nicht durch Autoexplosionen geweckt werden. Und ich wollte ums Verrecken nicht, dass irgendwelche Arschlöcher meine Tochter bedrohten, gefährdeten oder auch nur beobachteten. Und ich wollte von diesem Typen wissen, wer für diesen ganzen Mist verantwortlich war.

Mein innerer Widerstand war: Ich hatte gelernt und verinnerlicht, dass man andern Menschen nicht wehtut. Zumindest nicht, wenn man sie gar nicht kennt. Sich steigernde Stromstöße durch den befeuchteten Körper eines fremden Menschen zu schicken, bevor man überhaupt weiß, wie er heißt, ließ sich damit nicht so ohne Weiteres vereinbaren. Ich wollte nicht foltern.

»Schritt 3: Lernen Sie die positive Absicht des inneren Widerstandes zu verstehen.

Wenn Sie jetzt wissen, was der innere Widerstand nicht will, dann versuchen Sie nun herauszufinden, was der innere Widerstand will. Welche positive Absicht hat er? Führen Sie einen Dialog mit Ihrem inneren Widerstand. Fragen Sie ihn zuerst, was ihn stört. Danach fragen Sie ihn, was er anstelle dessen möchte.«

Also gut ... »Lieber innerer Widerstand, warum möchtest du nicht, dass ich diesem Typen Strom durch den Körper jage?« Zu meiner Überraschung antwortete mein innerer Widerstand prompt und ohne lange zu überlegen.

»Hallo«, sagte er, »also, ich kann mir denken, dass das an den Kontaktstellen ziemlich stinken wird. Diesen Geruch wirst du nie mehr aus der Nase bekommen und er wird dich immer daran erinnern, dass du ein Folterer bist. Mit einem sehr schlechten Gewissen.«

Alles klar. Hatte ich notiert. Jetzt die zweite Frage.

»Lieber innerer Widerstand, was möchtest du denn stattdessen?«

»Kannst du dem Typen nicht einfach ein paar Konferenzkekse anbieten, und er sagt dir dann alles ganz ohne Strom? Dann hast du ohne schlechtes Gewissen auch deine Antworten.«

Und ganz automatisch hatte ich die positive Absicht meines inneren Widerstandes herausgefunden: Er wollte mich schlicht und ergreifend vor einem schlechten Gewissen bewahren.

»Schritt 4: Umbenennung des inneren Widerstands.

Geben Sie Ihrem inneren Widerstand einen positiven Namen, der mit seiner positiven Absicht zu tun hat. Dadurch fällt es Ihnen leichter, ihn wertzuschätzen und seine positive Absicht in den nächsten Schritt einzubringen.«

Mein innerer Widerstand wollte mich vor einem schlechten Gewissen bewahren. Ich nannte ihn deshalb: der Gewissenhafte.

»Schritt 5: Holen Sie den inneren Widerstand mit ins Boot.

Ihr Antrieb hat eine positive Motivation. Wie Sie soeben festgestellt haben, hat auch Ihr innerer Widerstand einen positiven Grundgedanken. Wenn zwei Sachen positiv sind, dann sind sie

gar nicht grundverschieden. Sie müssen sich nicht widersprechen.
Sie können sich auch gegenseitig unterstützen. Schauen Sie, ob es
einen Weg gibt, der für Antrieb und Widerstand gangbar ist.«

Mir war jetzt klar, dass mir das schlechte Gewissen Probleme bereitete, einem mir unbekannten Menschen Auge in Auge Strom durch den Körper zu jagen. Ich würde aber ein viel größeres schlechtes Gewissen haben, wenn dieser Typ meiner Tochter, mir oder irgendjemand anderem in meinem Umfeld Schaden zufügen würde, nur weil ich nicht dazu bereit war, den Geruch von verbrannter Haut auszuhalten. Das gute Gewissen, einen mir nahestehenden Menschen vor Schaden bewahren zu können, würde das schlechte Gewissen, einem fremden Menschen zu schaden, überwiegen. Damit Letzteres Ersteres nicht allzu sehr schmälern würde, hatte ich sogar zwei Möglichkeiten, Antrieb und Widerstand miteinander zu verbinden. Ich würde diesem Typen ein paar Kekse anbieten und ihn fragen, ob er danach dazu bereit wäre, mir alle weiteren Fragen zu beantworten. Wäre er das nicht, könnte ich ihm ohne schlechtes Gewissen elektrisch auf die Sprünge helfen. Gegen den Geruch würde mir sicherlich die Mentholsalbe meiner Tochter, die ich vergessen hatte zurückzugeben, helfen.

»Schritt 6: Gehen Sie diesen Weg konsequent.

Wenn Sie einen gangbaren Weg gefunden haben, gehen Sie ihn auch konsequent. Es kann durchaus passieren, dass sich Ihr Antrieb oder Ihr Widerstand zwischenzeitlich meldet, weil sie von diesem Weg abweichen wollen. Unterhalten Sie sich kurz mit ihnen, nehmen Sie deren Bedürfnisse ernst – aber bleiben Sie konsequent.«

Bevor Sascha und das Pärchen in Aktion treten konnten, wandte ich mich also konsequent an den Mann auf dem Stuhl. Ich lächelte ihn verbindlich an und bot ihm höflich ein paar

Kekse an. Er wollte keine. Okay. Ich fragte ihn, ob er bereit wäre, mir ein paar Fragen zu beantworten. Er war es nicht. Also schön. Ich rieb mir meine Oberlippe mit der Kindermentholcreme ein. Das Security-Pärchen und Sascha nahmen dankbar auch jeweils eine Fingerkuppe voll.

Ich fragte meinen inneren Widerstand, ob es in Ordnung sei, dem Keksverweigerer jetzt die Elektroden an die Finger zu pappen. Der innere Widerstand war nicht nur damit einverstanden, er wies mich auch darauf hin, dass es sinnvoll wäre, dem Typen zum Zwecke der besseren Leitfähigkeit auch noch vorher den Eimer Wasser über den Oberkörper zu gießen.

Nachdem der Typ obenrum durchnässt war, übernahm Sascha das mit den Fingerklemmen. Die fünf negativ markierten kamen an die Finger der rechten Hand, die positiv markierten verteilte Sascha auf die Finger der linken Hand. Ich wandte mich interessiert dem Stromregler des Generators zu.

Das Security-Pärchen saß derweil dezent in einer Ecke des Raumes und spielte auf dem Handy gegeneinander Quizduell.

Nach zehn Minuten wussten wir alles. Wir brauchten nur zwei Stromstöße, um herauszufinden, dass der Typ Malte hieß und aus Chemnitz stammte. Nachdem der Anfang gemacht war, kamen die nächsten Antworten wesentlich energiesparender. Malte war ein Neffe von Toni, ehemaliger Fremdenlegionär und bislang nicht für Dragans Organisation tätig gewesen. Toni hatte ihn angeheuert, um für ihn »aufzuräumen« – so seine Wortwahl. Was hieß das? Könne er nicht sagen. Einen Stromstoß später konnte er dann doch.

Toni hatte Murat vorgeschickt, um Dragan auf den Parkplatz zu locken. Der Typ mit den Handgranaten war irgendein Kleinkrimineller, auch aus Chemnitz, der Igor in Tonis Namen die

Handgranaten angeboten hatte. Die Aufgabe des Handgranaten-typs sei es gewesen, Dragan, Sascha und Igor in die Luft zu jagen. Der Anschlag sollte dann Boris in die Schuhe geschoben werden. Toni hätte dann Dragans Position eingenommen, Murat wäre Officer geworden, und der nachfolgende Bandenkrieg wäre dazu genutzt worden, um die neuen Positionen zu festigen. Aber dann hatte der Bus mit den Kindern ihnen einen Strich durch die Rechnung gemacht.

»Darf ich mal?«, fragte Sascha. Klar. Sascha drehte den Stromregler einmal voll auf. Malte schrie wie am Spieß. Sascha drehte den Strom wieder ab. Ob Sascha denn gar keine Frage habe? Nein, hatte er nicht. Er hatte nur das Bedürfnis, diesen Idioten noch mal grundlos schreien zu hören. Ich durfte weitermachen.

Es bedurfte noch eines weiteren Stromstoßes, um von Malte zu erfahren, dass er am Sonntag von Toni beauftragt worden sei, Murat und mich am Montag im Wald zu erschießen. Leider sei ich ja nicht da gewesen, am Wildgehege. Ahhhh ... warum er wieder einen Stromschlag bekommen habe? Er hätte die Frage doch beantwortet?

»Für das Wort ›leider‹.«

Sascha fragte ihn, woher Toni wusste, dass sich Murat am Montagmorgen mit mir treffen wollte? Nun, von der Nachricht auf der Mailbox. Mein Telefon würde ja abgehört werden.

Von wem? Keine Ahnung. Ahhhh ... Ein weiterer Stromstoß. Jetzt wusste er es wieder. Von der Polizei. Toni habe da einen Vertrauensmann. Wie der hieße?

»Keine Ahhhh ... Möller. Der Typ heißt Möller ... arbeitet bei der Mordkommission.«

»Aha. Und die Handgranaten in der Wohnung von Frau Bregenz?«

»Von wem?« Er sah mich ehrlich verwundert an.

»Dem Kanzleidrachen.«

»Kanzleidrachen? Keine Ahhhhhh ... Ich weiß nichts von einem Kanzleidrachen. Echt nicht ... ahhhhhh.«

Gut, das glaubten wir ihm. War auch egal. Ich versuchte es noch mal anders. »Hast du am Dienstag eine Handgranate in die Wohnung einer Frau geworfen?«

»Ja.«

»Hast du heute Morgen mein Auto in die Luft gejagt?«

»Ja.«

»Warum?«

»Um dir zu zeigen, dass du Toni nicht drohen darfst.«

»Gut. Keine weiteren Fragen. Habt ihr noch welche?«

»Auf welchem biotechnischen Verfahren basiert das Erfrischungsgetränk Bionade?«, wollte die Security-Lady wissen. Malte verstand nicht sofort, dass diese Frage nichts mit Dragan oder Toni zu tun hatte, sondern zum Quizduell gehörte, das sie sich gerade mit ihrem Partner lieferte. Sascha und ich verstanden das ein wenig früher und unterstützten das Gedächtnis des jungen Herrn mit ein wenig Strom.

»Was? Hä? Keine Ahhhhhhh ... Gärung. Es nennt sich Gärung.«

»Na ja, Fermentation wäre der gesuchte Begriff gewesen. Aber das ist das Gleiche auf Lateinisch. Gärung lassen wir also mal gelten.«

»Äh, danke ...«, wollte Malte sich einbringen. Aber das wollte keiner hören.

»Möchtest du lieber ›Draußen im Grünen‹ oder ›Essen und Trinken‹?«, wollte der Security-Typ wissen.

»Ich würde ganz gerne wieder runter von dem Stuh... aaaaaahhhh. ›Draußen im Grünen‹. Ich nehme ›Draußen im Grünen‹.«

»Aus welcher Blüte wird das Gewürz Safran gewonnen?«

»Hibiskus? ... Aaaahhhh ... Krokus, es ist Krokus!«

Sascha und ich überließen dem Security-Pärchen die Autobatterie und den Quizkandidaten. Es war vereinbart, den jungen Herrn bis auf Weiteres im Besprechungsraum zu lassen. Für ein paar Tage war so etwas immer möglich, ohne dass jemand Fragen stellen würde. Bis dahin würde auch kein Wort der Besprechung diesen Raum ohne mein Einverständnis verlassen.

Sascha und ich hatten jetzt Klarheit: Toni war der Verräter, Malte war der Killer, Möller war der Maulwurf. Und wir hatten viele gute Gründe, gegen alle drei etwas zu unternehmen. Sascha, weil Toni versucht hatte, ihn und seinen Chef umzubringen. Ich, weil ich Saschas Chef umgebracht hatte und Toni das Gleiche mit mir versuchen würde.

Sascha und ich waren uns also aus unterschiedlichen Gründen einig, dass Toni wegmusste. Aber das entschieden nicht wir. Das konnte nur Dragan entscheiden.

27 BRAINSTORMING

»Der erste Schritt zu einer guten Lösung ist, überhaupt erst einmal ein Problem zu haben. Viele tolle Lösungsansätze scheitern bereits daran, dass es gar kein Problem gibt, zu dem sie passen. Der zweite Schritt ist es, zu vermeiden eine einzelne Lösung zu suchen. Es gibt unzählige Lösungen. Für jedes Problem. Die richtige Lösung wird *Sie* finden.

Machen Sie dazu folgende Übung: Gehen Sie spazieren. Sowohl körperlich, als auch in Gedanken. Laden Sie Ihr Problem ein, Sie zu begleiten. Warten Sie ab, bis Ihnen das Problem erzählt, was es braucht, um zu verschwinden. Bewerten Sie diese Angebote nicht. Jedes dieser Angebote ist eine Lösung. Laden Sie jede der Lösungen ein, ein Stück mit Ihnen zu gehen. Mehrere Lösungen, so abwegig sie auch sein mögen, gleichberechtigt in Gedanken neben Ihnen herlaufen zu lassen, um zu schauen, welche zu Ihnen passt, nennt sich Brainstorming.

Am Ende des Spazierganges werden Sie zu dritt zurückkommen: Sie, Ihr Problem — und die passende Lösung.«

JOSCHKA BREITNER,
»ENTSCHLEUNIGT AUF DER ÜBERHOLSPUR —
ACHTSAMKEIT FÜR FÜHRUNGSKRÄFTE«

AM DONNERSTAGMORGEN WACHTE ICH erholt auf. Ich war auf einem guten Weg, das Ultimatum von Katharina einhalten zu können. Seit gestern Abend wusste ich auch, dass ich das Ultimatum von Boris würde einhalten können, wenn ich ihm Toni bis zum Montagabend frei Haus lieferte. Womit sich das Ultimatum von Toni dann auch erledigt hätte.

Dafür war notwendig, dass Sascha und ich heute Abend alle anderen Officer ins Boot holten und überzeugten, dass Toni wegmusste. Gerade weil Dragan diese höchstpersönliche Anweisung nicht höchstpersönlich würde geben können, mussten wir beide umso überzeugender auftreten.

In der Toni-Seilschaft hingen allerdings auch der korrupte Polizist Möller und der junge Ostdeutsche, Malte, mit drin.

Und ich musste ganz sichergehen, dass Toni, bevor er durch Boris zu Dragan in die Verbrecherhölle geschickt werden würde, keinen weiteren Mist anstellen könnte, indem er mir vor Ablauf des Ultimatums einen Strich durch meine Achtsamkeitsrechnung machte.

Ich musste also bis heute Abend Lösungen für die Probleme Toni, Möller und Malte finden. Außerdem musste ich auch auf die Forderung von Boris, Dragan zu treffen, sowie die Fragen von Peter Egmann über die Herkunft des Ringfingers Antworten finden. Und ich musste die – wie auch immer geartete – Lösung für

Toni, Möller und Malte so präsentieren, dass ich Dragans Officer davon überzeugen konnte.

Ohne Achtsamkeit wäre mir das ohne Bauch-, Kopf- und Nackenschmerzen nie geglückt. Ich machte mir zunächst eins klar: Der einzige Mensch, der hier gerade Ansprüche an mich stellte, war ich selber. Und wenn das so war, dann hatte ich es auch selber in der Hand, wie ich diese Ansprüche an mich formulierte.

Ich formulierte also zunächst einmal um:

Ich hatte die schöne Gelegenheit, bereits heute Abend mit meinen Officern Lösungswege für alle meine Probleme zu erörtern, sofern sich mir diese Lösungen bis dahin gezeigt hätten.

Das hörte sich schon besser an. So, nächster Schritt. Wie war das mit den Lösungen? Zu dem Thema hatte Joschka Breitner ein eigenes Kapitel verfasst. Dort hieß es:

»Der erste Schritt zu einer guten Lösung ist, überhaupt erst einmal ein Problem zu haben. Viele tolle Lösungsansätze scheitern bereits daran, dass es gar kein Problem gibt, zu dem sie passen.

Der zweite Schritt ist es zu vermeiden, eine einzelne Lösung zu suchen. Es gibt unzählige Lösungen. Für jedes Problem. Die richtige Lösung wird Sie finden.

Machen Sie dazu folgende Übung:

Gehen Sie spazieren. Sowohl körperlich, als auch in Gedanken. Laden Sie Ihr Problem ein, Sie zu begleiten. Warten Sie ab, bis Ihnen das Problem erzählt, was es braucht, um zu verschwinden. Bewerten Sie diese Angebote nicht. Jedes dieser Angebote ist eine Lösung. Laden Sie jede der Lösungen ein, ein Stück mit Ihnen zu gehen.

Mehrere Lösungen, so abwegig sie auch sein mögen, gleichberechtigt in Gedanken neben Ihnen herlaufen zu lassen, um zu schauen, welche zu Ihnen passt, nennt sich Brainstorming.

Am Ende des Spazierganges werden Sie zu dritt zurückkommen: Sie, Ihr Problem – und die passende Lösung.«

Na also. Ich hatte die ersten Schritte zur Lösung bereits erfolgreich hinter mich gebracht: Ich wusste, wo meine Probleme lagen. Da das Officer-Meeting erst für den Abend angesetzt war, hatte ich den ganzen Tag lang Zeit, spazieren zu gehen. Ich zog mir eine bequeme Jeans und ein altes Paar Trekking-Schuhe an, ging an der ausgebrannten Parkbucht, in der gestern mein ehemaliger Firmenwagen explodiert war, vorbei zur Bushaltestelle und fuhr mit öffentlichen Verkehrsmitteln bis in das Naherholungsgebiet am Stadtrand, in dem ich das letzte Mal vor über zehn Jahren war.

Die beiden als Pärchen getarnten Security-Mitarbeiter waren neben mir die letzten und einzigen Fahrgäste, die den Bus an der Endstation mitten im Wald verließen. An einem Donnerstagmorgen um neun Uhr ging sonst niemand spazieren. Auf dem Parkplatz stand ein einzelner Wagen. Aber der war schon da, bevor der Bus hielt. Ich bat die beiden, an der Bushaltestelle auf mich zu warten. Ich hatte kein Handy dabei. Niemand war mir gefolgt. Niemand konnte wissen, dass ich um diese Uhrzeit an diesem Ort sein würde.

Ich entschied mich für einen gut ausgeschilderten Rundweg von zwei Stunden Dauer und ging los. Sehr schnell meldeten sich die Probleme Peter Egmann, Toni, Boris, Möller und Malte bei mir und liefen in Gedanken neben mir her. Ich begrüßte alle fünf und beschäftigte mich zunächst mit dem Problem Peter Egmann. Im Vergleich zu den anderen vier Problemen stellte es eine Besonderheit dar: Ich wusste nicht, wie groß es war. Bei den anderen war das klar: Toni wollte mich töten, Boris wollte mich töten. Malte hatte versucht mich zu töten. Und Möller hatte ihm dazu die Informationen geliefert. In Sachen Peter Egmann und dem gefundenen Finger wusste ich allerdings nicht, was noch auf mich zukommen würde. Der Finger konnte schlimmstenfalls mein Sargnagel bei der Überführung als Mörder sein. Im besten Fall gab es keine verwertbare Vergleichs-DNA von Dragan und die Sache wäre damit erledigt. Wenn Boris und Toni von dem Finger erfuhren und kapierten, dass Dragan entgegen meiner Beteuerungen tot war, dann wäre ein Ermittlungsverfahren gegen mich noch mein geringstes Problem. Aber vielleicht könnte ich Einfluss darauf nehmen, ob und wann Toni und Boris davon erfahren würden. Vielleicht ... bestenfalls ... schlimmstenfalls ... auf den Punkt gebracht: Solange ich die Ausmaße des Problems nicht kannte, war es müßig, nach einer Lösung zu suchen. Von daher verabschiedete ich das Problem Peter Egmann freundlich und wandte mich den anderen Problemen zu, die bereits konkret bestanden.

Ich bat das Problem Toni, mir zu erzählen, was es bräuchte, um zu verschwinden. Wie auf Knopfdruck sprudelte es geradezu aus ihm heraus. Das ging von »Bring mich zu Dragan« über »Mach mich zum Chef« bis zu »Bring mich doch einfach um«.

Das waren bereits drei mögliche Lösungen für das Problem Toni. Und ich war erst fünfhundert Meter gegangen.

»Bring mich zu Dragan« würde faktisch auf »Bring mich doch einfach um« hinauslaufen. »Mach mich zum Chef« hätte zur Folge gehabt, dass ich selber anschließend tot sein würde. Also lief »Bring mich doch einfach um« am lockersten neben uns mit.

Das Problem Boris war etwas einfacher gelagert. Hier ging es nur um »Bring mich zu Dragan« oder »Bring mich um, sonst bring ich dich um«. Allerdings schien mir die Lösung mit dem Umbringen hier ein wenig komplizierter als bei Toni. Toni stand, wenn ich es geschickt anstellte, ziemlich alleine da. Hinter Boris stand ein ganzes Syndikat. Aber ich wollte diesen Lösungsvorschlag an dieser Stelle noch nicht bewerten. Ich war ja froh, dass er sich so schnell gezeigt hatte.

Bei dem Problem Malte war es ähnlich. Die Angebote »Biete mir einen Job an«, »Biete mir Geld an«, »Vermöble mich so, dass ich mich nie wieder traue, etwas Böses zu tun« waren alles mögliche Lösungen. Die vielversprechendste Lösung war aber auch hier das Angebot »Bring mich doch einfach um«.

Etwas anders gelagert war es bei dem Problem Möller. Ich hatte mir seit unserer Befragung von Malte den Kopf darüber zerbrochen, wie ich Klaus Möller, den Maulwurf bei der Polizei, aus dem Verkehr ziehen könnte. Das mochte auf den ersten Blick vielleicht sogar gänzlich überflüssig erscheinen. Möller war keine direkte Gefahr. Dieser Möller bekam nur das mit, was ich über mein abgehörtes Handy kommunizierte und was er auf dem Dienstweg von Peter Egmann erfuhr. Und nur das konnte er an Toni weitergeben. Ich hätte es also einfach dabei belassen können, über mein normales Handy nicht zu kommunizieren, und Peter hätte ich auf die undichte Stelle in den eigenen Reihen hinweisen können. Ich hatte aber nicht zwölf Sitzungen bei einem Achtsamkeitstrainer absolviert, um am Ende der Zeit um jeden Konflikt einen Bogen zu machen. Ich wollte Konflikte aktiv lösen. Und ich hatte in der Tat einen Konflikt mit einem Vollidioten wie diesem Möller, der meine eisverschmierte Tochter als Beweis dafür herangezogen hatte, ich könnte einem Mörder bei der Flucht behilflich gewesen sein. Vor allem deshalb, weil er damit recht hatte und folglich ein so großer Vollidiot gar nicht sein konnte. Aber dieser Typ hat die Informationen von der Beschattung meines Seewochenendes mit Emily an Toni weitergeleitet. Dieser Typ hatte Toni erzählt, dass sich Murat mit mir am Wildgehege treffen wollte und war damit für Murats Tod mit verantwortlich. Und er wäre damit auch für meinen Tod verantwortlich gewesen, wenn ich zu dem Treffen gegangen wäre. Von so einem Menschen wollte ich mir nicht vorschreiben lassen, wie ich mein Handy zu nutzen hatte. Mit anderen Worten: Dieser Typ war wirklich ein Problem.

Das Problem machte mir folgende Angebote: »Zeig mich bei der Polizei an«, »Erpress mich mit der Drohung, dass du mich bei der Polizei anzeigst« und »Bring mich doch einfach um«.

Möller bei der Polizei anzuzeigen würde viel Arbeit bedeuten. Vor allem, weil dann jedes Telefonat und jede SMS von mir durchgekaut werden würde. Dadurch stände ich plötzlich genauso im Fokus der Ermittlungen wie Möller. Die letzte Lösung – »Bring mich doch einfach um« – fand ich auch hier am ansprechendsten.

Nach nicht einmal einer Viertelstunde im Wald hatte ich für alle vier Probleme gleich mehrere Lösungen gefunden. Und von dieser Vielzahl an Lösungen hatten die optimalsten Lösungen ganz automatisch Schritt mit mir gehalten. Nicht so optimale Lösungen waren von selber wieder gegangen.

Für eine Weile ging ich so vor mich hin, und obwohl ich mich – bis auf die Lösungen – völlig allein im Wald wähnte, hatte ich plötzlich das Gefühl, als würde ich beobachtet. Außerdem bemerkte ich ein leises, mechanisches Sirren über mir. Als ich hochschaute, sah ich sie: eine kleine Flugdrohne. Die moderne Pest im untersten Luftraum. Sie flog etwa drei Meter über mir. Ich ging nach links – die Drohne flog nach links. Ich ging zurück – die Drohne folgte mir. Ich hatte keine Ahnung, wer ein Interesse daran haben sollte, mich mit einer Drohne zu beobachten.

Da ich das Security-Pärchen am Waldrand zurückgelassen hatte, musste ich diese Störung alleine beseitigen. Ich nahm mir einen großen Stock vom Boden und warf auf gut Glück nach dem nervenden Fluggerät.

Der Wurf war ein Volltreffer. Noch in der Luft zerbrach die

Drohne und zerschellte am Boden in Dutzende kleine Teile. Wie sich herausstellte, hatte die Drohne einen Durchmesser von fast einem halben Meter, vier Rotoren und eine kleine HD-Kamera.

Während ich mich fragte, wer so viel Aufwand betrieb, um mich zu observieren, rannte ein aufgebrachter Typ hinter einem Baum hervor.

»Sie haben meine Drohne zerstört«, rief er aufgebracht.

»Sie haben mich belästigt«, erwiderte ich. »Wie kommen Sie auf die bescheuerte Idee, in einem Naturschutzgebiet mit so einem Nerv-Ding Leute zu beobachten?«

»Das war ein Spielzeug für meinen Sohn. Wo soll ich denn sonst damit üben? In der Fußgängerzone? Außerdem haben Sie das Teil doch erst wahrgenommen, als ich damit runtergegangen bin. In zehn Metern Höhe haben Sie es gar nicht bemerkt.« Der Mann sammelte den Tränen nah die Trümmer vom Boden auf.

»Moment«, sagte ich. »Das ist ein Kinderspielzeug? Mit Kamera und all dem Quatsch? Wie lange haben Sie mich denn damit beobachtet?«

»Etwa fünf Minuten.«

»Und warum habe ich Sie nicht gesehen?«

»Die Kamera überträgt mir alles auf meinen Überwachungsmonitor. Ich sehe Sie, Sie sehen mich aber nicht.«

»Und wie teuer ist so ein Kinderspielzeug?«

»Das Teil hat über vierhundert Euro gekostet. Die werden Sie mir ersetzen«, er war aufgestanden und sah mich wütend an, »sonst rufe ich die Polizei.«

Damit der Typ endlich Ruhe gab, gab ich ihm fünfhundert Euro in bar und den Ratschlag, seine Flugübungen in Zukunft nicht direkt über den Köpfen fremder Leute zu veranstalten. Er verschwand, und ich stand wieder alleine im Wald. Allerdings verschwand die Drohne nicht ganz aus meinem Kopf, sondern hinterließ den Hauch einer Idee.

Ich ging weiter. Sehr schnell gesellten sich wieder meine Lösungen zu mir, die bei allen vier Problemen auf »Bring mich doch einfach um« hinausliefen.

Im Nachhinein liegt es natürlich auf der Hand: Wenn das Leben eines Menschen das Problem darstellt, ist dessen Tod die Lösung. Aber auf die naheliegende Lösung kommt man in der Situation ja selbst meist nicht. Die Erfahrung, dass es absolut befreiend sein kann, ein Problem einfach umzubringen, hatte ich vor weniger als einer Woche bereits beim Problembereich Dragan gemacht. Diese Hemmschwelle hatte ich bereits überwunden. Und mit dem Mord an Murat, bei dem auch ich hätte getötet werden sollen, hatten Toni, Malte und Möller jedes Recht auf moralische Skrupel meinerseits verwirkt. Es fühlte sich völlig richtig an, diese drei Wichser zu beseitigen. Und nur, weil Boris mit dem Mord am Wildgehege nichts zu tun hatte, war das noch lange kein Grund, ihn nicht umzubringen, bevor er das mit mir tat.

Allerdings kam es nun darauf an, die Details der Art ihrer Beseitigung auszuarbeiten. Vier Männer, die zumindest über Toni miteinander verbunden waren, sollten sterben. Idealerweise, ohne dass das Gemeinsame, was die vier verband, erkannt werden würde. Auf der anderen Seite wäre es natürlich erstrebenswert, wenn sich aus dem Verhältnis der vier Zielpersonen zueinander irgendeine Form von Synergie ergeben würde, die mir Arbeit abnahm. Toni wollte ich ohnehin von Boris umbringen lassen, das war klar. Aber vielleicht könnte Toni ja vorher Malte oder Möller übernehmen? Was könnte ich dafür tun?

Ich ging brainstormend weiter durch den Wald. Ich dachte an jeden der vier Männer, an seine Hintergründe, seine Vorlieben, seine Stärken und Schwächen. Und wenn Probleme und Lösungen Füße hätten, dann hätte es auf meinem Rundweg Stellen gegeben, an denen der Waldweg von Hunderten von Fußspuren zertrampelt gewesen wäre. Aber am Ende des Weges waren diese Fußspuren immer weniger geworden. Und als ich bei der Bushaltestelle wieder aus dem Wald herauskam, war ich nur noch von vier schlanken Lösungen umgeben, die die Probleme Toni, Boris, Malte und Möller bereits auf ihren Schultern trugen.

Ich fuhr mit dem Security-Pärchen wieder zurück in die Stadt. In der Innenstadt ließ ich es mir nicht nehmen, die beiden bei meinem neuen Lieblingsrestaurant zu einem Kaffee einzuladen. Bei der Gelegenheit besorgte ich mir dort gleich die aktuellste Boulevardzeitung.

In meinem Apartment angekommen, begann ich, die Lösungen in die Tat umzusetzen. Indem ich sie Dragans Daumen erzählte.

28 GEBEN UND NEHMEN

»Wir können geben, und wir können nehmen. Dies ist ein Kreislauf. Und wenn sich Geben und Nehmen das Gleichgewicht halten, geht es uns gut. Wer nur gibt, aber nicht nehmen kann, fühlt sich in diesem Kreislauf ausgelaugt. Und wer nur nimmt, aber nicht geben kann, fühlt sich schlecht.«

JOSCHKA BREITNER,
»ENTSCHLEUNIGT AUF DER ÜBERHOLSPUR –
ACHTSAMKEIT FÜR FÜHRUNGSKRÄFTE«

ICH BESCHÄFTIGTE MICH bis zum Nachmittag damit, meine im Wald getroffenen Lösungen so auszuarbeiten, dass ich sie in Dragans Namen beim abendlichen Meeting bei den anderen Officern implementieren konnte ... Was für ein businesssprachlicher Humbug. Ich schaute zu Hause einfach, was ich brauchte, um meine Lösungen voller Wahrhaftigkeit vortragen zu können. Und das waren Dragans Daumen und ein paar Zeitungsseiten.

Den Rest des Nachmittages, bis zum Officer-Meeting, nutzte ich, um meine eigene berufliche Zukunft zu planen.

Als Volljurist kann man alles machen. Das bildet sich zumindest jeder Jura-Erstsemester-Student ein. Es stimmt auch insofern, als man dann als Volljurist alles machen kann, wenn man reiche Eltern hat. Wenn man reiche Eltern hat, kann man allerdings auch mit einer Ausbildung als technischer Zeichner, mit einem Praktikum als Gleisbegeher oder auch ohne jede Qualifikation *alles* machen. Die Dichte von Kindern reicher Eltern ist in einer Jura-Erstsemester-Vorlesung allerdings ungleich höher als bei technischen Zeichnern oder Gleisbegehern.

Ich war kein Kind reicher Eltern. Und ich konnte nur »Anwalt«. Und als solcher am ehesten »Strafrecht« und »Wirtschaft«. Da ich die letzten zehn Jahre ausprobiert hatte, ob mir ein Angestelltenverhältnis Spaß machen würde – das tat es nicht –, wollte ich nun einmal ausprobieren, wie es mit der Freiberuflichkeit aussah. Sofern ich den 30. April überleben würde, würde ich zum 1. Mai gerne ein paar schöne Kanzleiräume anmieten, am liebsten in der Nähe meiner Wohnung, in der Nähe des Hauses meiner Tochter und in der Nähe ihres zukünftigen Kindergartens.

Das Haus, in dem sich die Räumlichkeiten von »Wie ein Fisch im Wasser« befanden, entsprach nicht nur geografisch diesen Anforderungen. Es war auch, dank meines bisherigen Geschicks in Sachen Räumungsverhandlungen, bis auf den Kindergarten leer. Ich beschloss daher, mir die leeren Räume in den oberen Etagen mal genauer anzuschauen, und fuhr mit dem Bus hin.

Tatsächlich waren es wunderschöne Büro-Einheiten mit hohen Decken, Stuck-Verzierungen, Schiebetüren und einem tollen Parkettboden. Als Edelbordell wäre dieses Haus unschlagbar gewesen. Dragan hatte ein Händchen für solche Visionen. Jetzt hatte ich allerdings den rechten Daumen dieses Händchens als Gipsabdruck bei mir zu Hause und konnte selber entscheiden, was mit der Immobilie passieren sollte. Und was konnte es Schöneres geben als eine eigene Kanzlei direkt über dem Kindergarten von Emily?

Ich schlenderte durch die drei leer stehenden Etagen und richtete in Gedanken ein Büro ein, ein Besprechungszimmer, ein Spielzimmer für Emily. Ich war gerade dabei, mir ein Fernsehzimmer mit bequemer Lümmel-Couch auszumalen, als mein Telefon klingelte. Es war Peter, der Leiter der Mordkommission. Ich hoffte inständig, dass der Anruf nichts mit Fingern, sondern bloß was mit Handgranaten zu tun haben würde.

»Hallo, Peter, was gibt's?«

»Ich wollte dich kurz auf dem Laufenden halten wegen deines Firmenwagens.«

»Ich habe keinen Firmenwagen.«

»Gut, also wegen deines Ex-Firmenwagens. Die Explosion wurde durch eine Handgranate ausgelöst.«

Ich war erleichtert. Tat aber verwundert. Was mir schwerfiel, da ich diese Information am Vorabend bereits selber mittels mehrerer Stromstöße herausbekommen hatte.

»Durch eine Handgranate? Wie das?«

»Primitive, aber wirksame Zündvorrichtung. Die Handgranate wurde mit Panzerband in die hintere Radverkleidung geklebt. Der Sicherungsstift wurde mit einem Draht mit der Felge verbunden. Die kleinste Reifenbewegung hat den Sicherungsstift aus der Handgranate gezogen und dann … Bumm.«

»Klingt technisch einfach, aber emotional kompliziert.«

»Drei Dinge kann ich dir sagen. Erstens: Die Handgranate war derselbe Typ wie in Frau Bregenz' Wohnung am Dienstag und wie am Autobahnparkplatz am Freitag.«

Also konnte auch Peter sich ausrechnen, dass Toni hinter dem Anschlag auf mich steckte. Hatte dafür aber keine Beweise.

»Zweitens: Die Granate war so angebracht, dass sie den Fahrer nicht hätte töten können. Hätte dich jemand umbringen wollen, hätte er die Granate unter die vordere Radverkleidung klemmen müssen.«

»Und drittens?«

»Drittens würde ich dich gerne unter vier Augen sprechen.«

»Klar. Wo?«

»Wo bist du? Ich komme zu dir.«

»Ich bin grad in einer von Dragans Immobilien. Herderstraße 42. Ich weiß nicht, ob es hier irgendwo ein Café gibt …«

»Welcher Stock?«

»Wie, welcher Stock? Ich bin grad in der dritten Etage, wieso?«

»Ich bin in zehn Sekunden da.«

Ich steckte verwundert mein Handy weg und hörte bereits

Schritte im Holztreppenhaus. Fünf Sekunden später klopfte Peter an die angelehnte Wohnungstür und kam herein.

»Was machst du denn hier?«, fragte ich erstaunt.

»Das Gleiche könnte ich dich fragen.«

»Ich schaue mir eine Immobilie eines Mandanten an. Sagte ich doch.«

»Und ich schaue mir Opfer deines Mandanten an.«

»Ich bin vielleicht Opfer eines Handgranatenanschlages, aber doch nicht Opfer meines Mandanten.«

»Es geschehen ja noch andere Verbrechen in dieser Stadt, die nichts mit Handgranaten zu tun haben.«

»Ach so?«

»Ich denke da an Körperverletzungen, Nötigungen, Verleumdungen, Computerbetrug…«

Ich hielt es für ausgeschlossen, dass die Hipster aus dem Erdgeschoss Anzeige erstattet hatten. Sie wussten genau, dass sie noch bis zum Wochenende Zeit hatten, ihre Sachen zu packen und den Geschäftsübergang an die Eltern zu kommunizieren. Wäre dies nicht der Fall, stünden sie vor dem beruflichen Nichts.

Ich nickte. »Aha. Und deswegen ermittelst du ausgerechnet in einem Kindergarten?«

»Na ja, war wohl falscher Alarm. Die Frau eines der Gesellschafter hat sich heute Morgen bei uns gemeldet und wollte mit dem zuständigen Beamten für Dragan Sergowicz reden. Der bin ja nun ich.«

»Und was wollte die Frau?«

»Sie sagte mir, ihr Mann sei gestern Abend von zwei Mitarbeitern von Herrn Sergowicz massiv bedroht und verprügelt worden. Ihm sei die Nase gebrochen und ein Zahn ausgeschlagen worden. Außerdem sei damit gedroht worden, ihm ein Bein zu brechen und seine Firmen mit einer Rufmord-Kampagne zu überziehen, wenn er nicht seine Anteile an dem Kindergarten an Herrn Sergowicz übertragen würde.«

Nase gebrochen und Zahn raus … Das war der Hipster mit der E-Pfeife. Wunderte mich nicht, dass sich diese Lusche bei seiner Frau ausheulte.

»Das sind aber eine Menge unangenehmer Behauptungen. Gibt es dafür Zeugen?«

»Nun, das ist ein bisschen komisch. Ich bin einfach mal rausgefahren zu dem Mann – der gerade hier unten sein Büro im Kindergarten leerräumt. Und der kann sich an all das überhaupt nicht erinnern.«

»Er hat also gar keine gebrochene Nase?«

»Doch. Und der Zahn fehlt auch. Er behauptet aber felsenfest, er sei die Kellertreppe hier im Haus heruntergefallen.«

»Und dafür gibt es Zeugen?«

»Ja. Die beiden anderen Gesellschafter können das bezeugen. Die zufälligerweise auch beide gebrochene Nasen haben.«

»Auch die Kellertreppe?«

»Auch die Kellertreppe.«

»Dann werde ich wohl mal ein Wörtchen mit meinem Mandanten bezüglich des Zustandes der Kellertreppe reden müssen.«

»Gut. Das ist gut. Da ist nur noch …«

»Mach dir keine Sorgen. Mein Mandant und seine Mitarbeiter werden von einer Strafanzeige gegen die Ehefrau wegen Verleumdung absehen.«

»Das ist auch gut. Gut.«

Peter hatte noch etwas auf dem Herzen, das sah man ihm an. Schließlich rückte er raus mit der Sprache. »Ich hab da unten an der Wand ein paar Bilder von den Kindern und ihren Eltern gesehen. Lustiger Zufall, da waren auch Paul und Mary drauf.«

»Wer sind Paul und Mary?«

»Die Kinder von Karl Breuer, das ist der Leiter des Bauamts. Mit dem spiele ich regelmäßig Squash. Der äußert sich immer ganz begeistert über ›Wie ein Fisch im Wasser‹.«

Ach, sieh mal einer an. Der Bauamtschef. Immer wenn Dragan eine beschleunigte Bearbeitung für irgendetwas brauchte, äußerte Herr Breuer erst massive Bedenken bezüglich Klima- oder Tierschutz, besprach diese dann mit Dragan in einem von Dragans Bordellen und ließ sich dort die Bedenken wegblasen. Und der feine Herr hatte seine Kinder in meinem Kindergarten? Das war gut zu wissen.

»Kann sein. Kenne ich nicht. Ist ja nicht mein Kindergarten.«

»Jetzt haben die drei ehemaligen Gesellschafter aber übereinstimmend ausgesagt, dass sie ihre Anteile an dem Kindergarten komplett auf eine Tochterfirma von Dragan übertragen haben. Weißt du da was von?«

»Klar. Ich habe den Deal ja entworfen. Aber du weißt ja – ich bin bloß Anwalt. Nicht Erzieher. Sascha ist allerdings gelernter Erzieher.«

»Und Sascha ist der neue Geschäftsführer des Kindergartens?«

»Richtig. Wieso?«

»Also … versteh mich nicht falsch, aber …« Plötzlich wirkte er regelrecht kläglich. Er gab sich einen Stoß: »Habt ihr da noch Plätze frei?«

Ich konnte es fast nicht glauben, dass mein Plan, den ich eigentlich nur gegenüber Sascha zusammenimprovisiert hatte, tatsächlich funktionierte. Mit Kindergartenplätzen lockte man Eltern an. Und machte sie abhängig. Ich hatte mich schon gewundert, warum Peter mir ungefragt die Ermittlungsergebnisse in Bezug auf den Anschlag auf meinen ehemaligen Dienstwagen gegeben hatte. Ganz einfach: weil das Leben ein Geben und Nehmen war. Peter wollte etwas von mir. Einen Kindergartenplatz.

Die Hipster hatten das Haus noch nicht einmal verlassen und schon waren Sascha, der Leiter des Bauamts und nun auch der Leiter der Mordkommission die ersten Junkies meiner neuen Droge. Wenn das mal kein guter Start war.

Allein schon aus Achtsamkeitsgründen konnte ich Peter die Bitte, seinen Sohn im Kindergarten aufzunehmen, nicht verwehren. In meinem Achtsamkeitsführer stand unmissverständlich:

»Wir können geben, und wir können nehmen. Dies ist ein Kreislauf. Und wenn sich Geben und Nehmen das Gleichgewicht halten, geht es uns gut. Wer nur gibt, aber nicht nehmen kann, fühlt sich in diesem Kreislauf ausgelaugt. Und wer nur nimmt, aber nicht geben kann, fühlt sich schlecht.«

Ich wollte weder, dass Peter sich ausgelaugt, noch dass ich mich schlecht fühlen würde. Natürlich würde ich ihm den Kindergartenplatz geben. Allerdings würde ich seinen Sohn nur dann unter meine schützenden Fittiche nehmen, wenn Peter mir dafür den Finger von Dragan geben würde.

»Du fragst eher allgemein? Oder ganz konkret für deinen Lukas?«

»Ja, für Lukas. Du glaubst ja gar nicht, wie schwierig das ist, einen Kindergartenplatz zu bekommen. Dieses bescheuerte Anmeldesystem ...«

»Kotz. Kenne ich.«

»Wir haben achtundzwanzig Bewerbungen geschrieben.«

»Wir einunddreißig.«

»Und keine einzige Zusage.«

»Bei uns genauso.«

»Nun, da habe ich mir gedacht, frag ich dich einfach mal, ob du Chancen siehst, ob hier eventuell ein Platz frei wird.«

Ich sah ihn taxierend an. »Also, verstehe ich das richtig. Damit dein dreijähriger Sohn nicht weiter halbtags Haftbefehlsanträge für Dragan als Beschäftigungsmaßnahme in deinem Büro ausmalen muss, fragst du mich, ob Lukas nicht stattdessen in Dragans Kindergarten aufgenommen werden kann?«

»Nur so als Frage. Kinder sind Kinder, und Arbeit ist Arbeit. Außerdem ist das ja gar nicht Dragans Kindergarten, sondern der einer gemeinnützigen Gesellschaft, deren Gesellschafter eine Tochterfirma von Dragan ist. Ich darf ja auch als Polizist in einer Bar von Dragan ein Bier trinken. Wenn ich es selbst bezahle.«

»Und du würdest es in Kauf nehmen, dass Lukas dann eventuell in einer Gruppe mit Emily wäre, deren Vater im Verdacht steht, einen Finger entführt zu haben, der einen Ring trug, der so ähnlich aussah wie der vom Betreiber des Kindergartens?«

»Wer sagt denn so was?«, empörte sich Peter. »Es gibt fast zehnmal so viele Finger wie Menschen auf der Welt. Da gibt es durchaus mal Verwechslungen.«

»Definiere doch bitte ›Verwechslungen‹ für mich ...«

Peter räusperte sich. »Ich habe mir die Akte noch mal genau angesehen. Der Finger ist ja wohl eindeutig auf dem Nachbargrundstück gefunden worden. Also hast du damit schon mal gar nichts zu tun. Leider habe ich auch keine zuverlässige Vergleichs-DNA von Dragan gefunden. Und das Labor ist wie immer völlig überlastet. Ich denke mir also, dass dieser Finger wohl eher keine Relevanz für unseren Fall hat ...«

Das hörte sich doch gleich viel besser an. Entspannt steckte ich meine Hände in die Manteltaschen.

»Das sehe ich auch so. Nemo oder Flipper?«

»Bitte?«

»Möchte Lukas lieber in die Nemo- oder in die Flipper-Gruppe? Da unten tragen alle Gruppen Fischnamen.«

»Delfine sind doch keine Fische.«

»Wenn du einen Platz im hippsten Hipster-Kindergarten der

Stadt haben möchtest, dann solltest du das nicht so eng sehen. Willkommen bei ›Wie ein Fisch im Wasser‹!«

Ich reichte Peter die Hand und zog dabei aus Versehen den Nachplapper-Vogel mit aus der Manteltasche. Er fiel auf den Boden zwischen uns und sagte mit seiner absurden Kopfstimme:

»Ich habe meinen Mandanten zerhackt und bin frei.«

Schön, dass das Scheißding endlich wieder funktionierte. Doof nur, dass es gerade in dieser Situation geschehen musste. Eine peinliche Gesprächspause entstand zwischen Peter und mir.

»Was war das?«, wollte Peter wissen.

»Was war das?«, plapperte der Vogel nach.

»Das ist der Nachplapper-Vogel mit dem defekten Sprach-Chip, von dem ich dir erzählt habe. Also: Nemo oder Flipper?« Ich steckte den Vogel wieder in meine Tasche.

Peter zögerte eine Sekunde. Dann sagte er voller Überzeugung: »Flipper. Lukas soll in die Flipper-Gruppe.«

»Eine gute Entscheidung. Das wirst du nicht bereuen.«

»… nicht bereuen«, kam es aus meiner Tasche.

29   ÜBERZEUGEN

»Wenn Sie jemand anderen von Ihrer Meinung überzeugen
wollen, gibt es eine ganz einfache Weisheit: Wer sich wohlfühlt,
ist offen für Neuerungen. Wer sich unwohl fühlt, schottet sich
automatisch ab. Schaffen Sie eine Atmosphäre, in der Sie selbst
sich wohlfühlen. Übertragen Sie Ihr Wohlbefinden und Ihre
Offenheit auf Ihr Gegenüber. Überraschen Sie es positiv.
Machen Sie Ihr Gegenüber neugierig. Reden Sie von dem,
was Ihr Vorschlag bringt. Das Überzeugen ist dann meist gar
nicht mehr notwendig, sondern längst geschehen.«

JOSCHKA BREITNER,
»ENTSCHLEUNIGT AUF DER ÜBERHOLSPUR –
ACHTSAMKEIT FÜR FÜHRUNGSKRÄFTE«

DAS MEETING WAR FÜR NEUNZEHN UHR angesetzt. Alle Officer hatten ihr Erscheinen bestätigt. Dragans illegales Unternehmen bestand bisher aus vier klar voneinander abgegrenzten Bereichen: Drogen, Prostitution, Waffenhandel und Schmuggel jeder Art.

Die Drogensparte führte Toni, getarnt als Geschäftsführer einer Betreibergesellschaft für Bars und Diskotheken.

Für Prostitution war Carla zuständig. Eine Ex-Prostituierte und Exfreundin von Dragan. Sie war offiziell die Geschäftsführerin einer Casting-Agentur. Carla hasste Toni bis aufs Blut, weil Toni in ihr lediglich die Ex-Nutte sah.

Den Waffenhandel betreute Walter. Ein ehemaliger Berufssoldat aus der Deutsch-Französischen Brigade, der jetzt als Geschäftsführer einer Security-Firma arbeitete.

Um Schmuggel jeder Art, das umfasste Waren und Menschen, kümmerte sich Stanislav, der in der Öffentlichkeit als Geschäftsführer einer Speditionsfirma auftrat.

Unter den Firmen gab es eine Menge Synergieeffekte. Stanislav transportierte Tonis Drogen, Walters Security-Personal führte klärende Gespräche mit Menschen, die Carla nicht ernst nahmen. In Tonis Diskotheken gingen Carlas Casting-Scouts ein und aus. Auf Walters Waffenarsenal konnte jeder Officer zum Einkaufspreis zurückgreifen. Von jeder Firma konnten die Leistungen jeder anderen Firma abgerufen werden.

Und neben Drogen, Waffen, Nutten und Sklaven gab es seit Dragans Untertauchen jetzt auch noch Sascha. Officer der Geschäftssparte Kinderbetreuung.

Beim Officer-Meeting waren vier Punkte zu klären.

Ich musste die Officer davon überzeugen, dass Dragan auf unbestimmte Zeit untergetaucht war und die Geschäfte ohne Autoritätsverlust aus der Ferne führen würde. Voraussetzung hierfür war, dass alle davon überzeugt waren, dass Dragan noch lebte.

Bis auf Toni schien daran aber auch niemand zu zweifeln.

Der zweite Punkt hing mit dem ersten Punkt zusammen: Ich musste alle Officer davon überzeugen, dass es Dragans Wille und am besten für alle war, wenn alles so weiterlaufen würde wie bisher. Sprich: Ein Bandenkrieg mit Boris durfte nicht stattfinden.

Bis auf Toni hätte daran auch niemand ein Interesse.

Der dritte Punkt war: Ich musste eine Nutte, einen ehemaligen Berufssoldaten und einen Schmuggler und Menschenhändler davon überzeugen, dass die Übernahme eines Kindergartens in der jetzigen Situation die dringlichste Aufgabe wäre. Eine Aufgabe, die es zudem rechtfertigte, Sascha vom Fahrer zum Officer zu machen.

Dass ich Toni davon nicht würde überzeugen können, war mir jetzt schon klar. Das konnte also gar nicht mein Ziel sein.

Ach ja – und Punkt vier war: alle – außer Toni – davon zu überzeugen, dass Toni von Boris umgebracht werden durfte.

Zum Thema Zielsetzungen hatte Joschka Breitner mir etwas sehr Weises mit auf den Weg gegeben:

»Achtsamkeit ist das Anerkennen von Teilerfolgen. Wer nach 100 Prozent strebt, wird selbst beim Erreichen von 90 Prozent dieses Ergebnisses zu 100 Prozent an seinen Ansprüchen scheitern. Wer nur nach 80 Prozent strebt, wird beim Erreichen von 90 Prozent zu 100 Prozent Erfolg haben.«

Ich musste mir also gar nicht den Kopf darüber zerbrechen, *alle* zu überzeugen. Ich musste mir nur Gedanken darüber machen, wie ich Carla, Walter und Stanislav überzeugen konnte. Sascha war ja bereits überzeugt.

Auf das Ergebnis, auch Toni zu überzeugen, musste ich erst gar keine Energie verschwenden. Im Gegenteil. Wenn alles so lief wie geplant, war es sogar sehr von Vorteil, wenn Toni sich als Einziger querstellte.

Ich wollte die anderen ja ohnehin gegen ihn aufbringen. Da war es gut, wenn er den Eindruck erweckte, als täte er das von sich aus. Das Problem »Toni« war also schon Teil seiner eigenen Lösung.

Somit ging es nur noch darum, wie ich möglichst überzeugend auftrat. In meinem Achtsamkeitsratgeber stand unter der Überschrift »Überzeugung«:

»Wenn Sie jemand anderen von Ihrer Meinung überzeugen wollen, gibt es eine ganz einfache Weisheit: Wer sich wohlfühlt, ist offen für Neuerungen. Wer sich unwohl fühlt, schottet sich automatisch ab. Schaffen Sie eine Atmosphäre, in der Sie selbst sich wohlfühlen. Übertragen Sie Ihr Wohlbefinden und Ihre Offenheit auf Ihr Gegenüber. Überraschen Sie es positiv. Machen Sie Ihr Gegenüber neugierig. Reden Sie von dem, was Ihr Vorschlag bringt. Das Überzeugen ist dann meist gar nicht mehr notwendig, sondern längst geschehen.«

Normalerweise fanden Dragans Officer-Meetings in irgendeinem abgetrennten Bereich irgendeines mordsteuren und ebenso sterilen Nobelrestaurants statt. In einer Atmosphäre der Angst bei Beginn und unendlicher Erleichterung nach Beendigung. Jeder Officer war darauf eingestellt, von Dragan aus dem Nichts heraus mit einem Wechsel aus Lob, Jähzorn und Brüllerei überschüttet zu werden. Das Schönste an den Treffen war bislang, dass sie so selten stattfanden.

Ich wollte das ändern. Im Vergleich zu der Atmosphäre, die alle kannten, eine Wohlfühlatmosphäre zu schaffen, war kein Ding der Unmöglichkeit. Es würde allein schon einen Quantensprung an Entspannung bedeuten, wenn Jähzorn und Brüllerei nicht stattfänden. Für den Rest bauten Sascha und ich auf den Überraschungseffekt. Wir hatten daher in der Herderstraße 42 den Raum der »Moby Dick«-Gruppe für das Treffen vorbereitet. Wir hatten die Maltische aus der Raummitte an den Rand geschoben und sechs Stühle in einem Kreis in die Mitte gestellt. Auf jedem Stuhl lag ein Namenskärtchen in Form eines Pappfisches. Sascha hatte sich tagsüber in die Unterlagen des Kindergartens eingearbeitet und den Caterer gebeten, für den Abend sechs zusätzliche Portionen zu liefern. Die Atmosphäre des Raumes hätte nicht weiter von einem Nobelrestaurant entfernt sein können.

Um 19.12 Uhr saßen fünf legalisierte Schwerverbrecher und ein Anwalt im Kreis auf bunten Holzstühlen für maximal Sechsjährige und blickten sich verwundert um.

Alle erwarteten unangenehme Ansagen zu den Tagesordnungspunkten Bandenkrieg, Gewalt und Verrat. Nichts in der »Moby Dick«-Gruppe deutete darauf hin. Über den Köpfen von Carla, Walter und Stanislav schwebte ein deutlich sichtbares Fragezeichen. Über dem Kopf von Toni eine pechschwarze Gewitterwolke.

Wenn Sie verunsicherte Mitarbeiter vollends aus dem Lot bringen wollen, gibt es einen todsicheren Trick: Danken Sie ihnen einfach grundlos. Ich eröffnete das Treffen also wie folgt:

»Ich darf euch allen im Namen von Dragan herzlich dafür danken, dass ihr so spontan hier erscheinen konntet.«

Eine solche Begrüßung überraschte. Und zwar positiv. Der größte bislang von Dragans ausgesprochene Dank gegenüber seinen Officern war das Unterlassen von Gebrüll.

»Dragan ist aus gegebenem Anlass bis auf Weiteres nicht zu erreichen. Er wäre gerne hier gewesen. Allein schon, um euch auf diesen albernen Stühlen sitzen zu sehen.«

Ein erster Anflug von unsicherer Heiterkeit.

»Ich habe von Dragan eine ganze Reihe von Botschaften für euch bekommen. Vielleicht fangen wir einfach mal mit der ersten an.«

Ich öffnete eine Thermobox, die neben mir stand und gab jedem der Officer einen abgedeckten Plastikteller. Ein verwundertes Raunen ging durch die Runde.

Danach entfaltete ich die Boulevardzeitung vom Vortag, die ebenfalls in der Thermobox lag. Sie war gestempelt mit Dragans Daumen. Es waren lediglich zwei Worte umkringelt und miteinander verbunden.

Die Heiterkeit war verflogen. Jeder der Officer befürchtete, auf seinem Teller mindestens die Ohren von Boris zu finden. Ich las die Zeitungsbotschaft vor und hob gleichzeitig die Abdeckung von meinem Teller: »Guten Appetit.«

Auf jedem Teller waren Erbsen und Möhren, Ringelnudeln und Fischstäbchen sowie ein Tetra-Pak naturtrüber Bio-Apfelsaft.

Carla, Walter und Stanislav waren sichtlich erleichtert. Nur Toni war erwartungsgemäß enttäuscht, dass auf dem Teller keine Leichenteile lagen.

»Was soll das sein?«, wollte Toni mit angewidertem Gesichtsausdruck wissen.

Ich wollte gerade antworten, da fiel mir Stanislav ins Wort.

»Alter, das sind Fischstäbchen. Weißt du, wie lange ich keine Fischstäbchen mehr gegessen habe? Das ist bestimmt ... ey, da war ich maximal fünfzehn!«

»Und die Ringelnudeln habe ich das letzte Mal auf dem

Truppenübungsplatz gegessen. Da kommen Erinnerungen auf!«, fiel Walter mit ein.

Nicht nur Liebe geht durch den Magen, sondern auch Wohlbefinden. Edelrestaurants sind super, wenn man nach außen auf dicke Hose machen will. Sie machen bloß eins nicht: satt. Und zwar weder, was den körperlichen, noch, was den geistigen Hunger angeht. Fischstäbchen mit Ringelnudeln schaffen da aus dem Stegreif eine ganz andere, offenere Atmosphäre.

»Gibt es auch Capri-Sonne?«, wollte Carla wissen, die den Strohhalm in den naturtrüben Apfelsaft stocherte. »Die hab ich als Kind immer geliebt.«

Sascha und mir war es mithilfe von Kinderstühlen, Namenskärtchen und Fischstäbchen gelungen, aus vier skeptischen Schwerkriminellen drei begeisterungsfähige Kinder im Körper von Schwerkriminellen und einen angepissten Schwerkriminellen zu zaubern.

»Ich kann mit der Scheiße hier nichts anfangen. Können wir endlich zur Sache kommen?«, begann Toni die Erinnerungen der anderen zu torpedieren.

Es gibt ein sehr einfaches Mittel, eine Atmosphäre zu schaffen, in der sich alle bis auf einen wohlfühlen. Dieses Mittel nennt sich Mobbing. Mobbing kann unter Achtsamkeitsgesichtspunkten etwas sehr Angenehmes sein. Zumindest für die Mobber. Sie haben die Freiheit, über einen anderen zu lachen, wenn sie lachen wollen. Und sie haben die Freiheit nichts für diesen anderen zu tun, wenn sie nichts für diesen anderen tun wollen. Mobber ruhen in dem Moment, in dem sie mobben, zufrieden in dem Glück, nicht selbst gemobbt zu werden.

Als Leiter des Meetings sah ich mich in der Verantwortung, mit dem Mobben nun auch anzufangen.

»Gut, Toni, wenn du keinen Hunger hast, dann kannst du mir

vielleicht mal eben meine Aktentasche mit den restlichen Anweisungen holen«, sagte ich, während ich mit den anderen weiteraß und deutete auf meine Aktentasche neben der Eingangstür.

Um nicht komplett die Rolle des Schmollkindes zu übernehmen, musste Toni wohl oder übel aufstehen und die Tasche holen. Haben Sie es schon mal geschafft, als Erwachsener ohne Gesichtsverlust von einem Kinderstuhl aufzustehen? Nein, haben Sie nicht. Das geht nämlich nicht. Und Tonis ganzer durchtrainierter, harter Körper wirkte einfach nur komplett verloren und albern, als er versuchte, sich von dem viel zu kleinen Sitzmöbel zu erheben. Er scheiterte kläglich. Nirgendwo konnte er seine Beine zu einem anständigen Winkel ansetzen und musste sich nach drei vergeblichen Versuchen schließlich an den Schultern von Sascha und Carla hochziehen. Als er stand, gelang es ihm nicht auf Anhieb, wieder ins Gleichgewicht zu finden. Die anderen konnten sich ein Lachen nicht verkneifen. Ihr Wohlbefinden steigerte sich im selben Maße wie das von Toni sank. Wütend stapfte er zur Tür, holte meine Aktentasche, knallte sie mir vor die Füße und setzte sich wieder hin.

»Danke, Toni. Das ist leider die falsche Aktentasche. Die richtige steht an der Tür zum Garten.«

Toni guckte entgeistert. Der Rest feixte.

»War nur ein Scherz. Bleib sitzen. Das ist die richtige Tasche.«

Ich wischte mir den Mund ab, stellte meinen Teller ab und holte aus der Tasche diverse Zeitungsseiten hervor.

»Wie ihr alle wisst, sind seit Freitagabend einige Dinge passiert, die man als Unterbrechung des gewohnten Laufs unseres Geschäftes verstehen könnte.«

Obwohl tatsächlich jeder wusste, was passiert war, fasste ich diese Dinge kurz noch mal für alle zusammen. Angefangen mit dem Hinterhalt für Dragan und Sascha am Freitagabend über Dragans Untertauchen, dem Tod von Murat, der Handgranate in der Wohnung von Frau Bregenz bis zur Handgranate an meinem Ex-Dienstwagen.

»Und hinter allem steckt Boris«, unterbrach Toni.

»Kennt ihr eigentlich noch den Schweigefuchs?«, fragte ich in die Runde. Kinderstühle, Fischstäbchen und der Wunsch nach Capri-Sonne hatten die Gruppe für weitere Kindheitserinnerungen geöffnet.

Sascha und Carla machten sofort das Handzeichen des Schweigefuchses in Richtung Toni.

»Was bedeutet das?«, wollte Walter wissen.

»Wer den Schweigefuchs gezeigt bekommt, muss das Maul halten«, erklärte Stanislav und zeigte Walter, wie der Schweigefuchs ging: Mittel- und Ringfinger auf den Daumen, Zeige- und kleiner Finger als »Ohren« gespitzt.

Vier Schweigefüchse zeigten daraufhin auf Toni.

Toni schaute nur sprachlos. Er war Waffen und Fäuste als Argumente gewohnt. Mit Schweigefüchsen konnte er nicht umgehen. Ich machte weiter im Text.

»Dragan will, dass alles so weiterläuft wie bisher. Er lässt sich keinen Bandenkrieg aufzwingen, solange er nicht weiß, von wem und warum.«

Die Schweigefüchse verschwanden und wichen einem erleichterten Nicken.

»Und warum sagt uns Dragan das nicht selber?«, wollte Toni wissen.

Die Schweigefüchse tauchten wieder auf und bekamen Gesellschaft von vier tadelnd geschüttelten Köpfen. Ich ging auf Tonis Frage nicht direkt ein.

»Sollte es Differenzen mit Boris geben, so klärt die Dragan.

Und nur Dragan. Und zwar über mich. Und nur über mich. Alle anderen Geschäfte laufen weiter wie gehabt. Verstanden?«

Vier nickende Schweigefüchse. Ein schweigender Toni.

»Gut, dann habe ich hier jetzt die persönlichen Anweisungen von Dragan. Einmal an euch alle zusammen. Und dann an jeden Einzelnen von euch persönlich. Ich lese zunächst mal die Nachricht für alle vor.«

Die Runde beugte sich gespannt nach vorn, so gut es auf den Stühlchen ging.

»Mir geht es gut. Ich habe viel Zeit, mein Leben zu überdenken. Ich lasse mich von niemandem in einen Bandenkrieg reinziehen. Bis wir Fakten haben, geht alles seinen normalen Gang. Als Zeichen der Normalität wurde der Kindergarten, in dem ihr euch befindet, gestern auf meinen Befehl hin übernommen. Alle Fragen dazu an Björn.«

Ich zeigte allen die mit Dragans Daumen gestempelte, über und über mit Kringeln und Linien überzogene Seite der Zeitung von gestern.

Danach gab ich jedem der fünf, auch Sascha, eine Seite einer Tageszeitung vom Vortag. Auch für mich gab es eine Zeitung.

Um dem Ganzen einen gruppendynamischen Anstrich zu geben, hatte ich mir eine kleine Auflockerung im Namen Dragans überlegt.

»Dragan bittet darum, dass jetzt jeder die Botschaft für sich an den Nachbarn rechts von ihm weitergibt, damit der diese laut vorliest. So können wir alle gemeinsam erfahren, was Dragan für jeden von uns zu sagen hat.«

Sechs Zeitungsseiten wechselten raschelnd den Besitzer. Ich hatte die Sitzordnung bewusst so gewählt, dass Toni die Anweisung für Sascha vorzulesen hatte, Carla die für Toni und Sascha die für mich.

»Toni, ich würde vorschlagen, du fängst an.«

Übellaunig, und aufgrund einer ausgeprägten Leseschwäche sehr langsam, begann Toni, die Anweisung von Dragan für Sascha zu entziffern.

»Sascha wird ... hiermit zum ... Officer ... ernannt. Für jahrelange ... loyale ... Dienste wird er ... Geschäftsführer von ... wie ein ... Fisch ... im Wasser.« Toni sah auf. »Was soll der Scheiß?«

»Toni, bevor wir gemeinsam verbleibende Fragen klären, lass uns doch bitte erst alle Botschaften zu Ende lesen«, bat ihn Sascha, der frisch gebackene Officer, auf Augenhöhe.

Carla nahm sich Tonis Botschaft vor. »Für Toni gibt es drei Anweisungen. Erstens: Maul geschlossen und Füße stillhalten. Zweitens: Deine nächste Drohung ist deine letzte. Drittens: Wenn wir die Verantwortlichen für den Scheiß, der hier vorgeht, gefunden haben, übernimmst du die Verhöre.«

Carla sang die Botschaft fast mit einer amüsierten Engelsstimme. Der Chef-Psychopath hatte dem Psychopathen-Nachwuchs eins aufs Maul gegeben und gleichzeitig Honig um den Bart geschmiert. Toni lief zwischenzeitlich vor Wut rot an. Traute sich aber nicht, in die nächsten Botschaften hineinzuplappern.

Stanislav las die Botschaft für Carla vor.

»Carla, der Edelpuff kommt. Aber nicht wie geplant in dem Kindergarten. Bin auf der Suche nach Ersatz.«

Walter hatte die Botschaft für Stanislav: »Kann sein, dass du bald ein paar Extra-Pakete verschicken musst. Warte auf Anweisungen von Björn.«

Ich hatte die Botschaft für Walter: »Deine Security observiert ab sofort Boris und stellt Personenschutz für jeden Officer von uns. Verdächtige werden zu Toni gebracht.«

Sascha schließlich hatte die Botschaft für mich.

»Du bist bis auf Weiteres in allen Angelegenheiten mein Sprachrohr. Wenn jemand etwas von mir will, geht er zu dir. Wenn du etwas zu den anderen sagst, können die anderen davon ausgehen, es kommt von mir.«

Vier der fünf Officer waren erleichtert. Und davon überzeugt, dass Dragan lebte. Und dass er keinen Krieg wollte. Und dass ihm das Untertauchen gutzutun schien. Und dass ich der tolle Hecht war, der ihm das Untertauchen erst ermöglicht hatte. Und dass ich sein volles Vertrauen hatte. Die Atmosphäre ohne ihn war viel angenehmer als mit ihm. Die ersten beiden Punkte meiner Agenda waren also bei der Mehrheit der Anwesenden mehr als zufriedenstellend gelöst.

Nur Toni konnte nicht mehr an sich halten: »Was ist mit Boris? Wann schlagen wir zurück?«

»Was soll mit Boris sein?«, fragte ich und tat überrascht.

»Murat, für den ich mich verbürge, hat herausgefunden, dass Boris mein Revier übernehmen will. Jetzt ist Dragan verschwunden und Murat tot. Erschossen von Boris.«

»Stand davon irgendetwas in irgendeiner Anweisung?«, stellte ich die Gegenfrage.

»Nein, deswegen frage ich ja.«

»Carla, was stand noch mal in der Anweisung an Toni?«, sagte ich an Carla gewandt.

Carla las noch einmal genüsslich vor. »Maul geschlossen und Füße stillhalten.«

Ich sah in die Runde. »Weitere Fragen?«

Carla hob die Hand. Ich nickte ihr zu.

»Was ist jetzt mit den Plänen für das Edelbordell? Das sollte doch in dieses Haus hier reinkommen, oder nicht?«

»Ja. Das kommt. Aber nicht in dieses Gebäude.«

»Darf ich fragen, warum nicht?«

Dank der Information von Peter am Vormittag war die Antwort ganz einfach.

»Der Leiter des Bauamts hat zwei Kinder hier im Kindergarten. Würde der Kindergarten geschlossen, hätten wir die Genehmigung für die Umbaumaßnahmen nicht bekommen. Wenn wir den Kindergarten aber betreiben, wird er umso offener sein für jeden unserer Vorschläge an jedem anderen Ort.«

»Davon wusste ich ja gar nichts«, flüsterte Sascha mir zu.

»Solltest du aber in Zukunft«, flüsterte ich zurück. »Schließlich bist du der Officer von dem Laden hier.«

»Ach, der feine Herr Breuer?«, warf Carla amüsiert ein. »Bislang hat es ihm immer gereicht, von meinen Mädels überzeugt zu werden ...«

»Das ist der nächste springende Punkt bezüglich des Kindergartens«, fuhr ich fort. »Wenn die eigenen Kinder im Spiel sind, lassen sich die Menschen viel effektiver überzeugen. Heute Morgen hat zum Beispiel kein Geringerer als der Leiter der Mordkommission seinen Sohn hier angemeldet. Und genau das bezweckt Dragan mit dem Kindergarten. Es ist in Dragans Augen sinnvoll, die Menschen in Zukunft auch über ihre Herzen zu erreichen und nicht bloß über Huren und Heroin. Das ist Dragan so wichtig, dass dieser Kindergarten als eigenständiger Geschäftszweig von jemandem als Officer geführt wird, der sich damit auskennt. In diesem Fall ist das Sascha.«

Drei Köpfe nickten bewundernd ob der Scharfsinnigkeit ihres abwesenden Chefs. Punkt drei meiner Überzeugungsliste war erledigt.

»Heißt das, es sind noch Plätze frei?«, wollte Walter wissen. Walter hatte drei Kinder von zwei Frauen. Zwei davon waren volljährig und lebten in Frankreich bei der Exfrau. Eine uneheliche Tochter war fünfzehn und lebte hier.

»Klar. Hast du noch irgendwo ein Kleinkind?«

»Ich nicht, aber meine Schwester. Du glaubst echt nicht, wie schwierig es ist, hier in der Stadt einen guten Kindergartenplatz zu bekommen …«

»Dieses kotz.de ist die reinste Unverschämtheit«, stimmte Stanislav zu.

Ich sah Stanislav verwundert an. »Woher kennst du kotz.de?«

»Die Tochter meiner neuen Freundin sucht einen Platz …«

»Was ist denn mit Lara und Alexander von Natascha, brauchen die nicht auch noch was?«, wollte Carla von Sascha wissen.

»Sind schon auf der Liste«, antwortete Sascha.

Die angenehme Atmosphäre hatte gewirkt. Ich hatte die Gruppe – bis auf Toni – von allen Punkten überzeugt.

Nur einen Tag nach der Übernahme des Kindergartens hatten Sascha und ich nicht nur fünf neue Anmeldungen, sondern auch den Leiter der Mordkommission, den Chef des Bauamts und die Officer für Waffen, Prostitution und Menschenhandel auf unserer Seite. Und ich hatte einen Keil zwischen Toni und die anderen getrieben, ohne eine einzige persönliche Anschuldigung gegen Toni geäußert zu haben.

»Gut, wenn alle Fragen geklärt sind, können wir ja jetzt zum gemütlichen Teil übergehen«, schloss ich die Besprechung. Das Meeting war beendet. Leider nicht aus Tonis Sicht. Die Demütigungen des Abends waren dann wohl doch ein wenig zu viel für ihn.

Toni kochte. Aber er sagte eiskalt: »Alle bleiben sitzen. Ich habe eine Info für euch. Die Polizei hat Dragans Ringfinger am Montag am See gefunden. Der Anwaltspenner macht uns allen was vor.«

Das war also der Moment. Toni wusste von Möller auch über den Finger Bescheid. Da er mit dem Rücken zur Wand stand, spielte er jetzt seine letzte Karte. Nachdem der Finger für die Polizei kein Problem mehr darstellte, machte Toni daraus ein Problem für den Clan.

Ein eisiges Schweigen hing im Raum. Alle Officer schauten nun mich an. Da Angriff die beste Verteidigung ist, richtete ich mich direkt an Toni.

»Und warum kommst du mit dieser wichtigen Information erst jetzt rüber?«, blaffte ich ihn an.

»Weil ich erst mal sehen wollte, was für ein Affentheater du hier abziehst, um uns alle zu verarschen. Dragan ist tot. Sein Ringfinger liegt bei der Polizei in einer Plastiktüte. Und sein Daumen kann alles Mögliche stempeln, bevor er vergammelt. Du hast Dragan getötet.«

Walter war der Erste, der die Sprache wiederfand. »Björn, stimmt das mit dem Finger?«

»Selbstverständlich stimmt das mit dem Finger«, antwortete ich. Alle Officer sahen mich überrascht an. »Jedenfalls insofern, als die Polizei einen Finger mit Dragans Ring dran gefunden hat. Allerdings nicht Dragans Finger.«

»Hör auf, uns alle für blöd zu verkaufen und sag endlich, was Sache ist«, brüllte Toni.

Ich blieb ganz ruhig. »Was Sache ist? Sache ist, dass ich hier im Gegenteil zu dir meinen Job mache. Dragan wollte untertauchen. Von der Bildfläche verschwinden. Leider läuft ein sehr eindeutiges Ermittlungsverfahren wegen Totschlags gegen ihn. Es gibt im Grunde nur drei Möglichkeiten ein solches Verfahren zu beenden: Erstens durch Verurteilung, das wollte Dragan nicht. Zweitens durch Einstellung, das ist bei der Beweislage mit dem Video völlig undenkbar. Und drittens durch den Tod des Beschuldigten. Wenn die Polizei also einen Finger mit Dragans Ring am See findet, dann weil Dragan wollte, dass dieser Finger dort gefunden wird. Damit die Polizei glaubt, Dragan ist tot. Und ich kann dich beruhigen, du Arschloch. Der Ring ist von Dragan. Der Finger nicht.«

Zumindest hatte ich es geschafft, dass Carla, Walter, Sascha und Stanislav nicht sofort auf Tonis Seite überschwenkten. Ihnen leuchtete meine Argumentation ein. Entweder war ich ein Mörder und Verräter oder ein genialer Held. Sicher waren sie sich aber anscheinend noch nicht.

Toni ließ nicht locker. »Ach, und wie bitte hat Dragan diesen Ring von seinen Wurstfingern abbekommen?«

»Genauso wie du seit Jahren in Dragans Arsch gekrochen bist: mit viel Schwung und einem Eimer Vaseline.«

Toni polterte von seinem Stuhl und musste von Walter und Stanislav zurückgehalten werden, damit er mir nicht an den Hals ging.

»Fick dich, du Assi. Es gibt keinen Beweis dafür, dass nicht *du* Dragans Finger abgehackt hast und uns alle mit diesem Zeitungsquatsch komplett verarschst.«

Trotz der Schlüssigkeit all meiner Argumente hatte Toni mit dieser Behauptung leider recht. Es gab niemanden, der bezeugen konnte, dass Dragan wirklich lebte. Und da mir nichts einfiel, was ich darauf sagen sollte, schwieg ich. Die anderen sahen von mir zu Toni und dann wieder zu mir. Offensichtlich erwartete man ein klärendes Wort. Man wollte den schlagenden Beweis – den ich nicht hatte.

Okay, dachte ich mir. Ich sehe die Sache einfach mal, ohne zu bewerten. Ich habe es geschafft, meinen Chef umzubringen und damit von Samstag bis Donnerstag durchzukommen. An dieser Stelle ist dann wohl Schluss. Schluss mit den Lügen. Schluss mit dem Stress. Das war's. Entspann dich.

In dem Moment, in dem ich gerade dachte, den Stress, den

meine Scharade trotz aller Achtsamkeit noch ausgelöst hatte, genauso los zu sein wie meine Zukunft, meldete sich eine Stimme, zu Wort und behauptete das Gegenteil.

»Doch. Es gibt einen Beweis.« Die Stimme kam von Sascha. Alle Augen richteten sich auf ihn. »Dragan hat noch heute Morgen mit mir telefoniert. Und du, Arschloch...«, er zeigte auf Toni, »verpisst dich jetzt besser.«

Toni warf mir einen vernichtenden Blick zu und zischte: »Montag, Alter. Bis Montag sehe ich Dragan, oder dieser Kindergarten ist für dich vorbei.« Er wandte sich um und ging.

Als er fort war, atmeten alle auf.

Ich lächelte tapfer und wollte die anderen ebenfalls entlassen, doch Carla, Walter und Stanislav wollten unbedingt noch den Rest des Kindergartens sehen.

30 DELEGIEREN

»Wenn Sie subjektiv das Gefühl haben, dass Ihnen alles zu viel wird, dann kann das objektiv einen ganz einfachen Grund haben: Es ist tatsächlich alles ein wenig zu viel. Lassen Sie nicht nur subjektiv los. Tun Sie das auch objektiv mit Ihren Aufgaben. ›Loslassen‹ ist gut! ›Loslassen‹ heißt nicht ›fallen lassen‹. ›Aus der Hand geben‹ heißt nicht ›verlieren‹. Das Zauberwort heißt ›delegieren‹. Übergeben Sie Teile Ihrer Arbeit in Liebe jemandem, der die Arbeit mit dieser Liebe übernimmt. Und Sie erhalten in der Hälfte der Zeit, die Sie alleine belasten würde, gemeinsam das Doppelte des entlastenden Ergebnisses zurück.«

JOSCHKA BREITNER,
»ENTSCHLEUNIGT AUF DER ÜBERHOLSPUR –
ACHTSAMKEIT FÜR FÜHRUNGSKRÄFTE«

»WAS HAT DER SPACKO dir zum Schluss noch gesagt?«, wollte Sascha wissen, als wir zwanzig Minuten später auf der Terrasse des Kindergartens standen. Sascha rauchte eine selbst gedrehte Zigarette, ich trank den von Toni verschmähten, naturtrüben Apfelsaft. Carla war auf der Toilette. Walter und Stanislav deckten sich im Büro mit Werbematerial für die Schwester und die Freundin ein.

»Was zu erwarten war. Bis Montag will Toni Dragan sehen oder ich bin tot.«

»Die feige Sau. Aber der Rest hat doch hervorragend funktioniert.«

Ich war froh, dass Sascha es von sich aus ansprach. Ich wusste, dass er nicht mit Dragan telefoniert haben konnte. Aber ich wusste nicht, ob Sascha wusste, dass ich das wusste. Warum hatte er gelogen? Nur um Toni eins auszuwischen? Oder kannte er die Wahrheit?

Die Neugier, das herauszufinden, überwog.

»Du hast also heute Vormittag mit Dragan telefoniert«, sagte ich mit ausdrucksloser Stimme.

Sascha sah mich einen Moment eindringlich an, bevor er sprach. »Björn, ich habe keine Ahnung, was hier gespielt wird. Ich weiß nur, dass wir von deinem Spiel alle mehr profitieren werden als von Tonis. Also stell nicht solche Fragen, dann stell ich auch keine.«

»Alles klar, Herr Officer. Dann auch noch mal ganz offiziell meinen Glückwunsch zur Beförderung.«

»Danke, Herr Anwalt. Und übrigens: Für die anderen bist du wegen der Sache mit dem Finger der Held. Für mich auch. Der Polizei vorzutäuschen, Dragan wäre tot, ist ein genialer Schachzug.«

Das war gut. Ich brauchte jetzt die Unterstützung aller. Denn es gab eine Menge zu unterstützen. Toni musste ausgeschaltet werden. Boris musste beruhigt werden. Der Maulwurf bei der Polizei, Möller, musste mundtot gemacht werden. Und Malte, der ostdeutsche Attentäter, musste entsorgt werden. Und alles bis Montag. Eine Menge Arbeit für mich allein. Auch eine Menge Arbeit für Sascha und mich zusammen. Bei aller Achtsamkeit hätte ich nicht gewusst, wie ich es ohne die Unterstützung der übrigen Officer hätte hinbekommen sollen.

Zum Glück bedeutet Achtsamkeit ja nicht, nur noch das zu machen, wozu man willens oder in der Lage ist. Achtsamkeit bedeutet auch, die Dinge, die man will, zu unterteilen in Dinge, zu denen man selber in der Lage ist, und in Dinge, zu denen andere viel besser in der Lage sind. Diese Dinge konnte man getrost an vertrauensvolle Menschen abgeben.

Ich hatte mit Sascha bereits besprochen, wie wir die Aufgaben verteilen wollten. Ich hatte Sascha versprochen, das mit Dragan zu besprechen. Und Dragan hatte, o Wunder, dieser Aufgabenverteilung zugestimmt und noch den einen oder anderen Verbesserungsvorschlag gemacht.

»Wann sagen wir es den anderen?«, fragte Sascha und löschte die aufgerauchte Zigarette, indem er die Glut auf dem Fliesenboden ausrieb. Die Kippe behielt er in der Hand.

Sascha und ich hatten gemeinsam beschlossen, Carla, Walter und Stanislav das Video der Befragung von Malte zu zeigen, sobald Toni weg war. Die drei hatten miterlebt, wie weit sich Toni aus dem Fenster gelehnt hatte, als es darum ging, Boris die Schuld für die Situation in die Schuhe zu schieben. Es würde jetzt keinen allzu großen Aufwand mehr brauchen, ihn ganz aus diesem Fenster zu schubsen. Vor allem nicht nach seinem Ausraster zum Schluss.

Sascha und ich standen neben einer Feuerschale, über der die Kindergartenkinder bei den Hipstern wahrscheinlich im Herbst veganes Stockbrot gebraten hatten. Ich machte mir eine mentale Notiz, im nächsten Herbst Thüringer Rostbratwürste für den gleichen Anlass zu bestellen. Als Carla, Walter und Stanislav sich ebenfalls nach draußen gesellten, legte Sascha gerade die gestempelten Zeitungsausschnitte in die Feuerschale und verbrannte sie zu Asche.

»Schade, dass wir die immer verbrennen müssen«, sagte Carla. »In ein paar Jahren wären das historische Dokumente.«

»Für die du historisch lange im Knast landen kannst, wenn die im Archiv der Polizei landen«, konnte ich mir nicht verkneifen zu erwähnen. »Aber das wichtigste historische Dokument des heutigen Abends habe ich noch gar nicht vorgelesen.«

Ich wedelte mit einer weiteren Zeitungsseite.

»Und was ist mit Toni?«, wollte Carla wissen. »Muss die Spaßbremse der Form halber nicht auch dabei sein?«

»Genau um den geht es. Hört einfach zu.«

Ich faltete die mit Dragans Daumen gestempelte Zeitung auseinander. Das Datum besagte, dass sie vom heutigen Tag war. Sprich: Sie war einen ganzen Tag jünger als die Nachrichten von vorhin. Dafür war die Zeitung fast unleserlich mit Kringeln und Strichen übersät.

Ich las vor: »Wenn Toni euch, wie zu erwarten, frühzeitig

verlassen hat, dann schaut euch jetzt bitte das Video an, das Björn mir heute Vormittag geschickt hat.«

Die drei warfen sich unsichere Blicke zu. Ich zeigte ihnen auf meinem iPhone den Mitschnitt der Befragung von Malte vom Vorabend.

Der Inhalt des Videos sorgte für Empörung. Nicht wegen der Folter. Sondern wegen der Erkenntnis, die aus den Stromstößen gewonnen werden konnte. Dass nämlich Toni ein Verräter war. Dass Toni Dragan, Sascha und – mit Maltes Hilfe – auch Murat und mich beseitigen wollte. Dass ihm das im Fall von Murat auch gelungen war, in meinem Fall nicht. Toni hatte aber noch vor einer halben Stunde vor versammelter Mannschaft für seinen Mitarbeiter Murat, den er selbst hatte erschießen lassen, die Hand ins Feuer gelegt. Er hatte vor versammelter Mannschaft die Schuld an Murats Tod Boris in die Schuhe schieben wollen. Er wollte nach wie vor einen Bandenkrieg entfesseln.

Er hatte uns alle hintergangen.

»Die Handgranaten hat das Schwein von mir«, sagte Walter. Er sah mich betrübt an. »Ich hatte ja keine Ahnung, was der Penner damit vorhat.«

»Lasst uns sofort in dessen Schuppen fahren und den Verräter an Ort und Stelle erledigen.«

»Wir sollten ihm die Elektroklemmen von diesem Malte ans Kleinhirn tackern«, sagte Carla.

Ich hob beschwichtigend die Hände. »Lasst uns doch erst mal hören, was Dragan dazu zu sagen hat.« Damit entfaltete ich eine weitere Zeitungsseite.

Es war ein längerer Text mit dezidierten Anweisungen, wie verschiedene Aufgaben zunächst an alle Officer delegiert werden sollten, um am Ende gemeinsam ein perfektes Ergebnis zu erzielen.

Wir erörterten noch eine halbe Stunde lang die Details von Dragans Plan. Nachdem jeder von uns wusste, was er bis Montag zu tun hatte, verbrannte Sascha auch diese Zeitungsseite und das Treffen war beendet.

31 DANKBARKEIT

»Es gibt ein Gefühl, das sehr schnell zu erzeugen ist und das
alle negativen Gedanken überlagert. Dieses Gefühl nennt sich
Dankbarkeit. Denken Sie bei allen Belastungen, die Sie gerade
mit sich herumtragen, spontan an drei Dinge, für die Sie dankbar
sind. Das kann der Sonnenstrahl beim ersten Blick nach draußen
sein oder die letzte Gehaltserhöhung oder einfach nur ein
gutes Gespräch. Fühlen Sie diese Dankbarkeit ganz konkret.
Sie können nicht gleichzeitig dankbar und frustriert sein.«

JOSCHKA BREITNER,
«ENTSCHLEUNIGT AUF DER ÜBERHOLSPUR —
ACHTSAMKEIT FÜR FÜHRUNGSKRÄFTE»

IN DER FOLGENDEN NACHT schlief ich unruhig. Ich träumte von Drohungen und Verrat, von Folter und Gewalt. Als ich aufwachte, war mir klar, woran das lag. Zum einen natürlich, weil ich mich mit diesen Themen ein Stück weit tatsächlich auseinandersetzen musste, wenn ich den nächsten Montag überleben wollte. Aber warum ließ der Geist sich immer wieder von Negativem runterziehen? Wahrscheinlich, weil Achtsamkeit auch ein gewisses Maß an Disziplin erforderte. Ich hatte vor genau einer Woche meine letzte Achtsamkeitsstunde bei Joschka Breitner besucht. Gestern war der erste Donnerstagabend seit Monaten gewesen, den ich ohne angeleitete Achtsamkeitsübung verbracht hatte.

Aber Joschka Breitner hatte mich auf einige Übungen in seinem Buch aufmerksam gemacht, die ich auch alleine durchführen konnte. Ich las eine entsprechende Stelle nach:

»Es gibt ein Gefühl, das sehr schnell zu erzeugen ist und das alle negativen Gedanken überlagert. Dieses Gefühl nennt sich Dankbarkeit. Denken Sie bei allen Belastungen, die Sie gerade mit sich herumtragen, spontan an drei Dinge, für die Sie dankbar sind. Das kann der Sonnenstrahl beim ersten Blick nach draußen sein oder die letzte Gehaltserhöhung oder einfach ein gutes Gespräch. Fühlen Sie diese Dankbarkeit ganz konkret. Sie können nicht gleichzeitig dankbar und frustriert sein.«

Ich setzte mich also ganz bewusst im Bett auf, schloss meine

Augen und versuchte an drei Dinge zu denken, für die ich dankbar war.

Ich war dankbar für meine Tochter, meine Gesundheit, den vollen Kühlschrank, den Espresso, den ich gleich trinken würde, meine berufliche Freiheit, das Buch von Joschka Breitner, die Unterstützung von Sascha, von Carla, von Walter, von Stanislav, für den Kindergartenplatz für Emily, das nicht zerrissene Band zwischen mir und Katharina, meine Zukunft als Anwalt in einer schönen Kanzlei, die Tatsache, dass ich bereits das Ultimatum von Katharina erfüllt hatte und das von Boris so gut wie …

Wow! Das waren aus dem Stand wesentlich mehr als drei. In meiner ersten Achtsamkeitsstunde war ich nicht dazu in der Lage gewesen mich auf fünf mich stressende Dinge zu beschränken. Eine Woche nach der letzten Sitzung sprudelte das Positive nur so aus mir heraus.

Für jeden einzelnen Punkt meiner Positivliste versuchte ich nun Dankbarkeit zu spüren. Der Versuch gelang. Ich spürte die Dankbarkeit geradezu körperlich. Die Dankbarkeit durchströmte mich von meinem Sonnengeflecht aus mit einer Wärme, die die kalten Sorgen, die ich kurz vorher noch hatte, wegschmelzen ließ. In diesem Gefühl der Wärme wollte ich den Tag verbringen. Ich wollte meine Dankbarkeit teilen. Und ich beschloss, sie mit Katharina und Emily zu teilen.

Aus Gründen der Dramatik wäre es sicherlich angebracht gewesen, Katharina erst mit Ablauf ihres Ultimatums am 30. April darüber zu informieren, dass ich ihre Forderung erfüllen würde. Nach Dramatik hatte mir aber auch schon vor meinen Achtsamkeitserfahrungen nie der Sinn gestanden. Jemandem eine frohe Nachricht vorzuenthalten, damit er sich zu einem bestimmten Zeitpunkt dann umso mehr darüber freut, war in meinen Augen völlig sinnfrei.

Ein Beispiel: Ihr kettenrauchender Opa wird in drei Tagen fünfundachtzig. Seit einer Woche hustet er Blut. Vor drei Tagen waren Sie deswegen beim Onkologen. Heute ist das Ergebnis gekommen: Opa hat lediglich eine Lungenentzündung. Das ist unangenehm. Aber kein Todesurteil. Natürlich können Sie noch drei Tage warten, bis Sie Opa pünktlich zu dessen fünfundachtzigstem Geburtstag die Krebsheilung als Geschenk verpackt auf den Geburtstagstisch legen. Alles, was Sie ihm dadurch tatsächlich schenken, sind drei Tage Todesangst. Wenn Ihnen das den Effekt wert ist, bitte sehr.

Dramatik ist das Gegenteil von Achtsamkeit.

Weil ich für den heutigen Tag für mich erfühlt hatte, dass mir Dankbarkeit guttut, wollte ich Katharina an meiner Dankbarkeit teilhaben lassen und sie darüber informieren, dass Emily den gewünschten Kindergartenplatz bekommen würde.

Ich rief sie an, und Katharina schlug ein Treffen in einem Café in unserem Viertel vor.

Das Café wurde als »kinderfreundlich« geführt. Die Kinderfreundlichkeit bezog sich darauf, dass auf jedem zweiten Stuhl Mütter aller Alters- und Gewichtsklassen offen ihre Still-BHs hochklappten, während sie laktose- und koffeinfreie Latte macchiatos in sich reingossen. Kinderwagen aller Preisklassen durften vor dem Café den Radweg blockieren. Auf der Damentoilette war ein großzügiger Wickelbereich eingerichtet. Auf Kosten der Herrentoilette. In dieser befand sich ein einziges Klo. Und kein noch so kleiner Wickeltisch. Mütter bröselten vegane Croissants für 3,90 Euro über die Markenklamotten ihrer Kinder und bemitleideten sich gegenseitig wegen ihrer finanziell angespannten Situation.

Exakt die »Wie ein Fisch im Wasser«-Klientel.

Emily fand es hier allerdings toll, weil man mit Kreide die

Wand anmalen und die Finger anschließend an den Polster-
möbeln abwischen konnte. Trotzdem wirkte alles sehr gepflegt.
Ein Teil der hohen Preise war wohl schlicht eine oft genutzte
Renovierungsrücklage.

»Seit wann gehst du in solche Cafés?«, fragte ich Katharina,
nachdem wir eine Sitzgruppe gefunden hatten, von der aus wir
Emily beim Malen zuschauen konnten.

»Seit mein Mann ausgezogen ist.«

»Was hat mein Auszug mit den Menschen zu tun, mit denen
du dich hier umgibst? Das ist doch gar nicht dein Umfeld.«

»Ich brauche ab und an mal den Eindruck, dass es Menschen
gibt, mit denen ich nicht tauschen möchte. Auch wenn in deren
Leben Mafia-Bosse und Edelbordelle wohl eher keine Rolle
spielen. Dafür ist es mir aber egal, ob ich Sojamilch-Flecken bei
dreißig Grad aus einer Jack-Wolfskin-Jacke rauskriege. Verglichen mit den Luxus-Mutter-Problemen, unter denen diese Mädels hier leiden, sind unsere Eheprobleme geradezu lobenswert
handfest.«

Andere Menschen gehen in Cafés, weil sie die Menschen dort
mögen. Katharina ging in Cafés, weil sie die Menschen dort
hasste. So war sie halt.

»Ich hab zwei Briefe für dich«, sagte ich, ohne auf ihre Bemerkung einzugehen.

Ich übergab Katharina zunächst einmal ein Schreiben von
»Ein Fisch im Wasser« im Namen der Hipster.

Sehr geehrte Frau Diemel,
hiermit möchten wir uns in aller Form bei Ihnen entschuldigen.
Wir haben Ihnen in der letzten Woche eine Absage bezüglich
der Kindergartenbewerbung Ihrer Tochter geschickt. Das war
falsch. Ihre Tochter ist das tollste Kind der Welt. Sie sind die

tollste Frau der Welt und Ihr Mann, der ebenfalls der tollste Mann der Welt ist, hat auch den tollsten Beruf der Welt. Wir haben eingesehen, dass wir all dies viel zu spät erkannt haben. Um den Weg für einen Neuanfang freizumachen, teilen wir Ihnen hiermit mit, dass wir die Geschäftsführung der Eltern-initiative »Wie ein Fisch im Wasser« freiwillig zum Ersten des kommenden Monats abgeben. Der neue Geschäftsführer wird sich mit Ihnen in Verbindung setzen und Ihrer Tochter Emily einen Kindergartenplatz anbieten.

Mit freundlichen Grüßen, auch an Emily
Unterschriften

Katharina guckte mich ungläubig an.

»Ist das Blut?«

»Wo?«

»Da, zwischen den Begriffen ›tollster Mann‹ und ›tollster Beruf der Welt‹.«

Ich schaute mir den Brief noch einmal genauer an. Da eigentlich alle Hipster kurz vor der Unterschrift des Briefes noch heulend damit beschäftigt gewesen waren, sich Taschentücher in die frisch gebrochenen Nasen zu friemeln, konnte ich das mit dem Blut natürlich nicht ausschließen.

»Keine Ahnung. Wenn du willst, kann ich die Herren aber bitten, das noch mal neu auszudrucken.«

»Ist nicht nötig. Mir gefällt der Brief sehr gut. Will ich wissen, wie du die Leute dazu gebracht hast, das zu schreiben?«

»Durch Achtsamkeit.«

»Wie das denn?«

»Ich habe mich mit ihren Bedürfnissen auseinandergesetzt und ihnen vergeben. Anschließend waren auch sie bereit, ihre Fehler einzusehen und wieder rückgängig zu machen.«

»Und das heißt jetzt für Emily?«

Ich gab Katharina den zweiten Brief von »Wie ein Fisch im Wasser«.

Liebe Frau Diemel, lieber Herr Diemel,
ich freue mich, Ihnen mitteilen zu können, dass für Ihre Toch-
ter Emily in unserer Einrichtung zum 1. August diesen Jahres
ein Platz zur Verfügung steht. Emily wird gewiss eine große Be-
reicherung für »Wie ein Fisch im Wasser« sein. Bitte melden
Sie sich doch kurzfristig zwecks der Vertragsunterzeichnung.
Mit freundlichen Grüßen
Sascha Ivanov

Katharina guckte schon wieder ungläubig.

»Moment, Sascha Ivanov … Ist das nicht der Fahrer von Dragan?«

Mir wurde flau im Magen. Ich atmete tief durch. »Richtig.«

»Und der leitet jetzt den Kindergarten?«

»Dragan war mir was schuldig.«

Katharina starrte abwechselnd auf die Briefe, und ich befürchtete schon, dass sie mir jeden Moment beide um die Ohren hauen würde. Doch dann trat unvermutet ein feuchtes Glänzen in ihre Augen, und schließlich nahm Katharina mich tatsächlich in den Arm.

»Du hast schon wesentlich schlimmere Dinge getan. Danke.«

Achtsamkeit kann Menschen töten und Nasen brechen. Und Eisberge zum Schmelzen bringen.

32 EIFERSUCHT

»Eine der ältesten und intensivsten Emotionen der Menschheit
ist die Eifersucht. Dieses Gefühl ist verbunden mit Wut, Hass,
Angst und Ohnmacht. Eifersucht verhindert in der Regel ein klares,
rationales Denken. Und alles basiert auf dem Gedanken, jemand
anderes sei dafür verantwortlich.
Ein Weg, mit Ihrer Eifersucht umzugehen, ist das erkennende
Annehmen. Nehmen Sie den Schmerz, den Sie fühlen, an.
Als Ihren Schmerz. Niemand außer Ihnen ist für diesen Schmerz
verantwortlich. Niemand außer Ihnen kann ihn beseitigen.«

JOSCHKA BREITNER,
»ENTSCHLEUNIGT AUF DER ÜBERHOLSPUR –
ACHTSAMKEIT FÜR FÜHRUNGSKRÄFTE«

WÄHREND WIR NOCH IN DEM CAFÉ saßen und uns ausmalten, wie es sein würde, wenn Emily ab dem Sommer ein Kindergartenkind wäre, bekam ich eine SMS von Carla auf meinem nicht abgehörten Prepaid-Handy.

»*Hotel Domino. Jetzt gleich.*«

Reflexartig wechselte bei Katharina wieder die Stimmung.

»Hört das denn nie auf mit dem Handy?«

Katharina wusste, dass ich für die Familie den Achtsamkeitskurs belegt hatte, mich an alle Zeiten mit Emily hielt, mittlerweile meinen Job gekündigt hatte und nun sogar den benötigten Kindergartenplatz erkämpft hatte.

Sie wusste nicht, dass ich dafür Dragan ermordet, meine Kanzleichefs erpresst und die Kindergartenleiter bedroht hatte. Sie wusste noch viel weniger, dass ich wegen all dem nun selber mit dem Leben bedroht wurde.

Sie hätte aber bemerken können, wie wohl ich mich in dem Augenblick fühlte, den sie mit ihrer Bemerkung gerade zerstörte.

Trotzdem hielt sie es für angebracht all das mit einem sinnlosen Standardsatz zunichtezumachen: »Hört das denn nie auf mit dem Handy?«

In dem Moment war mir klar, dass es unmöglich wäre, mein Leben für meine Frau zu ändern, solange diese ihr eigenes Leben nicht ändern würde. Ich änderte mein Leben also gar nicht für meine Frau. Ich änderte es für mich und Emily. Und das tat schon mehr als gut.

Als Reaktion auf die sinnige Bemerkung Katharinas schaute ich auf meine Uhr: elf Uhr. Dann schaute ich mich in dem Café um: Ich war der einzige Mann. Dann sagte ich:

»Ich sag mal so: Die Tatsache, dass ich um elf Uhr morgens als einziger Mann mit meiner Frau und meiner Tochter in einem Kindercafé einen überteuerten Espresso trinke, hängt in der Tat viel mit diesem Handy und meinem Beruf zusammen. Alle anderen Männer hocken nämlich gerade vor einem Festnetzanschluss im Büro. Und kümmern sich dort einen Dreck um den Kindergartenplatz ihrer Tochter.«

Die Atmosphäre im Café schien Katharina wirklich gutzutun. Sie schaute sich die anderen Mütter an. Sie schaute sich die beiden Briefe an. Sie schaute mich an. Und dann sagte sie etwas, das sie seit Jahren nicht mehr gesagt hatte: »Sorry. Du hast recht. Wie auch immer du das angestellt hast: danke.«

Na also, ging doch.

»Wenn du darauf antworten musst, dann mach ruhig.«

Nett gemeint. Aber eigentlich unverschämt. Katharina war nicht dazu in der Lage zu begreifen, dass diese Erlaubnis im Grunde die Anmaßung beinhaltete, sie hätte das Recht, es auch zu verbieten.

Mir war das in diesem Moment egal. Ich hatte in der Tat Wichtigeres zu tun. Der erste Schritt des ersten Teils des gestern Morgen im Wald geborenen und gestern Abend besprochenen Planes hatte laut SMS von Carla funktioniert.

Carla hatte die Lebensgefährtin von Klaus Möller, dem für Toni arbeitenden Polizisten, um fünfzehn Uhr ins Hotel Domino bestellt. Dem lag ein achtsam durchdachter Gedanke zugrunde.

Ich hatte bei meinem gestrigen Brainstorming im Wald erfahren, dass ich diesen Möller dazu missbrauchen wollte, Toni dahin zu bringen, wo ich ihn gerne haben wollte. Ich wollte Möller schlicht und ergreifend umdrehen und benutzen.

Wie aber sollte ich mit den Mitteln der Achtsamkeit einen korrupten Polizisten dazu bringen, mir zu gehorchen? Dazu war erst einmal wichtig, sich in das Gefühlsleben dieses Polizisten hineinzuversetzen.

Polizisten sind Beamte. Beamte denken in der Regel rational und lassen sich nicht von ihren Emotionen leiten. Einen rationalen Menschen zu manipulieren ist schwieriger als einen irrationalen Menschen. Ich musste diesen Möller also zunächst einmal dazu bekommen, seine Rationalität über den Haufen zu schmeißen.

Jetzt ist Achtsamkeit natürlich in erster Linie für das Gegenteil gedacht: Durch Achtsamkeit soll man mit irrationalen Emotionen fertigwerden. Das Schöne an der Achtsamkeit ist ja gerade, dass sie ein friedlicher Weg ist, um selbst die gewaltigsten, explosivsten Emotionsausbrüche zu entschärfen. Aber zum Glück ist dieser Weg keine Einbahnstraße.

Gefühle lassen sich ebenso entschärfen wie Bomben. Der grundlegende Unterschied zwischen der Anwendung der Achtsamkeit und dem Entschärfen einer Bombe ist, dass der Bombenentschärfer bei seiner Tätigkeit draufgehen kann. Das kann beim Achtsamsein nicht passieren. Wenn es mit den Methoden der Achtsamkeit heute nicht gelingt, ein Problem zu lösen, dann gelingt es eben morgen.

Wenn der Bombenentschärfer heute einen schlechten Tag hat, dann gibt es kein Morgen.

Aber das Entscheidende ist: Der Bombenentschärfer weiß, wie eine Bombe aufgebaut ist. Das heißt, er kann eine entschärfte Bombe auch wieder scharf machen.

Und für die Achtsamkeit gilt: Man kann mit dem Wissen der Achtsamkeit um den Aufbau des Seelenfriedens auch umgekehrt aus einem rationalen Menschen ein irrationales Nervenbündel machen. Indem man sein Gegenüber ganz bewusst in eine Emotion bringt, die ihm den Boden unter den Füßen wegzieht.

Ich war also auf der Suche nach einer Emotion, die dem guten, rationalen Herrn Möller so das Hirn vernebeln würde, dass ich mit ihm machen konnte, was ich wollte. Dazu hatte ich mit Sascha, Carla, Walter und Stanislav in Dragans Namen einen schönen Plan ausgearbeitet.

Herr Möller hatte eine auffallend attraktive Lebensgefährtin, Bascha, mit der er ohne Trauschein in eheähnlicher Verbundenheit lebte. Sie war zehn Jahre jünger als er. Eine Polin, die die Vorzüge von einem Beamtengehalt mit Pensionsansprüchen durchaus als Statussymbol ansah. Und ihr attraktives Aussehen war für Möller mehr als nur ein Statussymbol. Nach allem was ich wusste, führten die beiden eine ganz glückliche Beziehung, auch wenn sie optisch überhaupt nicht zueinander passten. Bascha vermied es tunlichst, sich von irgendwelchen Typen anbaggern zu lassen.

Das hieß aber nicht, dass sie nicht für Komplimente offen gewesen wäre. Oder sich nicht von Frauen ansprechen ließ.

Deshalb hatten wir beschlossen, dass Carla Bascha auf der Straße ansprechen würde. Als seriöse Chefin einer Modelagentur, die auf der Suche nach neuen Gesichtern war. Sie würde Bascha bitten, mit ihr im Hotel Domino – einem als solches nicht erkennbaren, seriösen Stundenhotel für Carlas gehobene Escort-Girls – einen Kaffee zu trinken, um die Möglichkeiten zu erörtern, als Hausfrau nebenbei Geld mit Fotoaufnahmen für Werbeprospekte zu verdienen.

Sobald ich die Bestätigung von Carla hatte, dass Bascha

angebissen hatte – und die Erlaubnis von Katharina, ein paar SMS zu schreiben –, führten Sascha und ich einen vorher geskripteten SMS-Dialog. Auf den von Herrn Möller abgehörten Handys.

Ich: »Weißt du, wo Toni ist? Kann ihn nicht erreichen.«

Sascha: »Der lässt sich bestimmt wieder von der Bullenfrau reiten.«

Ich: »Von wem?«

Sascha: »Die junge Blonde von diesem nichtssagenden Schnörres-Heini aus der Mordkommission.«

Ich: »Die Olle vom Möller?«

Sascha: »Exakt.«

Ich: »Die hat was mit Toni?«

Sascha: »Immer wenn der gute Möller im Dienst ist. Immer im Hotel Domino. Suite 812.«

Ich: »Gut zu wissen. Danke.«

Da ich mittlerweile eine gewisse Erfahrung in Sachen Work-Life-Balance hatte, kümmerte ich mich nach dieser geschäftlichen SMS wieder um meine Familie. Ich hatte mich mit der Idee des Delegierens nicht nur angefreundet, sondern sie auch so verinnerlicht und in die Tat umgesetzt, dass ich den weiteren Dingen ganz entspannt ihren Lauf lassen konnte. Zufrieden steckte ich mein Handy weg.

Katharina erzählte mir von ihren Plänen, am Samstag mit Emily zu ihren Eltern zu fahren. Wir wussten beide, dass ich hätte mitkommen können. Wir wussten beide, dass ich das nicht tun würde. Wir beschlossen, am Sonntag einen Familienausflug zu unternehmen. Ich schlug vor, Emily den Kindergarten zu zeigen. Sie kannte ihn zwar schon vom Vorstellungsgespräch, aber da hatte ihr Papa dort noch nicht das Sagen gehabt.

Der Sonntag würde also ein Familientag werden. Wenn es den

Papa am Sonntag überhaupt noch gab. Das wiederum hing unter anderem vom Verlauf des heutigen Freitags ab.

Beim Delegieren war vor allem das offene Feedback der Beteiligten wichtig. Von den nachfolgenden Ereignissen konnte mir zum Glück Sascha ebenso genau wie amüsiert berichten.

Das Lesen des SMS-Dialoges zwischen uns muss für Möller zunächst einmal, wie geplant, ein emotional ungemein bewegendes Ereignis gewesen sein. Während ich das Handy wieder in meinem Sakko verschwinden ließ und darauf wartete, dass zumindest ein aufgesetztes Lächeln auf Katharinas Gesicht erschien, ließ Möller bereits den soeben abgefangenen Datensatz meines Handys verschwinden, um sofort in seinen Wagen zu springen und zum Hotel Domino zu rasen. Auf dessen Parkplatz tatsächlich der Wagen seiner Lebensgefährtin stand.

Rasend vor Wut, Hass und Angst fuhr er in die achte Etage und trat die Tür zur Suite ein. Aus dem Schlafzimmer kamen wildeste Sex-Geräusche. Aber die Schlafzimmertür war eine massive Doppelschiebetür. Abgeschlossen – und zum Auftreten schlicht ungeeignet.

Was dann passierte, muss live noch um einiges spannender gewesen sein, als es für mich im Anschluss auf Video aussah. Selbstverständlich hatte Carla in jedem Zimmer des Hotels Mini-Kameras versteckt. Es gibt keine wertvolleren Erinnerungen als die ans Fremdgehen. Jedenfalls aus Sicht dessen, der das Fremdgehen filmt.

Im Wohnzimmer der Suite sah man also einen vor Wut nicht mehr zurechnungsfähigen Polizisten an einer verschlossenen Schlafzimmertür rütteln.

In dem Schlafzimmer befanden sich Sascha, Stanislav und das Security-Pärchen. Sowie ein auf maximale Lautstärke aufgedrehter Fernseher, der auf das hoteleigene Porno-Programm eingestellt war. Sascha und Stanislav lehnten an der Wand, die das Schlafzimmer vom Wohnzimmer der Suite trennte. Das Pärchen wartete, entkleidet, im Badezimmer.

Herr Möller schrie gegen die Geräusche an, die er nicht dem Fernsehprogramm, sondern seiner Frau und Toni zuordnete.

»Toni, mach sofort die Tür auf, du hinterhältiges Arschloch!« Nichts passierte. Unvermindertes Stöhnen hinter der Tür.

»Ich hab dir alle Infos gegeben, und du nimmst mir dafür meine Frau?«

Nichts passierte. Bis auf einen lustvollen Schrei hinter der Tür.

»Ich habe meinen Job für dich riskiert. Jetzt komm sofort da raus und riskier dein Leben, du feige Sau.«

Nichts passierte. Bis auf ein sich rhythmisch steigerndes, zweistimmiges Brüllen.

»Wenn du bei drei nicht die Tür aufmachst, dann bring ich dich und die Schlampe direkt im Bett um!«

Nichts passierte. Außer einem lang gezogenen »Jaaaa …!« hinter der Tür.

»Eins … zwei … drei …«

Möller verballerte ein ganzes Magazin wutentbrannt durch die Schlafzimmertür. Die Geschosse drangen ins leere und ohnehin altersschwache Doppelbett.

Als das Magazin ganz offensichtlich verschossen war und die blinde Wut von Möller ins Leere ging, schaltete Sascha den Fernseher aus. Nachdem der Platz im Bett sicher zu sein schien, gab Stanislav dem nackten Security-Pärchen ein Zeichen, sich dort hinzulegen und öffnete die Schiebetüren des Schlafzimmers.

Davor stand ein vor Wut zitternder Polizist mit Schaum vor dem Mund und weißen Handknöcheln, die sich um eine leergeschossene Pistole klammerten.

»Überraschung!«, rief Sascha.

»Da ist die Kamera«, rief Stanislav und zeigte auf den Rauchmelder, in dem die Überwachungskamera installiert war.

»Aber ... was ... wo ...?«, stammelte der Polizist.

»Das können Sie uns vielleicht erklären, Herr Möller?«, antwortete Sascha. »Sie haben gerade ein ganzes Magazin Ihrer Dienstpistole durch eine geschlossene Schlafzimmertür einer illegal von Ihnen betretenen Hotelsuite auf ein Ihnen völlig unbekanntes Pärchen geballert. Was soll das? Wo sind Ihre Manieren?«

Möller war völlig fassungslos.

»Aber meine Bascha ... und Toni ... wo sind die?«

»Wo Toni ist, wissen wir nicht. Das interessiert uns im Moment auch gar nicht«, informierte ihn Sascha.

»Ihre Bascha allerdings ...«, fuhr Stanislav fort.

»Oder wie Sie sagen: die Schlampe ...«, ergänzte Sascha.

»... ist hier im Hotel«, erklärte Stanislav. »Sie hat gerade acht Etagen tiefer ein Gespräch mit der Geschäftsführerin einer Casting-Agentur. Wenn Sie wollen, holen wir Bascha gerne hoch. Dann erfährt sie, dass Sie aus grundloser Eifersucht beinahe ein wildfremdes Pärchen erschossen hätten.«

»Die Bild- und Tonaufnahmen sind spitze.«

»Und dabei erfährt Bascha dann auch, dass Sie ihr ein Verhältnis mit diesem Vollassi-Toni zutrauen«, ergänzte Sascha. »Und die ›Schlampe‹ bei der Gelegenheit gleich mit erschossen hätten. Wenn Sie mich fragen, ist Bascha auf dem Weg zurück ins Erdgeschoss dann mental schon Ihre Ex.«

»Wenn Bascha allerdings an den Aufnahmen gar kein Interesse hat, dann aber bestimmt der Polizeipräsident. Der muss sich die Aufnahmen sogar anschauen, wenn dieses freundliche Pärchen hier Anzeige gegen Sie wegen versuchten Mordes erstattet.«

»Aber ich ...«, stammelte Möller.

»Und dann wären Sie wahrscheinlich Ihren Job und Ihre Lebensgefährtin los. Richtig? Ohne Job wären Sie für Madame ja nur ein halber Mann«, ergänzte Sascha.

»Wie man es dreht und wendet: Scheiß Tag für Sie, Herr Möller. Was?«

Es soll Nahtoderfahrungen geben, bei denen vor dem inneren Auge des Sterbenden der Film des bisherigen Lebens abgespielt wird. Vor dem inneren Auge von Herrn Möller spielte sich in diesem Moment ein Film ab, der den Rest seines zukünftigen Lebens darstellen könnte. Es war ein Horror-Film. Da Herr Möller gerade von einem Wechselbad der Gefühle ins nächste gekippt wurde (»Verdammt, meine Freundin betrügt mich … Juhu, meine Freundin betrügt mich nicht … Verdammt, meine Freundin betrügt mich nicht, verlässt mich aber trotzdem … Wie, ich bin meinen Job los?«), leistete er keinerlei Widerstand gegen den Vorschlag, den Sascha ihm nun unterbreitete.

Herr Möller würde ein letztes Mal polizeiliche Informationen an Toni durchstecken. Informationen, die völlig falsch waren. Anschließend würde Herr Möller nie wieder von Toni hören, nie wieder von dem Pärchen im Hotelbett hören und auch das Video von seinem Auftritt in der Hotelsuite würde er nie wieder zu sehen bekommen.

Weil er nämlich seine Bascha heiraten und ein glückliches Leben bis zur Pensionierung führen würde.

Das mit dem Heiraten und der Pensionierung würde natürlich nie stattfinden, war aber ein so schönes Bild. Und mit Drohungen alleine motiviert man eben nicht zur Mitarbeit. Mit Lügen schon viel besser.

33 LÜGEN

»Lügen belasten das Gewissen. Wahrheit befreit. Sagt man.
Das stimmt aber nicht. Der Umgang mit der Wahrheit ist oftmals
schwieriger als der Umgang mit der Lüge. Die Wahrheit kann
verletzender sein als die Lüge. Manche Wahrheit geht auch
niemanden etwas an und darf durch eine Lüge geschützt werden.
Wichtig ist, aus welcher Haltung heraus Sie sich selber für
die Lüge oder für die Wahrheit entscheiden.«

JOSCHKA BREITNER,
»ENTSCHLEUNIGT AUF DER ÜBERHOLSPUR –
ACHTSAMKEIT FÜR FÜHRUNGSKRÄFTE«

WIE GEPLANT, HATTEN SASCHA und Stanislav Herrn Möller sehr schnell an der Stelle, an der wir ihn haben wollten. Er war wie Wachs in Saschas Händen. Er musste nur noch zügig zu dem geformt werden, was wir brauchten, bevor er endgültig schmolz und zerfloss.

»Wie nennst du deine Freundin, wenn du sie nicht Schlampe nennst?«, wollte Sascha wissen.

»Ich … Bascha. Meine Freundin heißt Bascha«, antwortete Möller.

»Das ist mir klar. Aber es soll ja Leute geben, die geben ihren Frauen Kosenamen. Weil die Frau zum Beispiel Hildrun heißt, und dieser Name völlig unerotisch ist. Oder weil die Frau tatsächlich riecht wie eine Rose. Also, wie nennst du Bascha, wenn es romantisch wird?«

»Hase.«

»Und wie nennt sie dich?«

»Tut das was zur Sache?«

»Nein. Aber ich bin nun mal der Typ mit dem lustigen Video, also stelle ich auch die lustigen Fragen.«

»Sie nennt mich … Rammler.«

Sascha würgte ein Lachen herunter, als er sich vorstellte, wie Rammler Möller mit seinem polnischen Hasen romantisch wurde.

»Gut, dann mal zum Diktat, Herr Rammler.«

Sascha legte Stift und Papier auf den kleinen Schreibtisch an der Wand und wies Möller an, sich zu setzen.

»Was passiert jetzt?«

»Du bist ab sofort nicht mehr ›Mr. Ich-töte-die-Schlampe‹ sondern ›Mr. Mit-dir-will-ich-mein-Leben-verbringen‹. Deshalb schreibst du deinem Hasen jetzt einen kleinen Brief, der erklärt, warum du übers Wochenende weg bist.«

»Was heißt ... weg?«

Möllers Frage wurde von Sascha übergangen. »Schreib Folgendes: Mein liebster Hase, ich bin über das Wochenende für unsere Liebe unterwegs. Frag nicht weshalb. Nur so viel: Es geht um unsere Zukunft. Am Montag erfährst du alles. Dein dich liebender Rammler.«

Was diesen Teil des Plans anging hatte ich ein wenig ein schlechtes Gewissen. Es war moralisch nicht okay, Herrn Möller dazu zu bringen, seine völlig unbeteiligte Lebensgefährtin anzulügen. Aber eine ahnungslose Freundin, die hysterisch nach ihrem verschollenen Polizisten-Rammler suchte, wäre auch nicht okay, wenn man schon genug mit der Beseitigung von ebendiesem Polizisten und zwei Mafiosi zu tun hat. Zum Glück versicherte mir der Ratgeber von Joschka Breitner, dass Lügen an sich nichts Schlimmes ist. In diesem Fall schon mal gar nicht.

»Lügen belasten das Gewissen. Wahrheit befreit. Sagt man. Das stimmt aber nicht. Der Umgang mit der Wahrheit ist oftmals schwieriger als der Umgang mit der Lüge. Die Wahrheit kann verletzender sein als die Lüge. Manche Wahrheit geht auch niemanden etwas an und darf durch eine Lüge geschützt werden. Wichtig ist, aus welcher Haltung heraus Sie sich selber für die Lüge oder für die Wahrheit entscheiden.«

Es wäre ziemlicher Humbug gewesen, wenn Möller auf den Zettel geschrieben hätte: »Mein Hase, ich bin ein korrupter Bulle.

Ich habe keine Ahnung, ob wir uns je wiedersehen. Wahrscheinlich bin ich gleich tot. Dein Rammler.«

Und wie Sascha mir im Nachhinein berichtete, waren achtsame Argumente zur Motivierung von Möller völlig überflüssig.

Nachdem Herr Möller seine Bascha als Schlampe beleidigt und beinahe erschossen hatte, fiel es ihm relativ leicht, sie sogar schriftlich anzulügen. Zumal ihm gerade zwei Mafiosi mit Existenzvernichtung drohten und diese Lüge die einzige Möglichkeit war, dass seine Bascha die Sache mit der Schlampe und dem Erschießen nie erfahren würde. Das Lügen erleichterte ihm die Situation auch ohne Kenntnis von Achtsamkeit ungemein.

Er schrieb den gewünschten Zettel sogar in seiner schönsten Schrift.

Sascha las sich den Zettel durch und gab ihn der Frau vom Security-Pärchen, das mittlerweile wieder vollständig bekleidet war.

Das Pärchen verließ die Suite und begab sich in die Bar des Hotels. Dort fand der Zettel unbemerkt seinen Weg in die Handtasche von Bascha, die ihn vermutlich eine Stunde später auf der Suche nach ihrem Haustürschlüssel dort finden würde.

»So«, sagte Sascha, »dann wird es jetzt Zeit, dass wir uns um deinen Anruf bei Toni kümmern …«

»Warum soll ich Toni anrufen?«, wollte Möller ängstlich wissen.

»Na, ein letzter Anruf bei Toni halt. Das ist dann das Ende einer langjährigen Zusammenarbeit.«

»Was soll ich ihm sagen?«

»Sag ihm, dass unser netter Anwalt Herr Diemel im Keller von Walters Security-Firma irgendeinen Malte gefangen hält.«

»Aber …«, Möller dachte offensichtlich mit, »woher weiß ich das?«

»Weil Herr Diemel mir das vorhin per SMS geschrieben hat und du das als ermittelnder Polizist natürlich gelesen hast«, erläuterte Sascha.

»Oder sollen wir diese SMS auch noch für dich faken, damit du in die Gänge kommst?«, sagte Stanislav.

»Ja, aber was soll ich ihm *genau* sagen?«

»Also schön, spielen wir die Sache einfach mal durch.« Sascha nahm die Blumenvase, die auf dem Tisch stand, in die linke Hand.

»Das hier ist Herr Diemel.«

Dann nahm er die Fernbedienung, die auf dem Fernseher lag, in die rechte.

»Und das bin ich.«

Er hob die Fernbedienung an.

»Ich so zu Herrn Diemel: ›Der Typ in Walters Keller wird langsam wach.‹«

Jetzt hob er die Vase an.

»Herr Diemel so: ›Hat er schon was gesagt?‹ Ich so: ›Nö. Nur, dass er Malte heißt. Ist noch total benommen. Soll ich Toni verständigen?‹ Herr Diemel so: ›Noch nicht. Ich will den Typen vorher alleine sprechen.‹ Ich so: ›Wann?‹ Er so: ›In zwei Stunden.‹ Beide so: nix mehr.«

Sascha sah Möller an. »Verstanden?«

Auf diesem Grundgesprächsniveau fühlte sich Möller offensichtlich heimisch. Er nickte.

»Dann mal ran ans Handy!«

Möller holte sein Handy raus und rief bei Toni an. Toni nahm sofort ab. Ohne jede Nachfrage schluckte er, dass offensichtlich der von ihm angeheuerte Killer – warum auch immer – im Keller von Walter hockte. Und dass er offensichtlich kurz davor war auszupacken. In spätestens zwei Stunden würde er Diemel, also mir, alles erzählen.

Toni bedankte sich bei Möller und legte auf.

Dem am Vorabend besprochenen Plan folgend, nahm Stanislav Möller unter seine Fittiche, und Sascha rief mich an, um Vollzug zu melden. Toni war inzwischen schon auf dem Weg zu Walter.

Sascha und ich machten uns ebenfalls auf den Weg. Und den Rest erlebte ich wieder live mit.

34 IN-SICH-HINEIN-LÄCHELN

»Es gibt Muskeln in Ihrem Körper, deren Anspannung sofort zur achtsamen Entspannung führt. Die Rede ist von den Muskeln, die Sie zum Lächeln brauchen. Setzen Sie bitte nur für sich alleine ein Lächeln auf. Verfolgen Sie den Verlauf Ihres Lächelns. Spüren Sie, wie die Anspannung der Muskeln um Ihren Mund herum dazu führt, dass sich automatisch Anspannungen in Ihrem Halsbereich lösen. Spüren Sie weiter, wie diese Entspannung wie eine kleine Welle durch Ihren Körper gleitet. Ihr Lächeln setzt sich in allen Körperteilen fort.
Lächeln Sie, sooft Sie können, in sich hinein.«

JOSCHKA BREITNER,
»ENTSCHLEUNIGT AUF DER ÜBERHOLSPUR –
ACHTSAMKEIT FÜR FÜHRUNGSKRÄFTE«

WÄHREND SASCHA UND ICH und Toni getrennt voneinander zu Walter fuhren, fuhr Stanislav gemeinsam mit Möller in dessen Wagen zu einem abgelegenen Lkw-Parkplatz in einem sehr ruhigen Gewerbegebiet. Sie parkten hinter einem Schwerlaster mit polnischem Kennzeichen. Stanislav bat Herrn Möller, sich selber Handschellen anzulegen und sich damit ans Lenkrad zu fesseln.

Da Möller ein wenig störrisch und Stanislav ein wenig genervt war, kam es bei diesem Anlass zu einem kleinen Gerangel, bei dem sich Möller den linken Daumen, den linken Zeigefinger und den Mittelhandknochen brach.

Als Möller einsah, dass Stanislav nicht nur über mehr intakte Knochen, sondern obendrein über mindestens eine Dienstwaffe mehr als er, Möller, verfügte, kam der Polizist dieser Bitte, sich selber ans Auto zu ketten, schließlich nach. Zu seiner großen Verwunderung öffneten sich anschließend die Ladetüren des polnischen Lkw und gaben einen großen, zur Hälfte leeren Innenraum frei. In der vorderen Hälfte stand ein Geländewagen. Zwei Mitarbeiter von Stanislav befestigten zwei Auffahrrampen an dem Laster. Sie schoben Möller samt Fahrzeug in den Lkw, verzurrten ihn ordnungsgemäß und schlossen die Türen wieder.

Sascha und ich kamen zur gleichen Zeit gemeinsam bei strahlendem Sonnenschein auf dem Parkplatz von Walters Firma an. Tonis Wagen stand schon da, direkt vor dem Eingang. Wir warteten noch fünf Minuten und gingen dann in Walters Nachrichtenzentrale im Erdgeschoss – in den Raum, in dem alle Informationen seiner Patrouillen, seiner Objektüberwachungen und auch die Signale aller hausinternen Kameras zusammenliefen.

Walter stand mit einem seiner Controller – einem smarten, durchtrainierten Typen mit Dreitagebart und randloser Brille – hinter einem Bedienpult und betrachtete den Bildschirm, der das Verhörzimmer im Keller zeigte.

In dem Zimmer lag Malte offenbar bewusstlos auf einem Sofa. Toni kontrollierte gerade, ob die Verhörkamera aus war. Die Deckenkameras, mit denen wir ihn gerade beobachteten, bemerkte der Idiot nicht einmal. Und dass die Lautsprecherboxen der Gegensprechanlage nur dann Sinn ergaben, wenn es in dem Raum auch Mikrofone gäbe, kam Toni offensichtlich nicht in den Sinn.

»Seit wann ist er da?«, fragte ich Walter.

»Ist zehn Minuten vor euch gekommen. Hat eine tierische Welle gemacht, warum er nicht sofort über den ›Gefangenen‹ informiert worden wäre. Ich habe ihm klargemacht, dass es keinen Gefangenen gibt. Sondern nur einen Typen, den unsere Streife dabei beobachtet hat, wie er dich einen ganzen Tag lang verfolgt hat. Ich hab gesagt, die Streife hätte den Typen angesprochen. Der Typ hätte sofort eine Waffe gezogen, und die Waffe wurde ihm aus der Hand getreten. Leider konnte der Fuß unserer Streife nicht mehr vor dem Kinn von dem Typen stoppen. Der Typ ist seitdem bewusstlos. Wahrscheinlich hat er jetzt Kopfschmerzen und kommt gerade erst zu sich.«

»Und? Hat Toni das geschluckt?«, wollte Sascha wissen.

»Absolut. Er hat hier alles zusammengebrüllt. Hat mich vor meinen Leuten daran erinnert, dass Dragan ihm allein die Verhöre übertragen hat. Er hat dreimal gefragt, ob der Typ schon irgendwas gesagt hätte, und ist dann nach unten abgeschwirrt.«

Und da sahen wir ihn nun.

Toni begutachtete Malte. Dann gab er ihm eine Ohrfeige. Nichts geschah. Dass Malte tatsächlich nicht bei Bewusstsein war, lag in erster Linie an den K. o.-Tropfen, die ihm Walter genau zu diesem Zweck gegeben hatte. Jetzt schaute sich Toni Maltes geschwollenes, blau verfärbtes und an einer Stelle aufgeplatztes Kinn genauer an.

»Wie habt ihr das hinbekommen? Sein Kinn sieht echt so aus, als hätte er einen Tritt dagegen bekommen«, fragte ich interessiert.

»Er *hat* einen Tritt dagegen bekommen«, erläuterte Walter.

»Aber …?« Ich sah überrascht auf.

»Nachdem die K. o.-Tropfen angefangen haben zu wirken, lag er sowieso auf dem Boden. Hat sich einfach angeboten. War mehr so wie … ein lasch getretener Freistoß.«

»War das nötig?«

»Wir hätten auch eine Maskenbildnerin auf ihn loslassen können. Aber nichts sieht mehr nach Fußtritt vors Kinn aus als ein Fußtritt vors Kinn. Geht auch schneller und kostet weniger als so eine Maskenbildnerin. Und ich sag mal so, der Typ hat davon nichts mitbekommen. War ja schon vorher k. o.«

»Okay, okay. Pragmatischer Ansatz. Wird Dragan gefallen.«

Alle im Raum warteten jetzt gespannt, wie Toni reagieren würde. Wir waren uns sicher, dass Toni Malte beseitigen wollte, um ihn als Zeugen auszuschalten. Darauf basierte Dragans Plan. Also meiner. Wir waren allerdings unterschiedlicher Meinung, wie Toni das bewerkstelligen würde. Ich war der Ansicht, Toni würde Malte sofort umbringen. Walter war der Meinung, Toni würde Malte zunächst einmal foltern, um herauszubekommen, ob er schon etwas verraten hätte. Und anschließend würde er ihn umbringen. Und Sascha wettete darauf, dass Toni Malte aus

Prinzip in einem Rutsch zu Tode foltern würde, völlig egal, ob er dabei noch etwas sagen würde oder nicht.

Jeder von uns setzte 50 Euro.

Durch meine positiven Erfahrungen mit der absichtsvollen Zentrierung und der Überwindung innerer Widerstände hatte ich keine großen Probleme mit der Tatsache, dass gleich ein Mensch sterben würde. Das war ja bereits das gewünschte Ergebnis meiner achtsamen Betrachtungsweise der Problembereiche »Malte« und »Toni«. Hier gab es also keine ungeklärten Emotionen. Allerdings verspürte ich eine gewisse Anspannung in Hinsicht auf die Frage, wie die Tötung Maltes vonstattengehen würde. Die Anspannung war zu gering, um sie vor allen Leuten wegzuatmen. Aber sie war ausgeprägt genug, um mich in meinem Wohlbefinden zu beeinträchtigen. Ich erinnerte mich an eine weitere Entspannungsübung von Joschka Breitner. Er nannte sie das »In-sich-hinein-Lächeln«:

»Es gibt Muskeln in Ihrem Körper, deren Anspannung sofort zur achtsamen Entspannung führt. Die Rede ist von den Muskeln, die Sie zum Lächeln brauchen. Setzen Sie bitte nur für sich allein ein Lächeln auf. Verfolgen Sie den Verlauf Ihres Lächelns. Spüren Sie, wie die Anspannung der Muskeln um Ihren Mund herum dazu führt, dass sich automatisch Anspannungen in Ihrem Halsbereich lösen. Spüren Sie weiter, wie diese Entspannung wie eine kleine Welle durch Ihren Körper gleitet. Ihr Lächeln setzt sich in allen Körperteilen fort. Lächeln Sie, sooft Sie können, in sich hinein.«

Ich begann also, in mich hinein zu lächeln, um die aufkommende Anspannung sehr schnell und effektiv zu lösen. Ich hatte mit meiner kleinen Übung keinen Moment zu früh begonnen.

Wir beobachteten Toni dabei, wie er sich über Malte beugte und dessen Puls fühlte. Anschließend zog er Malte vom Sofa herunter und ließ ihn auf dem Boden liegen. Dann wandte er sich ab, und es sah für einen Moment so aus, als wollte er fortgehen. Aber wie aus dem Nichts heraus drehte sich Toni wieder um, holte dabei mit dem rechten Fuß, der in einem schweren Stahlkappenschuh steckte, aus und trat mit voller Kraft gegen Maltes Kopf. Der Kopf lag anschließend in einem dermaßen unnatürlichen Winkel zum Rumpf auf dem Boden, dass ohne jeden Zweifel klar war, dass Maltes Genick gebrochen und der Mann tot war.

Walter, Sascha und auch der Controller wichen erschrocken zurück und guckten angewidert weg. Ich hatte aufgrund meiner »In-mich-hinein-Lächeln«-Übung ein Höchstmaß an Gelassenheit erreicht und konnte entspannt den Geschehnissen auf dem Bildschirm folgen. Als Walter und Sascha sahen, dass ich in einer Situation, die selbst sie als widerwärtig empfanden, einfach nur lächelte, zogen sie wahrscheinlich völlig falsche Schlüsse. Sie begriffen nicht, dass ich die Bilder nur ertragen konnte, *weil* ich lächelte. Ein Missverständnis, das meinem wachsenden Ansehen als Führungspersönlichkeit nicht schadete. Ich war nicht nur der geniale Stratege, der der Polizei vorspielen konnte, Dragan sei tot. Ich konnte den Tod obendrein weglächeln, wenn ich ihm gegenüberstand. Ein weiterer Pluspunkt für mich war die Tatsache, dass ich mit einer Einschätzung richtiggelegen hatte: Toni hatte Malte direkt und ohne viel Foltergedöns um die Ecke gebracht.

Ich bekam wortlos von Walter und von Sascha jeweils 50 Euro zugesteckt.

Wir beobachteten, wie Toni erneut den Puls von Malte fühlte. Es schien keiner mehr da zu sein. Anschließend wuchtete Toni Malte wieder auf das Sofa und legte ihn so hin, wie er ihn vorgefunden hatte. Dann wollte er den Raum verlassen und stellte fest, dass die Tür verriegelt war.

Das war der Moment, auf den ich gewartet hatte. Ich betätigte den Knopf für die Gegensprechanlage. Ich sprach zwei Stimmlagen tiefer als normal.

»Hallo, Toni!«

Toni fuhr sichtlich zusammen.

»Schreckhaftes Häschen, was?«

»Wer ist da?«

»Ich bin viele. Vielleicht bin ich Malte, der ein wenig sauer ist, dass du ihn gerade umgebracht hast? Oder bin ich Murat, den Malte für dich erschossen hat? Oder bin ich Dragan, den du hast umbringen wollen?«

»Was soll der Scheiß?«

Ich sprach mit normaler Stimme weiter.

»Okay, Toni, lassen wir den Scheiß. Ich bin einfach nur der Typ, dessen Tochter du bedroht hast, weil du Dragan sehen wolltest. Und der dich deswegen nicht zu Dragan bringen wird, sondern zu jemandem, der dich viel sehnlicher erwartet.«

Toni trat mehrmals mit voller Wucht gegen die Stahltür, die davon völlig unbeeindruckt war.

»Hey, Anwalt-Arschloch. Du machst jetzt sofort die Tür auf, oder ich mach dich kalt.«

»Hallo, Toni«, sagte Walter. »Also, ich hab jetzt kein Abitur oder so … deshalb frag ich ganz offen: Wie willst du Björn töten, wenn die Tür zu bleibt?«

»Würd mich auch interessieren«, sagte Sascha.

»Holt mich hier raus. Der Typ verarscht euch. Dragan ist tot.«

»Okay …«, setzte Walter an. »Aber warte mal kurz: Wenn Dragan tot ist, warum hat er uns dann aufgetragen, dich in diese Versteckte-Kamera-Falle laufen zu lassen?«

»Ihr habt das gefilmt?«

»Richtig«, klinkte sich Sascha in das Gespräch ein. »Genauso, wie wir auch Maltes Geständnis gefilmt haben.«

»Und ich sag mal so«, sagte ich mal so, »Dragan was not amused.«

»Mach sofort die Tür auf, du Arschloch, ich mach dich kalt. Ich polier dir die ...«

Ich schaltete die Gegensprechanlage aus. Ich hatte Toni an genau dem Punkt, an dem ich ihn haben wollte. Für jemanden wie Toni, der jedes Problem mit Gewalt lösen wollte, war es das Schlimmste, keine Gewalt mehr anwenden zu können, weil alle anderen Personen im Raum schon tot waren und der Rest der Welt ihn nicht beachtete. Es würde für ihn eine Tortur sondergleichen darstellen, wenn er nicht bekämpft, sondern ignoriert werden würde.

Wir würden Toni das komplette Wochenende lang in völligem Schweigen in diesem Kellerraum lassen. Zusammen mit Malte, der aufgrund von Tonis Gewaltexzess kein guter Gesprächspartner mehr war. Malte würde am Sonntagabend nach altbekannter Methode in der Müllverbrennungsanlage entsorgt werden. Sonntags war dafür angeblich der beste Zeitpunkt, wie Sascha mir erklärt hatte. Ich stellte fest, dass das Leben ein nie endender Lernprozess war. Toni seinerseits würden wir am Montag zu Boris bringen. Kurz: Wir lagen voll im Zeitplan.

Als wir auf den Parkplatz gingen, nahm mich Walter kurz zur Seite.

»Hör mal, Björn. Es geht mich ja nichts an, aber ...«, druckste er herum.

»Schieß los, was gib es?«

»Also, es geht um Dragan und diese Zeitungsseiten.«

Mir wurde schlagartig kalt, trotz der Sonne, die noch immer schien. Was zum Teufel hatte Walter jetzt wieder rausgefunden?

»Was ist damit?«

»Ich will dir keine Ratschläge geben …«

»Nun red schon?«

»Nun … meine Leute folgen dir ja nun seit ein paar Tagen. Und es ist ziemlich auffällig, dass es nur einen einzigen Ort gibt, an dem du täglich bist und an dem du täglich etwas mitnimmst.«

»Und welcher Ort ist das?«

»McDonald's.«

Ich war mehr als verblüfft. Ich hatte keine Ahnung, worauf das hinauslaufen sollte. »Und was willst du mir damit sagen?«

»Nun, wenn selbst meine Leute darauf kommen, dass die Übergabe von Dragans Nachrichten nur bei McDonald's stattfinden kann, dann kommt da auch die Polizei drauf. Vielleicht solltet ihr das ein wenig subtiler gestalten …«

Ich stutzte. Die Tatsache, dass ich seit einer Woche jeden Tag zu McDonald's ging und dort eine Zeitung kaufte, war auf einmal ein weiterer Beweis dafür, dass Dragan lebte.

Ich lächelte in mich hinein. Einfach nur so. Weil mir tatsächlich danach war.

35 SCHMERZ

»Es gibt zwei Arten von Schmerzen: den Schmerz der Wunde und den Schmerz des Stocherns in der Wunde. Die Wunde können wir nicht rückgängig machen. Aber wenn wir auf das Stochern in der Wunde verzichten, wird die Wunde wesentlich schneller heilen.«

JOSCHKA BREITNER,
»ENTSCHLEUNIGT AUF DER ÜBERHOLSPUR –
ACHTSAMKEIT FÜR FÜHRUNGSKRÄFTE«

DER FOLGENDE SAMSTAG war sehr entspannt. Zumindest für mich. Ich begann den Tag mit einer einfachen Atemübung vor dem geöffneten Fenster. Ich spürte die Nähe des Baumes, dessen verschmorte Rinde heilen würde. Ich sah vor meinem inneren Auge den See, an dem ich vor gerade mal einer Woche den ersten Schritt des Weges gegangen bin, der mich zu einer tiefen inneren Ruhe führen würde.

Ich spürte den Atem und das Leben in mir.

Ich war dankbar.

Zwei der drei Ultimaten, die mir gestellt worden waren, spielten nun schon lange vor dem Deadline-Montag keine Rolle mehr für mich. Emily hatte ihren Kindergartenplatz, und Toni existierte nur noch im Keller von Walters Firma und stellte keine Gefahr mehr dar. Es gelang mir, auch Toni gegenüber keinerlei Hass oder Groll zu verspüren. Ich betrachtete ihn eher als Geschenk. Also, jetzt nicht im Sinne von: »Was für ein Geschenk dieses Lebewesen Toni doch für die Menschheit ist.« Eher konkret: Toni war ein Geschenk für Boris. Es musste nur noch feierlich übergeben werden. Boris würde sich freuen, mit Toni anstellen zu dürfen, was er wollte. Und ich freute mich, an dieser Freude Anteil nehmen zu dürfen. Zumal damit dann auch die erste Hälfte des dritten Ultimatums aus der Welt sein würde. Boris würde Rache an Toni nehmen können. Und würde anschließend nur noch Dragan sehen wollen. Aber auch darüber machte ich mir mittlerweile keine allzu großen Sorgen mehr. Mit ein wenig Glück würde auch das klappen.

Emily würde ich heute nicht sehen, weil sie und Katharina bei Katharinas Eltern zum Kaffee eingeladen waren. Ich auch. Aber ich war achtsam genug, um zu wissen, dass mir die Befolgung dieser Einladung nicht guttun würde. Ich hatte eine erlebnisreiche Woche mit bereits fünf Toten und elementaren beruflichen Veränderungen hinter mir. Diese Erfahrungen wollte ich mir nicht durch zwei nichtssagende Gesprächsstunden mit Menschen, die mein Leben zu keinem Zeitpunkt jemals verstanden hatten oder je verstehen würden, verwässern.

Dabei hatte mir die Achtsamkeit auch sehr viel in Bezug auf meine emotionale Einstellung zu meinen Schwiegereltern geholfen. Bevor ich mich von Joschka Breitner in die Künste der Achtsamkeit hatte einführen lassen, fuhr ich regelmäßig zu meinen Schwiegereltern, obwohl ich sie hasste.

Jetzt fuhr ich nicht zu meinen Schwiegereltern, weil ich sie liebte.

Diese Haltungsänderung war doppelt gut. Zum einen, weil ich nicht mehr zu meinen Schwiegereltern fuhr. Zum anderen, weil ich dabei keinerlei schlechtes Gewissen hatte.

Und Joschka Breitner hatte mich in Bezug auf meine Schwiegereltern sehr schnell von der Sache mit der Liebe überzeugt.

»Egal, was Sie persönlich von Ihren Schwiegereltern halten – Ihre Schwiegereltern haben Ihrer Frau das Leben geschenkt«, hatte mir Breitner in einer unserer ersten Stunden erklärt.

»Ja. Und? Wäre das ausnahmslos gut, würde ich jetzt nicht bei Ihnen sitzen.«

»Gemeinsam mit Ihrer Frau haben Sie dann Emily das Leben geschenkt.«

»Und das bedeutet in Bezug auf meine Schwiegereltern?«

»Sie sind der Jurist. Sie kennen die Conditio-sine-qua-non-Regel besser als ich.«

Ich kramte in meinem Erstsemesterwissen nach.

»Nach dieser Regel ist ein Umstand, der nicht hinweggedacht werden kann, ohne dass ein Erfolg in seiner konkreten Form entfiele, ursächlich für diesen Erfolg.«

»Richtig. Und das beziehen Sie jetzt mal auf Ihre Schwiegereltern und Emily.«

»Rein faktisch würde es Emily ohne meine Schwiegereltern nicht geben.«

»Sie sollten den beiden also dankbar sein und sie für ihren Beitrag an Ihrer Tochter lieben.«

»Und wie sieht das mit dem Lieben konkret aus?«, wollte ich wissen.

»Wie Liebe aussieht? Das muss ich Ihnen ja wohl nicht ernsthaft erklären. Liebe sieht gar nicht aus. Liebe ist ein Gefühl. Liebe hat folglich nichts mit Kaffeetrinken, aufgezwungenen Besuchen oder der Entgegennahme von gutgemeinten Ratschlägen zu tun. Vergessen Sie all das. Lieben Sie Ihre Schwiegereltern, und bleiben Sie zu Hause. Schenken Sie ihnen aus Ihrer Liebe heraus ein paar schöne Stunden mit ihrem Kind und ihrer Enkelin, bei der kein schlecht gelaunter Schwiegersohn mit am Tisch sitzt. Sondern bei denen ein liebender Schwiegersohn zu Hause an sie denkt.«

»Hört sich gut an.«

Seitdem blieb ich zu Hause. Und die Treffen waren für alle Beteiligten wesentlich entspannter.

Ich hatte an diesem Samstag also endlich die Ruhe und den Anlass, um mich mit Freuden um die alltäglichen Dinge des Berufslebens zu kümmern, die vor lauter Achtsamkeit und Todesdrohungen während der Woche zu kurz gekommen waren. Ich musste eine neue Kanzlei gründen. Ich hatte bereits einen Mandanten, und ich hatte wunderbare neue Kanzleiräume in Aussicht. Dass diese Kanzleiräume meinem Mandanten obendrein gehörten und dieser zudem tot war, waren zwei positive Begleitumstände.

Ich verfasste zunächst einmal eine Rahmenvereinbarung zwischen mir und Dragan. Ich würde für eine monatliche Pauschale und zusätzlich für einen aufgrund der Pauschale herabgesetzten, aber immer noch horrenden Stundenlohn als Rechtsanwalt für ihn tätig sein. Nachdem ich diese Rahmenvereinbarung auf einem von Dragan blanko unterzeichneten Blatt ausgedruckt und ebenfalls unterschrieben hatte, verfasste ich einen Mietvertrag zwischen mir und Dragan bezüglich der Kanzleiräume über dem Kindergarten. Der Vorteil dieses Vorgehens war, dass ich Dragan den Entwurf des Mietvertrags bereits voll in Rechnung stellen konnte.

Ich teilte der Anwaltskammer schriftlich meine neue Adresse mit, schloss online eine Anwalts-Haftpflichtversicherung ab, eröffnete ein Kanzleikonto und war damit selbstständig.

Völlig selbstständig ging ich anschließend in die Stadt. In einem Spielzeuggeschäft besorgte ich mir das letzte Utensil, das ich brauchte, um Boris daran zu hindern, mich zu töten. Und ich ging zu Sascha, damit er damit üben konnte.

Ein gutes Gefühl.

Mit weniger guten Gefühlen startete der gute Klaus Möller in diesen Tag, wie mir Stanislav am Abend berichtete. Der polnische Lkw, in dem sich Möllers Auto befand, in dem sich Möller befand und seine gebrochene Hand beklagte, war in der letzten Nacht einmal quer durch Polen gefahren und befand sich zu dem Zeitpunkt, zu dem ich online meine Anwalts-Haftpflichtversicherung abgeschlossen hatte, zirka siebzig Kilometer vor der Grenze zu Weißrussland.

Möller, der weder von seinem bevorstehenden Schicksal noch von den Prinzipien der Achtsamkeit die geringste Ahnung hatte, litt aus beiden Gründen unter einer gewissen Grundverspannung. Anstatt einfach zu akzeptieren, dass er an sein Auto gefesselt war, Schmerzen hatte und weder etwas tun konnte noch etwas tun musste, fuhr Klaus Möller Gedankenkarussell. Er ärgerte sich darüber, seinem Angreifer unsinnigerweise Widerstand geleistet zu haben. Und verschlimmerte dadurch die Situation nur noch. Da er nicht die geringste Ahnung hatte, was mit ihm geschehen würde, malte er sich vermutlich die grässlichsten Szenarien aus. So befürchtete er zum Beispiel die ganze Fahrt lang, er würde zu einem Schrottplatz gefahren um dort zusammen mit seinem Wagen in einer Müllpresse zu enden. Als er nach gut achtzehnstündiger Fahrt endlich von Stanislav aus dem Auto befreit wurde, erkannte er, dass diese Sorge unbegründet war. Der Lkw befand sich auf einem Parkplatz am Rande eines Ortes namens Sokolka. Im Osten Polens. An der Grenze zu Weißrussland. Dem Heimatort von Bascha.

In einer Mischung aus Verwirrung und dem Anflug eines Stockholm-Syndroms erzählte Möller seinem Entführer, dass er schon befürchtet habe, er würde anonym in einer Müllpresse enden. In diesem Moment ärgerte sich Stanislav, nicht selbst auf diese Idee gekommen zu sein. Sie hätte ihm die achtzehnstündige Fahrt erspart.

Der polnische Lkw stand auf einem Parkplatz am Ortsrand. Stanislav und sein Beifahrer hatten die Pkw-Rampe wieder an der Ladefläche befestigt und den Wagen von Möller sowie den Geländewagen rückwärts herunterrollen lassen.

Möller stieg aus, durfte die Handschellen öffnen und rieb sich die stark angeschwollene Hand. Er staunte nicht schlecht, als er den Parkplatz wiedererkannte. Möller kannte die Gegend schließlich gut von verschiedenen Besuchen bei seinen zukünftigen Schwiegereltern. Ihr Haus war direkt auf der gegenüberliegenden Straßenseite. Also stimmte es doch, dass Sascha bloß wollte, dass Herr Möller endlich heiratete?

»Was tun wir hier?«, wollte er von Stanislav wissen.

»Nicht wir. Du. Du gehst jetzt über die Straße, klingelst bei deinem zukünftigen Schwiegerpapa und hältst um die Hand von Bascha an.«

»Aber warum?«

»Erstens, weil du Bascha liebst. Zweitens, weil verheiratete Männer weniger anfällig sind für kriminellen Scheiß. Und drittens, weil wir das so wollen.«

Stanislav drückte dem verdutzten Polizisten eine Flasche Whiskey für Baschas Vater und einen Blumenstrauß für Baschas Mutter in die Hand. Herr Möller war ebenso perplex wie erleichtert. Alles würde gut werden. Er würde ab heute kein korrupter Bulle mehr sein. Die kriminelle Vergangenheit war endlich vorbei. Sie hatte ihm zwar eine gebrochene Hand eingebracht, aber den Preis war er bereit zu zahlen.

Vor lauter Erleichterung merkte Herr Möller nicht, wie der Geländewagen in hundert Metern Entfernung auf der Landstraße wendete. Er bemerkte auch nicht, dass der Geländewagen in dem Moment Vollgas gab, in dem Stanislav ihm den Blumenstrauß in die Hand drückte.

Möller legte sich vielmehr in Gedanken schon die Worte zurecht, die er seinem sicherlich überraschten Schwiegervater gegenüber verwenden würde. Nur diese Landstraße trennte ihn jetzt noch von seinem neuen Leben. Nur noch vielleicht zwanzig Schritte. Als er den ersten Schritt auf die Straße setzen wollte, hielt ihn Stanislav zurück.

»Da vorne kommt ein Auto angerast.«

»Ach, das ist doch noch ein ganzes Stück entfernt...«

»Eben«, sagte Stanislav und hielt Möller am Kragen fest.

Möller schaute ungläubig auf Stanislav, dann auf den Wagen. Und in dem Moment realisierte er, dass er zumindest in diesem Leben nicht mehr um die Hand seiner Bascha anhalten werden würde. Als das Auto noch drei Meter entfernt war, stieß Stanislav ihn auf die Straße.

Herr Möller wurde mit voller Wucht von dem Geländewagen erfasst, auf den Beton geschleudert und überrollt. Es bestand keinerlei Zweifel, dass er den Unfall nicht überlebt hatte. Der Geländewagen hielt an, Stanislav stieg ein und fuhr bis ans Ortsende, wo der Lkw bereits mit der Auffahrrampe wartete.

Spät am Abend des gleichen Tages waren der Lkw, der Geländewagen und Stanislav und seine Jungs wieder in Deutschland. Den Geländewagen ließen sie in einer Schrottpresse beseitigen. Und Stanislav nahm sich vor, beim nächsten Opfer diese Beseitigungsmöglichkeit gleich mit in Betracht zu ziehen.

36 MINIMALISMUS

»Lassen Sie nur an Ihrem Leben teilhaben, was Ihnen guttut. Menschen, Gegenstände, Gedanken und Gespräche, die Sie belasten, dürfen Sie getrost wie Wolken an sich vorbeiziehen lassen. Von allem, was Sie nicht weiterbringt, was Sie belastet oder was Ihnen nicht behilflich ist, dürfen Sie sich jederzeit trennen.

Durch diese minimalistische Achtsamkeit werden Sie schnell feststellen, dass Sie sich selbst genug sein können.«

JOSCHKA BREITNER,
»ENTSCHLEUNIGT AUF DER ÜBERHOLSPUR –
ACHTSAMKEIT FÜR FÜHRUNGSKRÄFTE.«

»DAS KOMISCHE IST DER TACHOSTAND«, druckste Peter Egmann herum.

Wir standen im Garten von »Wie ein Fisch im Wasser« und tranken Kaffee. Unsere Kinder tobten ausgelassen im Bällebad der Flipper-Gruppe, während unsere Frauen sich die Räumlichkeiten ansahen.

Peter hatte mich am Sonntagvormittag angerufen, weil seine Frau ein paar Fragen zum Kindergarten hatte. Da ich mit Emily und Katharina sowieso gerade in Katharinas Auto unterwegs in die Herderstraße war, lud ich ihn ein, seiner Familie doch einfach die Räumlichkeiten zu zeigen. Wir trafen uns dann dort. Frauen und Kinder waren begeistert von der Einrichtung. Selbst Katharina hatte nichts an dem Kindergarten auszusetzen.

Als Peter und ich schließlich allein in der Sonne im Kindergarten-Garten standen, erzählte er mir von Klaus Möller.

»Du kennst doch Möller, oder?«

Ich nickte – mit gemischten Gefühlen.

»Er ist gestern bei einem Verkehrsunfall ums Leben gekommen.«

»Oh.« Ich gab mich überrascht. »Im Einsatz?«

»Nein. In Polen.«

»Wie das?«

»Eine ganz komische Sache. Er hat seiner Freundin einen Zettel geschrieben, dass er über das Wochenende ›in Sachen Liebe‹

unterwegs sei. Überfahren wurde er vor der Haustür von ihren Eltern an der Grenze zu Weißrussland. Er muss den Spuren nach eine Flasche Whiskey und einen Blumenstrauß dabeigehabt haben. Sein Wagen stand auf dem Parkplatz auf der anderen Straßenseite.«

»Vielleicht wollte er einen Heiratsantrag machen? Was ist daran komisch?«

»Das komische ist der Tachostand.«

»Der Tachostand?«

»Möller hat überall herumerzählt, dass er mit seinem Wagen bei exakt 100 000 Kilometern auf dem Tacho in die Inspektion gerollt ist. Er war sehr spießig, was solche Dinge anging.«

»Und?«

»Die Kollegen in Polen sagen, der Wagen auf dem Parkplatz hat exakt 100 058 Kilometer auf dem Tacho.«

»Und?«

»Möller hat den Wagen erst am Donnerstagnachmittag aus der Inspektion zurückbekommen. Und seine Werkstatt liegt nicht 58 Kilometer von dem polnischen Ort Sokolka entfernt.«

Meine Güte, über was für Details sich Polizisten Gedanken machten. Wichtig war doch nur, dass der Lebenstacho von diesem Verräterbullen endgültig abgelaufen war.

»Und warum machst du dir darum jetzt einen Kopf? Wie ich dich verstanden habe, war der Tachostand nicht ursächlich für Möllers Ableben, oder?«

»Nein. Möller muss von einem großen, schnellen Auto erfasst worden sein. Der Fahrer hat Fahrerflucht begangen. Es ist aber so … dass die letzte Nummer, die Möller gewählt hatte, die von Toni war.«

»Peter, welche Geschichte möchtest du mir erzählen? Die, dass dein Möller, liebestoll, nach einer langen Autofahrt, nervös bis unter die Hutkante, ohne nach links und rechts zu gucken, mit einer Flasche Whiskey und einem Strauß Blumen in den Händen über eine polnische Straße gelaufen und überfahren worden ist? Oder die, dass Möller Toni angerufen hat, mit seinem Auto nach Polen geflogen ist und dann absichtlich totgefahren wurde? Zufälligerweise vor dem Haus der Eltern seiner Frau?«

»Es ist ja nur so ein Gefühl. Zumal Toni seit Freitag verschwunden ist.«

Ich legte meinen Arm um Peter.

»Peter, wenn du dir einen Kindergarten für deinen Sohn anguckst, guckst du dir einen Kindergarten für deinen Sohn an. Wenn du einen Mörder suchen willst, den es gar nicht gibt, suchst du einen Mörder, den es gar nicht gibt. Aber tu mir bitte den Gefallen und suche keinen Mörder, den es gar nicht gibt, während du dir einen Kindergarten für deinen Sohn anguckst. Okay?«

»Was ist das denn für eine Philosophie?« Peter sah mich verwundert an.

»Das ist Achtsamkeit. Also, was ist dir wichtiger? Mörder oder Kindergarten?«

Peter musste keine Sekunde überlegen. »Kindergarten! Vielleicht war der Tacho ja einfach nur kaputt.«

Vielleicht war der Tacho einfach nur kaputt. Vielleicht erkannte Peter Egmann auch langsam die Prinzipien der Achtsamkeit. Vielleicht wollte sich Peter Egmann auch nur den Kindergartenplatz seines Sohnes nicht durch weitere Nachfragen gefährden.

In jedem Fall waren die Ermittlungen in Sachen des Dahinscheidens von Klaus Möller nichts, mit dem ich mich irgendwie belasten wollte oder musste.

Als die Egmanns gegangen waren, zeigte ich Emily und Katharina den leer stehenden Rest des Hauses. Katharina war nicht nur von dem Kindergarten bei Tageslicht begeistert, sondern auch von meinen Kanzleiräumen darüber. Die Vorstellung, dass ich eine Etage über meiner Tochter, bei freier Zeiteinteilung, arbeiten würde, war nicht nur für mich, sondern auch für sie etwas durch und durch Positives. Völlig unabhängig davon, wie es mit uns beiden als Ehepaar in Zukunft weitergehen würde, wäre diese Lösung in Bezug auf Emily optimal.

»Habt ihr auch Hunger?«, fragte ich nach Ende der Besichtigungstour.

»Ein bisschen. Was schlägst du vor?«, wollte Katharina wissen.

»Wie wäre es mit McDonald's?« Zum einen wollte ich mit der Wahl dieses Restaurants Emily einen Gefallen tun. Zum anderen kam es mir natürlich entgegen auch an diesem Tag so zu tun, als würde ich mich mit Dragan austauschen.

Katharina wollte gerade wegen Ersterem pädagogisch empört gucken, aber Emily kam ihr zuvor: »Ich will Chicken McNuggets, Vanilleeis und einen Kakao.«

Katharina und ich schauten Emily an und mussten lachen.

»Nun ja. Es lässt sich wohl nicht verleugnen, dass Emily mit mir schon mal bei McDonald's war.«

»Da ich als euer Anwalt der Schweigepflicht unterliege, wird das außerhalb dieser Kanzlei niemand erfahren.«

Katharina nahm mich spontan in den Arm. »Es ist schön, dich so entspannt zu sehen. So kenne ich dich ja gar nicht.«

Und sie hatte recht. Es machte mir Freude, gut eine Woche nach Beendigung meines Achtsamkeitskurses zu erleben, wie sich alle meine beruflichen Probleme nach und nach in Luft auflösten. Joschka Breitner hatte mir etwas sehr Abstraktes zum Thema Minimalismus mit auf den Weg gegeben.

»Lassen Sie nur an Ihrem Leben teilhaben, was Ihnen guttut. Menschen, Gegenstände, Gedanken und Gespräche, die Sie belasten, dürfen Sie getrost wie Wolken an sich vorbeiziehen

lassen. Von allem, was Sie nicht weiterbringt, was Sie belastet oder was Ihnen nicht behilflich ist, dürfen Sie sich jederzeit trennen. Durch diese minimalistische Achtsamkeit werden Sie schnell feststellen, dass Sie sich selbst genug sein können.«

Zu sehen, wie diese abstrakte Weisheit gelebt ganz reale Formen annehmen konnte, war sehr erfüllend. Ich hatte mich von meinem Mandanten getrennt. Ich hatte mich von meiner Kanzlei getrennt. Ich hatte Klaus Möller ziehen lassen. Malte würde sich noch heute Abend in der Müllverbrennungsanlage in Luft auflösen und als perfekt gefilterte Wolke an mir vorüberziehen. Und auch Toni würde morgen Abend nicht mehr existieren. Minimalistischer hätte ich mein berufliches Umfeld nicht gestalten können – jedenfalls nicht, wenn ich noch ein paar mögliche Mandate übrig lassen wollte.

Nach einem ausgiebigen Familienessen bei McDonald's fuhren mich Emily und Katharina zurück zu meinem Apartment. Katharina hielt in der Parkbucht, in der erst am Mittwoch mein Firmenwagen explodiert war. Sie betrachtete irritiert den verkohlten Baum.

»Was ist denn da passiert?«

»Da hat ein Wagen gebrannt. Das wächst aber nach.«

»Wessen Wagen denn?«

»Meiner jedenfalls nicht.«

Und das war nicht mal gelogen.

Abends rief ich dann Boris an.

»Ja«, raunzte Boris kurz angebunden.

»Ich bin's, Björn. Ich habe gerade mal auf den Kalender geguckt und festgestellt, dass morgen ja schon Montag ist.«

»Sehr richtig. Und wenn du anrufst, um mehr Zeit herauszuschlagen, Herr Anwalt, dann kannst du schon mal anfangen zu googeln, was ›njet‹ bedeutet.«

»Deswegen rufe ich nicht an. Ganz im Gegenteil, Boris. Ich möchte dir zunächst einmal danken.«

»So? Wofür?«

»Dass du dich an deinen Teil unserer Abmachung gehalten hast, und wir hier in Ruhe den Verräter finden konnten.«

Dankbarkeit ist nicht nur ein Gefühl, das einen selber entlastet. Dankbarkeit entspannt auch das Gegenüber. Und damit die ganze Atmosphäre.

Boris klang auf einmal wesentlich offener. »Es ist nicht gerade üblich, dass sich jemand in unserer Branche dafür bedankt, dass eine Abmachung eingehalten wird. Aber deinen Worten entnehme ich, dass du das Arschloch hast.«

»Richtig.«

»Wann bekomme ich ihn?«

»Das kommt darauf an. Golden Delicious oder Granny Smith?«

»Bitte?«

»Soll ich dem Schwein als Apfel einen Golden Delicious ins Maul stecken oder lieber einen Granny Smith. Golden Delicious habe ich zu Hause.«

»Du kannst ihm auch einen Pferdeapfel in die Mundhöhle packen. Hauptsache ich kann mit dem Penner machen, was ich will.«

»Ist alles mit Dragan geklärt. Du bekommst die Daumen-Stempel-Zeitung, den Verräter und einen Golden-Delicious-Apfel.«

»Und wann sehe ich Dragan?«

»Im Anschluss. Wir können alle zusammen zu ihm fahren. Du mit deinen Officern. Ich mit Dragans Officern. Wir klären alle Probleme auf allen Ebenen.«

»Hört sich gut an. Und wo soll das stattfinden?«

»Du wirst verstehen, dass ich das niemandem im Vorfeld sage. Das wissen auch Dragans Officer nicht. Das erfahren alle, wenn wir da sind. Dafür darfst du bestimmen, wo wir euch den Verräter übergeben sollen.«

»Warum treffen wir uns nicht an diesem Autobahnparkplatz, an dem die ganze Scheiße angefangen hat?«

»Da, wo Igor abgefackelt wurde?«

»Genau. Wenn da gerade kein Bus voll Kindern hält, ist es dort nachts sehr ruhig.«

»Heute Nacht oder morgen Nacht?«

»Heute um drei Uhr. Kommst du allein?«

»Nein, ganz offiziell – mit allen Officern.«

»Und dem Arschloch.«

»Einer der Officer ist das Arschloch.«

»Hab ich mir gedacht.«

»Du bist ja auch schlau, Boris.«

»Spar dir dein Geschleime für später auf. Wenn wir bei Dragan sind, kannst du ihm gerne sagen, wie toll du mich findest.«

Genau das war mein Plan.

37 TOD

»Alle halten den Tod für etwas Schlimmes. Dabei ist der Tod Ihr bester Freund. Sie können sich hundertprozentig auf ihn verlassen. Ihm ist es völlig egal, was Sie im Leben erreicht haben. Und — noch viel besser: Ihm ist es vor allem völlig egal, was Sie im Leben versäumt haben. Der Tod nimmt Sie so an, wie Sie sind. Warum um alles in der Welt glauben Sie, das Leben würde das nicht tun?«

JOSCHKA BREITNER,
»ENTSCHLEUNIGT AUF DER ÜBERHOLSPUR —
ACHTSAMKEIT FÜR FÜHRUNGSKRÄFTE.«

»DER APFEL HÄLT NICHT.«

Carla war langsam genervt. Da Toni verständlicherweise nicht freiwillig bereit war, den Apfel im Mund zu behalten, mussten wir ihn irgendwie an ihm fixieren. Carlas Idee war es, den Apfelstiel mithilfe einer Haarspange an Tonis Nase festzuklemmen. Dann würde der Apfel zumindest vor Tonis Mund baumeln. Aber obwohl Toni an Händen und Füßen gefesselt war, war er immer noch dazu in der Lage, so heftig mit dem Kopf zu schütteln, dass der Apfel immer wieder abfiel.

»Haben wir hier keine Stricknadeln im Auto?«, wollte Walter wissen. »Dann stopf ich dem Hurensohn den Apfel einfach ins Maul und jage die Stricknadel von der linken Wange, durch den Apfel durch, bis sie rechts wieder rauskommt. Das dürfte halten.«

»Nimm doch einfach das Panzerband da vorne«, schlug Sascha vor.

Und tatsächlich rollte durch den Fußraum des Transit eine halb leere Rolle Allzweck-Klebeband, mit dessen Hilfe Carla und Walter gemeinsam den Apfel in Tonis Mund befestigten.

Ich saß vorn neben Stanislav und beobachtete die anderen vier durch den Rückspiegel.

Toni hatte sich mit Händen und Füßen gewehrt, als wir ihn

aus dem Verhörraum holten. Dabei hätte er sich eigentlich freuen sollen, endlich an die frische Luft zu kommen. Und sei es nur für die paar Minuten bis zu seinem Tod. Aufgrund von Maltes bereits einsetzender Verwesung stank es in dem Raum ganz gewaltig.

Maltes und Tonis Wege trennten sich nun. Toni wurde mit einem Schuss aus einer Taser-Pistole ruhiggestellt. Sascha gab Walters Leuten die notwendigen Anweisungen, bei welchem Mitarbeiter der Müllverbrennungsanlage sie Malte, in einem Paket verpackt, abliefern sollten. Noch auf der Fahrt zum Parkplatz erreichte uns die Nachricht, dass Malte die Brennkammer bereits durch den Filter verlassen hatte.

Als der Apfel bei Toni endlich saß, fuhren wir auch schon auf den nachts um drei tatsächlich völlig menschenleeren Autobahnparkplatz, auf dem vorletzten Freitag das ganze Dilemma begonnen hatte. Vor dem Toilettenhäuschen, das auch in der Finsternis noch einen versifften Eindruck machte, parkten zwei Mercedes-Limousinen. Davor standen bereits Boris und vier seiner Officer.

Stanislav parkte unseren Transit daneben, und bis auf Toni stiegen wir alle aus.

Ein paar Meter von unserem Wagen entfernt stand hinter einer kleinen Baumgruppe ein verlassener Opel Kadett, an dem schon der rote Aufkleber vom Ordnungsamt klebte, der besagt, dass das Fahrzeug in Kürze entsorgt werden würde.

Boris hätte den Ort nicht passender aussuchen können. An der Stelle, an der eigentlich Igor hätte stehen sollen, flatterte lose ein Polizei-Absperrband an einem vergessenen Holzpflock. An genau dieser Stelle war Igor vor neun Tagen verbrannt und erschlagen worden. Von Dragan. Weil das Arschloch, das wir jetzt übergeben würden, beide in eine Falle gelockt hatte.

Aber anstatt dass Boris und seine Officer jetzt Dragans Officer kalt machen würden, gaben sich alle freundschaftlich die Hände.

»Boris«, sagte ich. »Ich soll dir Grüße von Dragan ausrichten. Er entschuldigt sich nochmals in aller Form für das, was passiert ist. Aber er weiß jetzt, wer der Schuldige ist. Und er sieht es als Selbstverständlichkeit an, dass du den Verräter dafür zur Verantwortung ziehen darfst – völlig egal, welche Stellung dieser vorher bei ihm hatte.«

Ich übergab Boris die von Dragans Daumen gestempelte Zeitungsseite, auf der genau das stand, sowie ein Smartphone.

»Was soll ich mit dem Handy? Will Dragan mit mir sprechen? Ich sehe ihn doch gleich! Oder will der Feigling das Treffen absagen?«

»Nein, auf dem Handy ist ein Geständnis.«

Boris schaute sich das Foltergeständnis von Malte an.

»Toni also. Ich wusste es von Anfang an. Warum ist der Mann, der ihn so massiv belastet, nicht selber hier?«

»Weil Toni ihn vor unseren Augen umgebracht hat, damit genau das nicht geschieht. Das war das Schuldeingeständnis, das uns noch fehlte, um alle Zweifel zu beseitigen. Deshalb bekommst du jetzt und hier Toni persönlich.«

Sascha öffnete unseren Kleintransporter und zog den sich heftig wehrenden Toni aus dem Wagen. Zwei Officer von Boris nahmen ihn sofort in Empfang.

Boris zeigte sich beeindruckt.

»Dragan tötet meine Nummer zwei und übergibt mir dafür seine Nummer zwei. Das ist fair. Wie habt ihr den Apfel da festbekommen? Ist das Panzerband?«

»Ja«, sagte Clara. »Haarklammern halten nicht.«

»Und leider hatten wir keine Stricknadel«, ergänzte Walter.

»Habt ihr noch was von dem Panzerband?«, wollte Boris wissen.

»Klar.« Ich gab Sascha ein Zeichen

Sascha warf ihm den Rest der Panzerbandrolle zu.

Boris fing sie auf und gab sie an seine Leute weiter, die gerade damit beschäftig waren, Toni die Hosen herunterzuziehen. Niemand achtete mehr auf Sascha, der sich in dem Moment außer Sichtweite hinter die Baumgruppe begab und den Kofferraum des Opel Kadett öffnete.

»Das ist gut, das Panzerband«, schwärmte Boris. »Damit wäre dann auch mein letztes Problem gelöst. Nämlich die Frage, wie ich dem Verräter die Handgranaten am Sack befestige.«

»Du willst wirklich …?«, entfuhr es mir.

»Was ich verspreche, halte ich auch.«

»Ehrenvolle Einstellung«, sagte ich voller Respekt, während ich zusah, wie Toni zwei Eierhandgranaten an ebendiese getapt wurden.

»Wie machst du das mit den Sicherungsstiften? Ich meine, irgendjemand muss die ja ziehen?« Es interessierte mich rein technisch.

Boris zeigte auf zwei Rollen Drachenschnur, die mit dem jeweils losen Ende an die Sicherungsstifte der Handgranaten geknotet waren. Währenddessen wurde Toni kopfüber an ein Andreaskreuz gefesselt, das Boris' Leute ganz offensichtlich aus einem Bordell mitgebracht hatten.

»Und die ganzen Splitter und die Matsche? Das gibt doch eine Mordssauerei, wenn der Typ hier über den ganzen Parkplatz fliegt. Ich meine – die schönen Autos.« Niemand schenkte meinem Einwand Beachtung.

In diesem Augenblick hoben Boris' Officer das Andreaskreuz hoch und trugen es hinter das Toilettenhäuschen. Zwischen uns und der zu erwartenden Sauerei lagen nun acht Quadratmeter versiffter Beton.

»Der Mann denkt an alles«, stellte Carla lobend fest.

In der Tat war die kühle Vorgehensweise von Boris bei der Hinrichtung von Toni etwas völlig anderes als der emotionsgeladene Gewaltexzess, mit dem Dragan Igor an gleicher Stelle ins Jenseits befördert hatte. Das Ergebnis unterschied sich dann allerdings kaum. Und zwar sowohl sofort für das Opfer als auch später für die Tatortreiniger.

Die Officer kamen zurück und übergaben Boris die aufgewickelten Enden der Drachenschnur.

»Willst du ihm nicht noch irgendetwas sagen? Ein paar letzte Worte? Irgendwas Theatralisches«, regte ich an. Allerdings vergebens.

Boris zog mit einem Ruck an beiden Schnüren.

»Warum sollte ich?«

»Ich dachte nur, weil wir uns auch solche Mühe gemacht haben mit dem Apfel und…«

Zwei simultane Explosionen hinter dem Toilettenhäuschen zerrissen meinen Satz. Die Reste von Toni und von dem Andreaskreuz flogen meterweit in alle Himmelsrichtungen, die nicht von einem Klohäuschen verdeckt waren.

Nachdem der Doppelknall der Explosion verklungen war, war plötzlich ein unrhythmisches Surren zu hören. Ich schaute nach oben. Boris folgte meinem Blick. Eine Drohne. Sie taumelte aus der Luft heraus auf uns zu und krachte Boris und mir genau zwischen die Füße und zerschellte. Mit einer Kamera. Und einer Antenne.

»Was ist das für eine Scheiße?«, wollte Boris wissen.

»Das ist… eine Drohne. Wir sind bei der Hinrichtung gefilmt worden«, versuchte ich mit einem Maximum an Überraschung in der Stimme den Sachverhalt zu analysieren.

Technisch gesehen handelte es sich bei der Drohne um das baugleiche Modell wie das, welches ich vor ein paar Tagen im Wald mit einem Stock vom Himmel geholt hatte. Nur dass ich auf dieses Modell hier einen kleinen Aufkleber mit der Aufschrift »Polizei« geklebt hatte. Und der Aufkleber tat seine Wirkung.

»Das ist eine Drohne von den Bullen!«, fluchte Boris.

»Dann hat uns irgendein Arsch verraten«, sagte ich.

Boris holte bereits mit dem Fuß aus und zertrat die Drohne und die Kamera.

»Niemand filmt mich bei einem Mord!«

Ich hielt Boris zurück. »Das bringt nichts. Siehst du die Antenne? Alle Bilder sind bereits beim Drohnenpiloten auf irgendeinem Rechner gespeichert.«

»Was soll das heißen? Sind wir jetzt im Arsch? Sollen wir jetzt hier warten, bis wir verhaftet werden? Wir hauen ab. Alle. Sofort!«

Boris' Leute fingen an hektisch durcheinander und zu ihren Autos zu laufen. Auch meine Officer sprangen bereits in den Transit. Ich versuchte, meiner neuen Führungsrolle gerecht zu werden.

»Halt! Wenn wir jetzt alle panisch abhauen, können wir uns nicht mehr absprechen. Wenn diese Drohne alles gefilmt hat, dann …« – ich wandte mich in gespielter Panik Boris zu –, »dann weiß die Polizei, dass du für den Mord hier verantwortlich bist. Und wir alle stecken mit drin. Wichtig ist, dass du aus der Schusslinie kommst. Und wir Übrigen müssen unsere Aussagen abstimmen.«

»Wie soll das gehen?«

»Zuerst musst du untertauchen. Der Rest läuft telefonisch.«

»Untertauchen. Wohin?«

Ich tat so, als müsste ich nachdenken. Schließlich kam mir der geniale Gedanke.

»Ich fahre dich direkt zu Dragan. Von hier aus. Sein Versteck ist sicher, und ihr beide sitzt jetzt eh in einem Boot. Aber wir müssen uns beeilen. Hier wird es in ein paar Minuten von Polizisten nur so wimmeln.«

Boris sah mich an. Erst ängstlich. Dann grübelnd. Schließlich erkennend. Es hatte klick gemacht. Ein zufriedenes Grinsen erschien auf dem Gesicht des Mannes.

»Du bist genial, Herr Anwalt. So machen wir das. Leute – ihr haut jetzt alle ab. Björn fährt mich zu Dragan. Ich melde mich bei euch. Vladi! Gib dem Anwalt den Wagenschlüssel.«

Vladimir, einer von Boris' Officern, warf mir den Schlüssel für einen der Mercedes' zu. Alle anderen verteilten sich auf die andere Limousine und den Ford Transit. Boris und ich liefen zu unserem Wagen. Sascha erschien neben mir.

»Genialer Flug!«, flüsterte ich ihm zu.

»Danke. Hab ja geübt.«

»Sammel die Reste der Drohne ein und lass sie verschwinden.«

»Wie besprochen.«

Sascha ging zu dem Toilettenhäuschen. Der Ford Transit und der zweite Mercedes verließen mit quietschenden Reifen den Parkplatz. Boris wollte gerade auf dem Beifahrersitz seines Wagens Platz nehmen, als ich ihm eine Hand auf die Schulter legte.

»Boris, sorry. Aber du darfst von jetzt an nicht mehr gesehen werden. Du musst hier und jetzt verschwinden.«

»Wohin?«, wollte Boris hektisch wissen.

Ich öffnete den Kofferraum.

»Ist nicht bequem, aber sicher.«

Boris nahm im Kofferraum Platz.

»Und gleich sehe ich Dragan?«

»Gleich siehst du Dragan.«

Im Einklang mit mir selbst schloss ich den Kofferraumdeckel. Wertungsfrei und liebevoll. Achtsam eben.

DANKE.

Dies ist mein erster Roman. Wer ihn offen liest, wird merken, dass mir Achtsamkeit – bei allem Humor – wichtig ist. Eine achtsame Lebenseinstellung macht vieles leichter. Achtsamkeit ist allerdings kein Heilmittel für alles, auch wenn Sie mittlerweile bei Google zu jedem denkbaren Problem in Verbindung mit dem Begriff »Achtsamkeit« eine passende Übung angeboten bekommen. Ich bin dankbar für all diese inspirierenden Tipps. Aus diesem Überfluss des Guten lebt der Roman.

Auf dem Weg bis zur endgültigen Fassung dieses Buches haben mich Begegnungen mit zahlreichen Menschen inspiriert. Alle Begegnungen waren notwendige Bausteine. All diesen Menschen sei gedankt. Ein paar seien hier erwähnt.

Als ich das Bedürfnis hatte, die vage Idee für dieses Buch zum ersten Mal in ausformulierte Worte zu formen, saß ich gerade in meiner Lieblingskneipe auf meiner Lieblingsinsel. Ich danke der Kellnerin, die mir auf meine Bitte hin Stift und Bestellblock ausgeliehen hat. Die sechs voll beschriebenen Zettel hängen mittlerweile gerahmt an meiner Wand. Das Buch beginnt genau so, wie an diesem Abend formuliert.

Marco, Du warst noch am selben Abend im Theater Deines Cafés mein erstes Publikum. Du hast mir zugehört und mir »Der Mob« von Dagobert Lindlau zur Recherche geschenkt. Zudem hat mich einer Deiner Gäste – ohne es zu ahnen – ganz wesentlich zu einer der Nebenfiguren des Buches inspiriert. Danke.

Marcel, Dir vielen Dank für die liebevolle Aufnahme und Betreuung in Deiner Agentur.
Anvar, Du hast Dich wunderbar um mich und meine Arbeit gekümmert. Würden Bücher getauft werden, wärest Du Pate.

Ich danke Oskar Rauch, der als Lektor beim Heyne-Verlag sofort an den Roman geglaubt hat. Und ich danke Joscha Faralisch, der diesen Glauben in dessen Babypause weitergelebt hat.

Heiko Arntz danke ich für das detail- und anregungsreiche Lektorat. Es hat Spaß gemacht, so intensiv noch einmal am eigenen Werk zu arbeiten.

Und ich danke Ihnen, dass Sie das Buch offensichtlich bis zur letzten Seite gelesen haben.

Herzlichst
Karsten Dusse

ACHTSAM
ZUHÖREN

Als Download und auf CD